D0254439

AINSI RÉSONNE L'ÉCHO INFINI DES MONTAGNES

DU MÊME AUTEUR

Les Cerfs-volants de Kaboul, Belfond, 2005 ; 10/18, 2006
Mille soleils splendides, Belfond, 2007 ; 10/18, 2009
Les Cerfs-volants de Kaboul (Roman graphique), Belfond, 2011

Vous pouvez consulter le site de l'auteur
aux adresses suivantes :
www.khaledhosseini.com
www.khaledhosseinifoundation.org

KHALED HOSSEINI

AINSI RÉSONNE L'ÉCHO INFINI DES MONTAGNES

Traduit de l'américain
par Valérie Bourgeois

belfond

Titre original :
AND THE MOUNTAINS ECHOED
publié par Riverhead Books, a member of Penguin Group
(USA) Inc., New York.

Retrouvez-nous sur
www.belfond.fr
ou www.facebook.com/belfond

Éditions Belfond,
12, avenue d'Italie, 75013 Paris
Pour le Canada,
Interforum Canada, Inc.,
1055, bd René-Lévesque-Est,
Bureau 1100,
Montréal, Québec, H2L 4S5.

ISBN : 978-2-7144-5585-7

Belfond | un département **place des éditeurs**

place
des
éditeurs

Ce livre est dédié à Haris et Farah,
tous deux le noor *de mes yeux,*
ainsi qu'à mon père, qui aurait été fier.

À Elaine

*Par-delà les idées du bien
et du mal,
Il y a un champ.
Je t'y retrouverai.*

Djalâl Od-Dîn Rûmî, XIIIe siècle

1

Automne 1952

BIEN. VOUS VOULEZ UNE HISTOIRE, je vais vous en raconter une. Mais seulement une. Inutile de m'en réclamer une autre ensuite. Il est tard et un long voyage nous attend demain, Pari et moi. Vous aurez besoin de dormir cette nuit. Oui, toi aussi, Abdullah. Je compte sur toi, mon garçon, pendant que ta sœur et moi nous serons partis. Tout comme ta mère. Bon, une histoire, donc. Écoutez-moi, tous les deux. Écoutez-moi bien et ne m'interrompez pas.

Il était une fois, à l'époque où les *divs*, les djinns et les géants erraient sur la terre, un fermier du nom de Baba Ayub, qui habitait avec les siens dans un petit village appelé Maidan Sabz. Parce qu'il avait une famille nombreuse à nourrir, il menait une vie de dur labeur. Chaque jour, il travaillait de l'aube jusqu'au coucher du soleil, labourant son champ, retournant et bêchant la terre, prenant soin de ses maigres pistachiers. Quelle que soit l'heure, on le voyait dehors, plié en deux, le dos aussi courbé que la faucille qu'il faisait aller et venir à longueur de temps. Ses mains sans cesse calleuses saignaient souvent, et chaque nuit, le sommeil l'emportait dès l'instant où sa joue touchait l'oreiller.

À cet égard, je dois dire qu'il n'était pas le seul, loin de là. La vie à Maidan Sabz était difficile pour tout le monde. Il y avait d'autres villages plus fortunés au nord, dans des vallées avec des arbres fruitiers, des fleurs et des ruisseaux où s'écoulait une eau fraîche et limpide. Mais Maidan Sabz était un lieu désolé qui ne ressemblait pas le moins du monde à l'image suggérée par son nom, le « champ vert ». Situé dans une morne plaine poussiéreuse bordée de montagnes abruptes, il était balayé par un vent brûlant qui vous soufflait de fines particules dans les yeux. Trouver de l'eau y relevait d'un combat de tous les jours, parce que les puits, même les plus profonds, s'asséchaient souvent. Certes, il y avait une rivière, mais les villageois devaient effectuer une demi-journée de marche pour l'atteindre, et quand bien même ils le faisaient, elle ne charriait toute l'année que des eaux boueuses. Et après dix années de sécheresse, elle aussi s'asséchait. Disons simplement que les gens de Maidan Sabz s'échinaient deux fois plus que les autres pour gagner à grand-peine deux fois moins.

Malgré ça, Baba Ayub s'estimait bien loti car il avait une famille à laquelle il tenait plus qu'à tout. Il chérissait sa femme, ne haussait jamais le ton face à elle et la frappait encore moins. Au contraire, il appréciait ses conseils et puisait un plaisir sincère dans sa compagnie. Il avait aussi le bonheur de compter autant d'enfants que les doigts de la main – deux filles et trois fils, qu'il aimait tous profondément. Les premières, en plus d'être dévouées et gentilles, avaient bon caractère et bonne réputation. Quant aux seconds, auxquels il avait appris la valeur de l'honnêteté, du courage, de l'amitié et du travail effectué sans se plaindre, ils lui obéissaient comme doivent le faire des fils respectueux et l'aidaient à cultiver son champ.

Bien qu'il fût attaché à tous ses enfants, Baba Ayub éprouvait en secret une affection particulière pour l'un d'entre eux – son fils Qais. Benjamin de la fratrie, Qais était un petit garçon de trois ans aux yeux bleu foncé qui charmait quiconque le rencontrait par son rire espiègle. C'était aussi l'un de ces enfants si pleins d'énergie qu'ils vident les autres de la leur. L'apprentissage de la marche lui avait procuré un tel ravissement qu'il avait commencé à s'y adonner toute la journée, lorsqu'il était éveillé, et ensuite, ce qui était plus gênant, la nuit dans son sommeil. Il sortait de la maison familiale en pisé et déambulait dans l'obscurité sous le clair de lune. Évidemment, ses parents s'inquiétaient. Et si jamais il tombait dans un puits ? S'il venait à se perdre ? Ou, le pire de tout, s'il se faisait attaquer par l'une des créatures qui rôdaient le soir dans les plaines ? Ils essayèrent de nombreux remèdes, dont aucun ne se révéla efficace. Au bout du compte, la solution que trouva Baba Ayub fut toute simple – comme le sont souvent les meilleures solutions : il ôta la petite cloche accrochée au cou de l'une de ses chèvres et l'attacha à la place à celui de Qais. Elle ne manquerait pas ainsi d'éveiller quelqu'un si jamais son fils se levait en pleine nuit. Au bout d'un moment, les crises de somnambulisme de l'enfant cessèrent, mais il s'enticha de sa clochette et refusa de s'en séparer. Et c'est ainsi que, même si elle ne remplissait plus son office originel, elle resta fixée à une ficelle autour de son cou. Quand Baba Ayub rentrait après une longue journée de travail, Qais se précipitait hors de la maison et se jetait contre son ventre, la clochette tintant à chacun de ses petits pas. Son père le prenait dans ses bras et le ramenait à l'intérieur, où Qais le regardait avec attention se laver, avant de s'asseoir à côté de lui pour le dîner. À la fin du repas, Baba Ayub sirotait son thé et observait sa famille en imaginant le jour où tous ses enfants se marieraient et lui donneraient des petits-enfants, et où il serait le fier patriarche d'une progéniture encore plus nombreuse.

Hélas, Abdullah et Pari, le temps du bonheur prit fin pour Baba Ayub.

Un jour, un *div* arriva à Maidan Sabz. À mesure qu'il approchait du village en provenance des montagnes, la terre se mettait à trembler sous ses pieds. Les villageois laissèrent tomber leurs pelles, leurs houes et leurs haches pour s'enfuir en courant et s'enfermer dans leur maison, où ils se blottirent les uns contre les autres. Lorsque le fracas cessa, l'ombre du *div* assombrit le ciel au-dessus de Maidan Sabz. On raconte que des cornes incurvées lui poussaient sur la tête et que des poils rêches et noirs recouvraient ses épaules et sa puissante queue. On raconte que ses yeux brillaient d'une lueur rouge – mais personne n'en était sûr, voyez-vous, du moins personne de vivant, car le *div* mangeait sur-le-champ ceux qui osaient lui jeter le moindre regard. Pour cette raison, les villageois gardèrent sagement les yeux rivés au sol.

Tous savaient pourquoi le *div* était là. Ils avaient entendu le récit de ses visites à d'autres villages et ne pouvaient que s'étonner d'avoir échappé si longtemps à son attention. Peut-être que leur pauvre et rude existence avait joué en leur faveur, raisonnaient-ils. Leurs enfants n'étaient pas aussi bien nourris qu'ailleurs et n'avaient pour ainsi dire que la peau sur les os. Mais même ainsi, la chance avait fini par tourner.

Maidan Sabz trembla et retint son souffle. Les familles priaient pour que le *div* passe devant leur maison sans s'arrêter, sachant qu'elles devraient lui donner un de leurs enfants s'il tapait sur leur toit. Il le jetterait dans un sac, balancerait celui-ci sur son épaule et s'en repartirait là d'où il venait. Nul ne reverrait jamais le pauvre petit. Et si des parents avaient le malheur de refuser, le *div* s'emparait de toute leur progéniture.

Où les emmenait-il ? Dans son fort, qui se dressait au sommet d'une montagne escarpée, loin de Maidan Sabz. Il fallait traverser des vallées, plusieurs déserts et deux chaînes de montagnes avant de l'atteindre, et quel être sain d'esprit y serait allé en ayant la certitude de mourir à l'arrivée ? Le bruit courait que le fort était empli de cachots aux murs couverts de couteaux de boucher. Que des crochets à viande pendaient des plafonds. Qu'il y avait des broches géantes et des brasiers. Et que s'il surprenait un intrus, le *div* pouvait surmonter son aversion pour la chair des adultes.

Vous aurez deviné, je suppose, quel toit reçut le coup redouté. En l'entendant, Baba Ayub laissa échapper un cri de détresse et sa femme s'évanouit. Les enfants pleurèrent de terreur, et aussi de chagrin, parce qu'ils étaient sûrs désormais que l'un d'entre eux était perdu. La famille avait jusqu'à l'aube pour effectuer son offrande.

Comment vous décrire le supplice que vécurent Baba Ayub et sa femme ce soir-là ? Aucun parent ne devrait avoir à faire un tel choix. Veillant à ne pas être entendus de leurs enfants, tous deux discutèrent de la conduite à adopter. Ils parlèrent et pleurèrent, encore et encore. Toute la nuit, ils balancèrent, mais l'aube approcha sans qu'ils aient pris de décision – ce qui était peut-être le souhait du *div*, car si elles se prolongeaient trop, ces tergiversations lui vaudraient d'avoir cinq enfants au lieu d'un seul. Au bout du compte, Baba Ayub alla ramasser cinq cailloux de taille et de forme identiques juste devant chez lui. Sur chacun d'eux, il écrivit le nom d'un enfant, et lorsqu'il eut fini, il les fourra tous dans un sac en toile qu'il tendit à sa femme. Elle frémit comme s'il avait renfermé un serpent venimeux.

— Je ne peux pas, dit-elle à son mari en secouant la tête. Je ne peux pas être celle qui choisit. Je ne le supporterai pas.

— Moi non plus…, commença Baba Ayub.

Mais au même instant, il vit par la fenêtre que le soleil allait bientôt émerger à l'est derrière les montagnes. Le temps leur était compté. Il contempla ses cinq enfants d'un air abattu. Un doigt devait être coupé pour sauver la main. Il ferma les yeux et tira un caillou au sort.

Là encore, je suppose, vous aurez deviné lequel Baba Ayub sortit du sac. Lorsqu'il vit le nom inscrit dessus, il tourna son visage vers le ciel et poussa un cri. Puis, le cœur brisé, il souleva son plus jeune fils, et Qais, qui avait une foi absolue en lui, enroula joyeusement les bras autour de son cou. Ce ne fut que lorsque son père le déposa hors de la maison et ferma la porte que l'enfant comprit que quelque chose ne tournait pas rond. Il supplia en pleurant qu'on le laisse rentrer et martela le battant de ses petits poings. Baba Ayub resta adossé à ce dernier, les yeux fermés, en larmes.

— Pardonne-moi, pardonne-moi, répéta-t-il à voix basse alors que le sol vibrait sous les pas du *div*.

Son fils hurla. La terre trembla et trembla tandis que le démon s'éloignait de Maidan Sabz. Enfin, il disparut. Tout redevint immobile et le silence se fit, troublé seulement par les pleurs de Baba Ayub, qui suppliait Qais de lui pardonner.

Abdullah, ta sœur s'est endormie. Couvre-lui les pieds. Voilà. Parfait. Peut-être devrais-je m'arrêter là. Non ? Tu veux que je continue ? Tu en es sûr, mon garçon ? Très bien.

Où en étais-je ? Ah oui. Quarante jours de deuil s'ensuivirent. Tous les jours, les voisins préparaient des plats pour la famille et veillaient avec Baba Ayub et les siens. Ils apportaient ce qu'ils pouvaient, du thé, des sucreries, du pain, des amandes, ainsi que leurs condoléances et leur compassion. Mais c'était à peine si Baba Ayub arrivait à dire simplement merci. Il pleurait, assis dans un coin, et des torrents de larmes s'écoulaient de ses yeux comme s'il avait voulu mettre fin lui-même à la sécheresse que subissait le village. On ne souhaiterait pas au pire des hommes de connaître une telle souffrance.

Plusieurs années se succédèrent. La sécheresse continua et Maidan Sabz sombra dans une pauvreté encore plus grande. Plusieurs bébés moururent de soif au berceau. Le niveau d'eau dans les puits baissa encore et la rivière s'assécha, contrairement à la détresse de Baba Ayub, qui telle une rivière enflait à chaque jour qui passait. Il n'était plus d'aucune aide à sa famille. Il ne travaillait pas, ne priait pas, ne mangeait presque plus rien. Sa femme et ses enfants le supplièrent – en vain. Ses fils durent prendre le relais, car il se contentait de rester assis au bord de son champ, silhouette solitaire et misérable au regard tourné vers les montagnes. Il cessa de parler aux villageois qui, lui semblait-il, marmonnaient dans son dos et le traitaient de lâche pour avoir abandonné son fils de si bon cœur. Qui le considéraient comme un père indigne. Un vrai père aurait combattu le *div* et serait mort en défendant les siens.

Il se confia un soir à sa femme.

— Mais pas du tout ! protesta-t-elle. Personne ne te traite de lâche.

— Je les entends.

— C'est ta propre voix que tu entends, mon époux.

19

Elle ne lui avoua pas cependant que les villageois chuchotaient en effet dans son dos – mais pour dire qu'il avait peut-être perdu la raison.

Et puis un jour, il leur montra qui il était. Il se leva à l'aube sans éveiller sa femme et ses enfants, et, après avoir glissé quelques morceaux de pain dans un sac, enfilé ses chaussures et attaché sa faux à sa taille, il se mit en route.

Il marcha longtemps, très longtemps. Le jour, il cheminait jusqu'à ce que le soleil ne soit plus qu'une faible lueur rouge à l'horizon. La nuit, il dormait dans des grottes pendant que le vent sifflait au-dehors, ou bien près d'une rivière, sous un arbre ou à l'abri d'un amas rocheux. Il mangea son pain, puis ce qu'il put trouver – des baies sauvages, des champignons, des poissons qu'il attrapait à mains nues dans les ruisseaux. Il lui arriva aussi de ne pas manger du tout. Jamais il ne s'arrêta cependant. Lorsque des passants lui demandaient où il allait et qu'il leur répondait, certains éclataient de rire, d'autres pressaient le pas de peur d'avoir affaire à un fou, et d'autres encore priaient pour lui, car eux aussi avaient perdu un enfant à cause du *div*. Baba Ayub gardait la tête baissée et avançait. Quand ses chaussures tombèrent en lambeaux, il les fixa à ses pieds avec de la ficelle. Puis la ficelle elle-même se rompit, alors il continua pieds nus. Il traversa ainsi des déserts, des vallées et des montagnes.

Enfin, il atteignit celle au sommet de laquelle se dressait le fort du *div*. Il était si impatient de mener à bien sa quête qu'il ne se reposa pas et entama aussitôt l'ascension. Ses habits n'étaient plus que des haillons, il avait les pieds ensanglantés et les cheveux poussiéreux, mais sa résolution demeurait sans faille. Les aspérités des rochers lui entaillèrent la plante des pieds. Des rapaces

20

lui donnèrent des coups de bec sur la joue lorsqu'il passa près de leur nid. De violentes bourrasques manquèrent l'arracher au flanc de la montagne. Et pourtant il s'obstina, escaladant un rocher après l'autre jusqu'à ce qu'il parvienne devant un lourd portail. Il jeta une pierre contre le battant.

— Qui a osé ? tonna le *div* depuis sa forteresse.

Baba Ayub se présenta.

— Je viens du village de Maidan Sabz, ajouta-t-il.

— Souhaites-tu mourir ? Tu dois en avoir envie pour me déranger chez moi ! Qu'est-ce qui t'amène ?

— Je suis venu te tuer.

Un silence s'ensuivit derrière le portail. Puis celui-ci s'entrouvrit, et le *div* apparut, menaçant, dans toute sa gloire cauchemardesque.

— Vraiment, dit-il d'une voix qui résonna comme un coup de tonnerre.

— Oui. D'une façon ou d'une autre, l'un de nous doit mourir aujourd'hui.

L'espace d'un instant, le *div* parut prêt à s'emparer de Baba Ayub et à l'achever d'un simple coup de ses dents aussi tranchantes que des dagues. Mais quelque chose le fit hésiter. Il plissa les yeux. Peut-être était-ce la folie des propos que lui tenait ce vieillard. Peut-être était-ce son apparence, ses habits déchiquetés, son visage en sang, la poussière qui le maculait de la tête aux pieds, les entailles ouvertes sur sa peau. Ou peut-être était-ce son regard, dans lequel il ne lisait pas la moindre peur.

— D'où viens-tu, m'as-tu dit ?

— De Maidan Sabz.

— Ce doit être loin d'ici, ça, à en juger par ton état.

— Je ne suis pas venu perdre mon temps à palabrer. Je suis venu…

Le *div* leva une main griffue.

— Oui, oui, tu es venu me tuer. Je sais. Mais avant ça, tu peux sûrement m'accorder quelques dernières paroles.

— Très bien, répondit Baba Ayub. Mais seulement quelques-unes.

— Je te remercie, dit le *div* en souriant. Puis-je te demander quel mal je t'ai fait pour mériter un tel châtiment ?

— Tu m'as pris mon plus jeune fils. Il était ce que j'avais de plus cher au monde.

Le *div* grogna et se tapota le menton.

— J'ai pris beaucoup d'enfants à beaucoup de pères…

Baba Ayub saisit sa faux avec rage.

— Alors je les vengerai eux aussi.

— Je dois avouer que ton courage me laisse admiratif.

— Tu ne connais rien au courage. Le courage suppose un enjeu. Moi, je n'ai rien à perdre.

— Si, ta vie.

— Tu me l'as déjà prise.

Le *div* grogna encore et examina Baba Ayub d'un air pensif.

— Très bien, dit-il au bout d'un moment. Je vais t'accorder ton duel. Je te demande juste de me suivre.

— Fais vite, répliqua Baba Ayub. Je perds patience.

Mais le *div* se dirigeait déjà vers un corridor gigantesque, et Baba Ayub n'eut pas d'autre choix que de lui emboîter le pas. Ils longèrent un dédale de couloirs dont les plafonds, tous soutenus par d'énormes colonnes, effleuraient presque les nuages. Ils passèrent par d'innombrables cages d'escaliers, traversèrent des chambres assez grandes pour contenir tout Maidan Sabz. Ils marchèrent ainsi jusqu'à ce que le *div* entraîne

Baba Ayub dans une salle immense au bout de laquelle était tendu un rideau.

— Approche, dit-il.

Baba Ayub vint se poster près de lui.

Le *div* écarta le rideau. Derrière, une fenêtre surplombait un immense jardin. Bordé de rangées de cyprès au pied desquels poussaient des fleurs de toutes les couleurs, il s'agrémentait de bassins carrelés de bleu, de terrasses en marbre et de pelouses luxuriantes. Baba Ayub remarqua aussi les haies superbement taillées, les fontaines où l'eau gargouillait à l'ombre de grenadiers. Jamais il n'aurait pu imaginer un si bel endroit.

Mais ce qui le bouleversa le plus, ce fut la vue des enfants qui gambadaient et s'amusaient là. Ils se pourchassaient dans les allées et autour des arbres, jouaient à cache-cache derrière les haies. Baba Ayub les observa jusqu'à ce qu'il trouve ce qu'il cherchait. Il était là ! Son fils, Qais, vivant et en pleine forme. Il avait grandi et ses cheveux étaient plus longs que dans le souvenir qu'il en gardait. Vêtu d'une belle chemise blanche et d'un élégant pantalon, il riait joyeusement en courant après deux de ses camarades.

— Qais, murmura Baba Ayub, dont le souffle embua le carreau de la fenêtre.

Puis il cria le nom de son fils.

— Il ne peut pas t'entendre, dit le *div*. Ni te voir.

Baba Ayub sauta en agitant les bras et en tapant contre la fenêtre, jusqu'à ce que le *div* referme le rideau.

— Je ne comprends pas. Je croyais...

— C'est ta récompense.

— Explique-toi.

— Je t'ai obligé à passer un test.

— Un test ?

— J'ai mis ton amour à l'épreuve. C'était un défi très dur, je le reconnais, et je mesure le prix que tu as dû payer. Mais tu as réussi. Voilà ta récompense. Et la sienne.

— Et si je n'avais choisi aucun de mes enfants ? Si j'avais refusé de me soumettre à ton test ?

— Alors les cinq auraient péri. De toute façon, cela aurait été une malédiction pour eux d'avoir été engendrés par un homme faible, un lâche qui aurait préféré les voir tous mourir plutôt que de faire peser un tel fardeau sur sa conscience. Tu dis que tu n'as pas de courage, mais j'en vois en toi. Ce que tu as fait, la responsabilité écrasante que tu as accepté de porter, cela en supposait beaucoup. Pour cela, je te respecte.

Baba Ayub tira faiblement sur sa faux, mais elle glissa de sa main et heurta le sol en marbre avec fracas. Ses genoux se dérobèrent sous lui et il dut s'asseoir.

— Ton fils ne se souvient pas de toi, continua le *div*. Telle est sa vie, à présent, et tu as été toi-même témoin de son bonheur. Ici, on lui sert les meilleurs mets et on lui fournit les plus beaux habits. On lui témoigne de l'amitié et de l'affection. On lui enseigne les beaux-arts, les langues étrangères et les sciences, ainsi que les voies de la sagesse et de la charité. Il ne manque de rien. Un jour, lorsqu'il sera un homme, il choisira peut-être de partir et il sera libre de le faire. Je pense qu'il influencera alors le cours de nombreuses vies par sa gentillesse et qu'il apportera le bonheur à ceux qui vivent enfermés dans leur chagrin.

— Je veux le voir, dit Baba Ayub. Je veux le ramener à la maison.

— Vraiment ?

Baba Ayub leva les yeux vers le *div*.

La créature s'approcha d'un cabinet près du rideau et sortit un sablier de l'un des tiroirs. Au fait, sais-tu ce qu'est un sablier, Abdullah ? Oui ? Très bien. Le *div* sortit donc un sablier, le retourna et le posa aux pieds de Baba Ayub.

— Je t'autoriserai à repartir avec ton fils, dit-il. Mais si tel est ton choix, il ne pourra jamais revenir ici. Et si tu le laisses, c'est toi qui ne pourras jamais revenir ici. Quand le sable se sera écoulé, je te demanderai quelle est ta décision.

Sur ce, le *div* sortit de la salle, laissant de nouveau Baba Ayub face à un douloureux dilemme.

Je vais le ramener chez moi, songea-t-il aussitôt. C'était ce qu'il désirait le plus au monde, de toutes les fibres de son être. Il avait rêvé tant de fois de cet instant. Serrer de nouveau le petit Qais dans ses bras, embrasser sa joue et sentir la douceur de ses mains dans les siennes. Et pourtant... si Qais rentrait avec lui à la maison, quelle vie l'attendrait à Maidan Sabz ? Celle d'un paysan comme lui, dans le meilleur des cas, et guère mieux. Enfin, à supposer qu'il ne succombe pas à la sécheresse, à l'image de tant d'autres enfants du village. Pourrais-tu te le pardonner, se demanda Baba Ayub, en ayant conscience de l'avoir arraché par égoïsme à une vie opulente qui lui ouvrait tant de portes ? D'un autre côté, s'il abandonnait Qais derrière lui, comment pourrait-il supporter de savoir son garçon en vie, de connaître l'endroit où il habitait, et de ne pas avoir le droit de lui rendre visite ? Comment le pourrait-il ? Baba Ayub pleura. De désespoir, il saisit le sablier et le jeta contre le mur, où l'instrument se fracassa en mille morceaux en répandant son sable par terre.

Lorsqu'il revint dans la salle, le *div* le trouva debout devant le verre brisé, les épaules affaissées.

— Tu es une bête cruelle, dit Baba Ayub.

— Quand on a vécu aussi longtemps que moi, on constate que la cruauté et la bienveillance ne sont que des nuances d'une même couleur. As-tu fait ton choix ?

Baba Ayub sécha ses larmes, ramassa sa faux et l'attacha à sa taille. Lentement, il se dirigea vers la porte, la tête baissée.

— Tu es un bon père, dit le *div* quand Baba Ayub passa près de lui.

— Je te souhaite de rôtir dans les flammes de l'enfer pour ce que tu m'as infligé, répliqua le vieillard d'un ton las en sortant de la pièce.

Il longeait le couloir lorsque le *div* le rappela.

— Tiens, dit-il en lui remettant une petite fiole en verre remplie d'un liquide sombre. Bois ça sur le chemin du retour. Adieu.

Baba Ayub prit la fiole et partit sans un mot.

Une longue période s'écoula. La femme de Baba Ayub guettait son mari – de même que lui avait guetté le retour de Qais –, mais son espoir de le voir revenir s'amenuisait avec le temps. Déjà, les gens du village parlaient de lui au passé. Et puis, un jour qu'elle était assise par terre au bord du champ familial, une prière au bord des lèvres, elle aperçut une silhouette qui s'avançait vers Maidan Sabz en provenance des montagnes. À la vue de cet homme maigre aux habits en lambeaux, au regard cave et aux tempes creusées, elle crut d'abord à un derviche perdu, et ce ne fut que lorsqu'il s'approcha qu'elle reconnut son mari. Son cœur bondit de joie et elle poussa un cri de soulagement.

Après qu'il se fut lavé et qu'on lui eut donné à boire et à manger, Baba Ayub s'allongea chez lui, entouré de villageois qui le bombardaient de questions.

— Où es-tu allé, Baba Ayub ?

— Qu'as-tu vu ?

— Que t'est-il arrivé ?

Il ne put leur répondre, parce qu'il ne se souvenait de rien – ni de son voyage, ni de la montagne du *div*, ni de sa discussion avec ce dernier, ni du grand palais et de la vaste salle avec le rideau. Il était comme au sortir d'un rêve déjà oublié. De même, il ne se souvenait ni du jardin secret, ni des enfants, ni surtout de Qais jouant entre les arbres avec ses amis. Il cligna d'ailleurs les yeux, perplexe, lorsque quelqu'un mentionna ce dernier.

— Qui ça ? demanda-t-il, sans se rappeler avoir jamais eu un fils du nom de Qais.

Comprends-tu, Abdullah, en quoi le geste du *div* était charitable ? La potion qui a fait perdre la mémoire à Baba Ayub était sa récompense pour avoir réussi le deuxième test.

Ce printemps-là, des nuages crevèrent enfin au-dessus de Maidan Sabz et déversèrent non pas la petite bruine des années précédentes, mais une forte, une très forte averse. Le village assoiffé se leva pour saluer l'arrivée de cette eau. Toute la journée, la pluie tambourina sur les toits, noyant les autres bruits. De grosses gouttes tombaient de la pointe des feuilles. Les puits se remplirent et le niveau de la rivière monta. Les montagnes à l'est verdirent. Les fleurs sauvages s'épanouirent et pour la première fois depuis bien des années, les enfants s'amusèrent dans l'herbe et les vaches purent paître. Tout le monde se réjouissait.

Lorsque la pluie cessa, le village eut fort à faire. Plusieurs murs en pisé s'étaient écroulés, ramollis par l'eau, quelques toits s'affaissaient et des parcelles entières de terres agricoles s'étaient transformées en marais. Mais après des années de sécheresse catastrophique, les habitants de Maidan Sabz n'allaient pas s'en plaindre.

Les murs furent reconstruits, les toits réparés et les canaux d'irrigation drainés. À l'automne, Baba Ayub cueillit plus de pistaches qu'il ne l'avait jamais fait de sa vie. Non seulement ça, mais l'année d'après, et la suivante encore, sa récolte continua à gagner en qualité et en quantité. Dans les grandes villes où il se déplaçait pour vendre sa production, il s'asseyait fièrement derrière ses pyramides de pistaches, rayonnant comme s'il était l'homme le plus heureux du monde. Maidan Sabz ne connut plus jamais la moindre période de sécheresse.

Il n'y a pas grand-chose à ajouter, Abdullah. Peut-être me demanderas-tu cependant si un beau jeune homme passa un jour à cheval à Maidan Sabz, en route vers de grandes aventures ? S'arrêta-t-il pour boire un peu de cette eau dont le village ne manquait plus désormais, et s'assit-il afin de rompre le pain avec les habitants – peut-être même avec Baba Ayub lui-même ? Je n'en sais rien, mon garçon. Mais ce que je peux te dire, c'est que Baba Ayub vécut jusqu'à un âge très avancé, qu'il maria tous ses enfants, comme il l'avait toujours souhaité, et que ces derniers lui donnèrent beaucoup de petits-enfants, qui tous furent pour lui une grande source de joie.

Et je peux aussi te dire qu'il lui arrivait certaines nuits, sans raison particulière, de ne pas trouver le sommeil. Bien qu'il fût très vieux désormais, il tenait toujours sur ses jambes, à condition de s'aider d'une canne. Ces nuits-là, il se glissait hors de son lit sans éveiller sa femme, sortait et marchait dans le noir en tapotant le sol devant lui avec sa canne, le visage caressé par la brise nocturne, jusqu'à ce qu'il parvienne à un rocher plat à la lisière de son champ. Il s'asseyait dessus et restait souvent là une heure durant, parfois plus, à contempler les étoiles tandis que des nuages passaient devant la lune. Il songeait à sa longue existence, empli de gratitude devant tous les bienfaits et les bonheurs qui lui avaient été accordés. Souhaiter davantage, aspirer à plus encore, il le savait, aurait été mesquin. Il soupirait donc avec contentement et écoutait souffler le vent des montagnes et pépier les oiseaux de nuit.

Mais de temps à autre, il lui semblait distinguer un autre bruit. C'était toujours le même. Le tintement aigu d'une clochette. Il s'étonnait de l'entendre, seul dans le noir, alors que les moutons et les chèvres dormaient. Parfois il se disait qu'il était victime de son imagination, et parfois aussi il se persuadait du contraire, au point de crier :

— Il y a quelqu'un ? Qui va là ? Montrez-vous !

Personne ne lui répondait jamais. Baba Ayub ne comprenait pas. De même, il ne comprenait pas pourquoi un sentiment indéfinissable – un sentiment comme on peut en éprouver à la fin d'un rêve triste – le prenait par surprise tel un coup de vent inattendu et le submergeait chaque fois qu'il entendait ce tintement. Puis cela passait, comme le font toutes choses. Cela passait.

Et voilà, mon garçon. C'est la fin de mon histoire. Je n'ai rien à ajouter. Maintenant, il est vraiment tard, je suis fatigué et ta sœur et moi devons nous réveiller à l'aube. Souffle ta bougie. Pose ta tête sur l'oreiller et ferme les yeux. Dors bien, mon garçon. Nous nous dirons au revoir demain matin.

2

Automne 1952

SON PÈRE NE L'AVAIT ENCORE JAMAIS FRAPPÉ. Lorsqu'il le fit, lorsqu'il lui donna une claque juste au-dessus de l'oreille, fort, sans prévenir, et du plat de la main, des larmes de surprise montèrent aux yeux d'Abdullah, qui les refoula aussitôt.

— Rentre à la maison.

Au-dessus de lui, Pari éclata en sanglots.

Puis il reçut encore une gifle, plus forte que la première, et cette fois sur la joue gauche. Sa tête fut projetée sur le côté et la brûlure lui arracha de nouvelles larmes. L'oreille bourdonnant encore, il vit son père se baisser et se pencher si près de lui que son visage ridé à la peau mate éclipsa tout à la fois le désert, les montagnes et le ciel.

— Je t'ai dit de rentrer à la maison, mon garçon, répéta-t-il, l'air peiné.

Abdullah ne souffla mot et, protégé par son ombre, il se contenta de cligner les yeux face à lui.

— Abollah ! cria Pari d'une voix suraiguë et pleine d'appréhension du haut de la petite charrette rouge.

Son père posa sur lui un regard glacial pour le dissuader de bouger et revint vers la carriole. De son lit, Pari tendit les mains vers Abdullah. Celui-ci les laissa

31

s'éloigner un peu avant de s'essuyer les yeux et de les suivre.

Au bout d'un moment, son père lui jeta un caillou, comme le faisaient les enfants de Shadbagh avec le chien de Pari, Shuja – sauf qu'eux, ils voulaient vraiment le blesser. Ce caillou-là, bien inoffensif, atterrit à quelques pas d'Abdullah. Il attendit, et lorsque la carriole se remit en route, il continua lui aussi à avancer dans son sillage.

Pour finir, juste après que le soleil eut passé son zénith, son père s'arrêta, se retourna vers lui avec l'air de réfléchir, puis lui fit signe d'approcher.

— Tu ne renonces pas, hein ?

Pari tendit de nouveau une main hors de la charrette et la glissa vivement dans celle d'Abdullah. Le regard larmoyant, elle lui décocha son sourire aux dents écartées, comme si rien de mal ne pouvait lui arriver tant qu'il serait à ses côtés. Abdullah referma les doigts autour des siens, ainsi qu'il le faisait chaque soir quand ils dormaient dans leur lit, tête contre tête, les jambes emmêlées.

— Tu étais censé rester à la maison. Avec ta mère et Iqbal. Comme je te l'avais dit.

Avec ta femme, tu veux dire, songea Abdullah. *Ma mère, on l'a enterrée.* Mais il avait appris à ravaler de telles paroles avant qu'elles ne franchissent ses lèvres.

— Très bien, suis-nous. Mais je ne veux pas de pleurnicheries, tu m'entends ?

— D'accord.

— Je te préviens. Je ne le tolérerai pas.

Pari adressa un sourire rayonnant à Abdullah, qui contempla ses yeux clairs et ses belles joues roses en lui souriant lui aussi.

À partir de ce moment-là, il marcha à côté de la petite charrette qui allait cahotant sur le sol crevassé du désert, tout en tenant la main de sa sœur. L'un et l'autre se jetaient furtivement de joyeux coups d'œil, mais ils veillaient à ne pas trop parler, de peur de mettre leur père de mauvaise humeur et de tout gâcher. De longs moments s'écoulèrent durant lesquels ils restèrent seuls tous les trois, sans voir rien ni personne hormis des ravins rouge cuivre et de hautes falaises de grès. Le désert s'étendait à l'infini, comme s'il avait été créé pour eux et rien que pour eux, et sous la haute voûte du ciel bleu, l'air brûlant semblait pétrifié. Les rochers luisaient sur la terre craquelée. Abdullah ne percevait aucun bruit en dehors de sa propre respiration et du grincement répété des roues à mesure qu'ils avançaient vers le nord.

Plus tard, ils s'arrêtèrent pour se reposer à l'ombre d'un bloc rocheux. Leur père grogna et laissa tomber par terre les manches de la charrette. Le visage tourné vers le soleil, il grimaça en cambrant le dos.

— Combien de temps nous reste-t-il avant d'arriver à Kaboul ? demanda Abdullah.

Son père baissa la tête vers lui. Il s'appelait Saboor. C'était un homme à la peau sombre, aux traits durs, anguleux et osseux, au nez crochu comme le bec d'un rapace et aux yeux caves. Il n'était pas plus épais qu'un roseau, mais une vie passée à trimer lui avait donné des muscles puissants, aussi serrés que les bandes de rotin autour des bras d'un fauteuil.

— Demain après-midi, répondit-il en portant l'outre en peau de vache à ses lèvres. À condition de ne pas lambiner.

Il but une grande gorgée qui fit aller et venir sa pomme d'Adam.

— Pourquoi oncle Nabi ne nous a pas emmenés ? Il a une voiture.

Cette remarque ne valut à Abdullah qu'un coup d'œil exaspéré.

— On n'aurait pas eu besoin de marcher autant, ajouta-t-il.

Sans répondre, son père ôta sa calotte maculée de noir de fumée et essuya la sueur sur son front avec la manche de sa chemise.

— Regarde, Abollah ! s'exclama soudain Pari en pointant un doigt hors de la charrette. Encore une !

Abdullah suivit son regard jusqu'à une longue plume d'un gris semblable au charbon brûlé qui gisait par terre, à l'ombre de la roche. Il alla la ramasser par la tige et souffla sur les moutons de poussière qui la recouvraient. Un faucon. Ou peut-être une colombe, ou une ammomane du désert. Il en avait aperçu quelques-unes ce jour-là. Non, plutôt un faucon. Il souffla de nouveau sur la plume et la tendit à sa sœur, qui s'en empara gaiement.

Chez eux, à Shadbagh, elle gardait sous son oreiller une vieille boîte à thé en étain qu'Abdullah lui avait donnée. Le fermoir était rouillé et le couvercle représentait un Indien barbu vêtu d'un turban et d'une longue tunique rouge, qui tenait une tasse de thé fumant dans ses mains. C'était dans cette boîte qu'elle rangeait sa collection de plumes – son bien le plus précieux. Des plumes de coq vert sombre ou bordeaux, une blanche provenant de la queue d'une colombe, une de moineau, marron terne et parsemée de taches noires, et enfin, celle dont elle était très fière, une plume de paon d'un vert iridescent avec un bel œil à l'extrémité.

Abdullah lui en avait fait cadeau deux mois plus tôt, après avoir entendu parler de ce garçon dans un autre village dont la famille possédait un paon. Un jour que son père était parti creuser des fossés dans une ville au sud de Shadbagh, il était allé voir le gamin et lui avait demandé une plume de l'oiseau. Une négociation s'était ensuivie, au terme de laquelle il avait accepté de céder ses chaussures en guise de paiement. Le temps qu'il rentre à Shadbagh, la plume de paon coincée dans la taille de son pantalon, ses talons blessés laissaient des traces de sang sur le sol. Des épines et des échardes s'étaient enfoncées sous la peau de ses pieds, et chaque pas lui occasionnait une douleur cuisante.

En rentrant chez lui, il avait surpris sa belle-mère, Parwana, occupée à faire du *naan* dans le *tandoor* devant leur maison. Il s'était aussitôt caché derrière le chêne géant qui poussait près de chez eux et avait attendu qu'elle termine. Penché derrière le tronc, il avait observé travailler cette femme aux larges épaules, aux bras longs, aux mains rugueuses et aux doigts boudinés – cette femme au visage rond et bouffi qui ne possédait rien de la grâce du papillon dont on lui avait pourtant donné le nom.

Abdullah aurait voulu pouvoir l'aimer comme il avait aimé sa propre mère, morte des suites d'une hémorragie à la naissance de Pari, trois ans et demi auparavant, alors qu'il avait sept ans. Mère dont les traits s'étaient presque effacés de sa mémoire, et qui prenait son visage entre ses mains pour l'attirer vers elle, qui lui caressait la joue tous les soirs en lui chantant une comptine avant qu'il s'endorme.

J'ai trouvé une triste petite fée
À l'ombre d'un arbre en papier
Je connais une triste petite fée
Que le vent un soir a soufflée.

Il aurait aimé pouvoir aimer Parwana de la même façon. Et peut-être le souhaitait-elle aussi en secret – pouvoir l'aimer, lui. Tout comme elle aimait Iqbal, son fils de un an, qu'elle ne cessait d'embrasser et pour qui elle se rongeait les sangs à la moindre toux, au moindre éternuement. Ou comme elle avait aimé son premier bébé, Omar. Lui, elle l'avait adoré. Mais le froid l'avait emporté à l'âge de deux semaines durant l'hiver particulièrement rude qu'ils avaient connu près de trois ans plus tôt. Ils venaient juste de lui donner un prénom. Omar avait compté parmi les trois bébés morts à Shadbagh cette année-là. Abdullah revoyait sa belle-mère serrant le petit cadavre emmitouflé du bébé, et aussi ses crises de larmes. Il se rappelait l'enterrement au sommet d'une colline, le tout petit monticule sur le sol gelé, le ciel de plomb, les prières du mollah Shekib, les durs flocons de neige et de glace qui cinglaient les yeux de tout le monde sous l'effet du vent.

Il s'attendait à ce que Parwana soit furieuse en apprenant qu'il avait troqué sa paire de chaussures contre une plume de paon. Son père avait trimé en plein soleil pour gagner de quoi les payer. Oui, ça risquait de barder. Peut-être même qu'elle le frapperait. Elle l'avait déjà fait, après tout. Ses mains épaisses et fortes – fruit d'années passées à porter sa sœur infirme – savaient comment faire aller et venir un balai ou assener une bonne claque.

Mais, à sa décharge, il devait bien reconnaître aussi que Parwana ne semblait en éprouver aucune satisfaction. De même, elle n'était pas incapable de tendresse envers lui et sa sœur. Il y avait eu cette fois où elle avait cousu une robe vert et gris argenté à Pari à partir d'un rouleau de tissu que leur père avait rapporté de Kaboul. Celle aussi où, avec une patience étonnante, elle avait montré à Abdullah comment casser deux œufs simultanément sans briser les jaunes. Et cette autre fois encore où elle leur avait appris à tordre et à tourner les spathes d'un épi de maïs pour fabriquer de petites poupées, comme elle l'avait fait avec sa propre sœur lorsqu'elles étaient petites, et à confectionner des robes à ces dernières à l'aide de petits bouts de tissu déchirés.

Mais il s'agissait là de gestes accomplis par devoir, des gestes tirés d'un puits bien moins profond que celui réservé à Iqbal. Si une nuit leur maison prenait feu, il savait sans l'ombre d'un doute qui Parwana saisirait avant de se précipiter au-dehors. Elle n'y réfléchirait pas à deux fois. Au bout du compte, tout se résumait à ça : Pari et lui n'étaient pas ses enfants. La plupart des gens aimaient les leurs, mais Pari et lui ne lui appartenaient pas et ils n'y pouvaient rien changer. Ils n'étaient que les restes laissés par une autre femme.

Il avait regardé Parwana emporter le pain dans la maison, puis ressortir et se diriger à petits pas vers le ruisseau en tenant d'un bras Iqbal, de l'autre des linges à laver. Sitôt sa belle-mère hors de vue, il était rentré en douce, ses talons l'élançant chaque fois qu'ils touchaient le sol. À l'intérieur, il s'était assis pour enfiler ses vieilles sandales en plastique, les seules autres chaussures qu'il possédait. Il avait bien conscience de n'avoir pas été raisonnable. Mais lorsqu'il s'était agenouillé près de Pari et qu'il l'avait doucement réveillée de sa sieste pour lui tendre le cadeau qu'il cachait derrière son dos, comme un magicien, la manière dont le visage de la fillette s'était illuminé, de surprise d'abord, de ravissement ensuite, les baisers qu'elle avait fait pleuvoir sur ses joues, et son rire quand il l'avait chatouillée sous le menton avec la pointe de la plume, tout cela l'avait récompensé de ses efforts. Brusquement, il n'avait plus senti aucune douleur.

Son père s'essuya une fois de plus le visage avec sa manche. Abdullah et lui burent à tour de rôle.

— Tu as l'air fatigué, mon garçon.

— Pas du tout, répondit Abdullah, bien qu'il le fût en réalité.

Il était même épuisé. Et il avait mal aux pieds. Il n'était pas facile de traverser un désert en sandales.

— Monte.

Abdullah s'installa derrière Pari en s'adossant aux lattes en bois de la charrette, et tandis que sa sœur pressait contre lui les petites bosses de sa colonne vertébrale, il contempla le ciel, les montagnes, les rangées de collines serrées qui se succédaient doucement à l'infini. Devant lui, son père tirait la carriole, tête baissée, en soulevant de petits nuages de sable rouge-brun à chaque pas. Ils croisèrent une caravane de nomades kuchi, procession poussiéreuse de grelots tintinnabulants et de chameaux grognant. Parmi eux, une femme blonde comme les blés aux yeux cernés de khôl sourit à Abdullah.

Ses cheveux lui rappelèrent sa mère et il ressentit comme au premier jour la douleur de l'avoir perdue, elle et sa gentillesse, sa gaieté innée, son désarroi face à la cruauté des gens. Il se remémora son rire en cascade et la timidité avec laquelle elle inclinait parfois la tête. Elle avait été une personne délicate, tant par sa nature que par sa stature, un petit brin de femme à la taille fine dont le foulard laissait toujours échapper quelques mèches. Il s'était souvent demandé comment un corps si frêle pouvait contenir tant de joie, tant de bonté. Et, de fait, il ne le pouvait pas. Tout cela débordait à travers son regard. Père, lui, était différent. Il y avait de la dureté en lui. Ses yeux se posaient sur le même monde que sa femme, mais lui n'y voyait qu'indifférence. Un labeur sans fin. Son univers à lui était implacable. Rien de bon n'était gratuit. Même l'amour. Il fallait payer pour tout, et quand on était pauvre, la souffrance était votre seule monnaie d'échange.

Abdullah observa la raie couverte de croûtes qui séparait en deux les cheveux de sa petite sœur, son poignet menu qui pendait par-dessus le bord de la carriole, et il comprit que, en mourant, leur mère avait transmis un peu d'elle-même à Pari. Une part de sa joyeuse dévotion, de sa candeur, de son optimisme inébranlable. Pari était la seule personne au monde incapable de lui faire du mal. Parfois, il avait l'impression qu'elle était sa seule véritable famille.

Les couleurs du jour s'estompaient lentement, cédant la place au gris, et les sommets montagneux au loin lui évoquaient de plus en plus les silhouettes opaques de géants ramassés sur eux-mêmes. Ils étaient passés ce jour-là près de plusieurs villages, la plupart aussi éloignés de tout et aussi poussiéreux que Shadbagh. De petites maisons carrées en pisé, parfois adossées au flanc d'une montagne, avec des rubans de fumée qui s'élevaient de leur toit. Des cordes à linge, des femmes accroupies près d'un feu de bois. Quelques peupliers, quelques poulets, une poignée de vaches et de chèvres, et immanquablement une mosquée. Le dernier village jouxtait un champ de pavots dans lequel travaillait un vieillard. Il leur cria quelque chose qu'Abdullah n'entendit pas. Leur père le salua.

— Abollah ? dit Pari.

— Oui.

— Tu crois que Shuja est triste ?

— Il va bien, à mon avis.

— Personne ne l'embêtera ?

— C'est un gros chien, Pari. Il sait se défendre.

Shuja était réellement imposant. Leur père disait qu'il avait dû être un chien de combat auparavant parce que quelqu'un lui avait coupé les oreilles et la queue. Qu'il puisse se défendre, ou qu'il ose le faire, était une tout autre histoire. Quand cet animal errant était arrivé à Shadbagh, les gamins du village lui avaient jeté des pierres, donné des coups avec des branches d'arbre et des rayons de roues de vélo rouillées. Shuja n'avait jamais montré les dents. Avec le temps, ils en avaient eu assez de le harceler et ils l'avaient laissé tranquille, même si Shuja restait prudent et suspicieux en leur présence, comme s'il n'avait pas oublié leur cruauté passée.

Il fuyait tout le monde à Shadbagh, à l'exception de Pari. Face à elle, il perdait toute contenance. L'amour qu'il lui portait était immense et sans faille. Elle était son univers. Le matin, lorsqu'elle sortait de la maison, il se levait d'un bond en frémissant. Le moignon de sa queue mutilée s'agitait frénétiquement, ses pattes tapotaient le sol en lui donnant l'air de marcher sur de la braise, et il sautillait joyeusement en rond autour d'elle. Toute la journée, il la suivait comme son ombre, reniflant ses talons, et le soir, lorsqu'ils se séparaient, il se couchait devant la porte, éploré, en attendant le lendemain.

— Abollah ?

— Oui ?

— Quand je serai grande, je vivrai avec toi ?

Il regarda le disque orange du soleil qui s'abaissait pour venir flirter avec l'horizon.

— Si tu veux. Mais tu n'en auras pas envie.

— Si !

— Tu voudras une maison à toi.

— Mais on pourra être voisins.

— Peut-être.

— Tu n'habiteras pas loin.

— Et si jamais tu en as marre de moi ?

Elle lui donna un petit coup de coude.

— Impossible.

Abdullah sourit.

— Très bien, alors.

— Tu resteras près de moi.

— Oui.

— Jusqu'à ce qu'on soit vieux.

— Très vieux.

— Pour toujours.

— Oui, pour toujours.

Elle se tourna vers lui.

— Tu le promets, Abollah ?

— Pour toujours.

Plus tard, leur père hissa Pari sur son dos et Abdullah tira la carriole vide derrière eux. À mesure qu'ils avançaient, il entrait dans une transe insouciante. Il avait seulement conscience du mouvement de ses genoux, des gouttes de sueur qui dégoulinaient du bord de sa calotte, des petits pieds de Pari rebondissant contre les hanches paternelles. Et de l'ombre formée par sa sœur et leur père, qui s'allongeait sur le sol gris du désert et qui s'éloignait de lui lorsqu'il ralentissait.

L'offre de travail émanait d'oncle Nabi. En réalité, c'était le frère aîné de Parwana, ce qui faisait donc de lui un oncle par alliance. Il travaillait, employé comme cuisinier et chauffeur, à Kaboul. Une fois par mois, il venait leur rendre visite à Shadbagh. Son arrivée était annoncée par un staccato de coups de klaxon et les braillements d'une horde de gamins qui couraient après sa grosse voiture bleue au toit couleur chamois et aux jantes lustrées. Ils donnaient des tapes sur les ailes et les vitres du véhicule jusqu'à ce qu'oncle Nabi coupe le moteur et émerge tout sourire – le bel oncle Nabi avec ses longs favoris, ses cheveux bruns ondulés et coiffés en arrière, son costume couleur olive, trop grand pour lui, sa chemise blanche et ses mocassins marron. Parce qu'il conduisait une voiture – même si c'était celle de son employeur –, et parce qu'il portait un costume et travaillait à la ville, tout le monde sortait pour l'admirer.

Lors de sa dernière visite, il avait proposé du travail au père d'Abdullah. Les gens riches qui l'employaient voulaient faire construire une annexe au fond de leur jardin – un petit pavillon avec une salle de bains, le tout séparé de la maison principale – et il leur avait suggéré d'engager son beau-frère, qui s'y connaissait en bâtiment. D'après lui, il serait bien payé et cela lui prendrait un mois environ.

Et son père s'y connaissait en bâtiment. Ça, oui. Il avait participé à suffisamment de chantiers de construction. D'aussi loin qu'Abdullah s'en souvînt, il n'avait cessé de frapper aux portes en quête d'une journée de travail.

— Si j'avais été un animal à la naissance, je vous jure que j'aurais été une mule, avait-il dit un jour au doyen du village, le mollah Shekib.

Parfois, Saboor emmenait Abdullah. C'est ainsi par exemple qu'ils avaient cueilli des pommes dans une ville située à une journée entière de marche de Shadbagh. Abdullah le revoyait juché sur une échelle jusqu'au soir, les épaules voûtées, sa nuque creusée que brûlait le soleil, la peau à vif de ses avant-bras, ses doigts épais qui tordaient et tournaient les tiges des pommes une à une. Son père avait aussi fabriqué des briques pour une mosquée dans une autre ville. À cette occasion, il lui avait montré comment ramasser la bonne terre, celle plus claire située en profondeur. Il l'avait tamisée avec lui, y avait ajouté de la paille, avant de lui apprendre patiemment à titrer l'eau afin que le mélange ne devienne pas trop liquide. Au cours de l'année écoulée, il avait également porté des pierres, déblayé des terrains à la pelle et s'était essayé au labour des champs. Il avait même bitumé une route avec une équipe d'ouvriers de la voirie.

Il se reprochait la mort d'Omar, Abdullah le sentait. S'il avait trouvé davantage de petits boulots, ou des boulots mieux rémunérés, il aurait pu acheter de meilleurs habits à son fils, des couvertures plus épaisses, peut-être même un fourneau digne de ce nom pour réchauffer leur maison. Voilà ce qu'il pensait. Il n'avait pas parlé du bébé depuis l'enterrement, mais cela ne faisait aucun doute.

Abdullah se rappelait l'avoir aperçu, seul devant le chêne géant, quelques jours après le drame. L'arbre, qui dominait tout Shadbagh, était l'être vivant le plus ancien du village. Son père disait qu'il n'aurait pas été surpris s'il avait été témoin de la marche de l'empereur Babour sur Kaboul avec son armée. Il disait aussi qu'il avait passé la moitié de son enfance à l'ombre de son impressionnant feuillage ou perché dans ses immenses branches. Son propre père, le grand-père d'Abdullah, avait accroché une balançoire à l'une d'elles avec de longues cordes, et celle-ci avait survécu à d'innombrables hivers rigoureux et au vieil homme lui-même. Abdullah l'avait même entendu ajouter qu'il en faisait à tour de rôle avec Parwana et sa sœur Masooma lorsqu'ils étaient enfants.

Mais ces derniers temps, il était toujours épuisé quand, à son retour du travail, Pari le tirait par la manche et demandait à ce qu'il la pousse sur la balançoire.

43

Demain peut-être, Pari.
Juste un peu, Baba. S'il te plaît, lève-toi.
Pas maintenant. Une autre fois.

Elle finissait par renoncer, lâchait sa manche et s'éloignait avec résignation. Parfois, le visage maigre de leur père se décomposait lorsqu'il la regardait partir. Il roulait alors sur son lit, remontait la couverture sur lui et fermait ses yeux las.

Abdullah n'arrivait pas à l'imaginer sur une balançoire. Il n'arrivait pas à imaginer que son père ait pu un jour être un enfant, comme lui – un garçon insouciant, qui allait d'un pas léger, qui fonçait dans les champs avec ses camarades de jeux –, lui dont les mains étaient scarifiées et le visage zébré de rides profondes. Lui qui aurait tout aussi bien pu naître avec une pelle à la main et de la terre sous les ongles.

Ils furent contraints de dormir dans le désert cette nuit-là. Ils mangèrent du pain avec le reste des pommes de terre bouillies que Parwana avait emballées pour eux, puis le père d'Abdullah fit du feu et posa une bouilloire dessus afin de préparer du thé.

Il se pencha ensuite sur les flammes et alluma une cigarette.

Recroquevillé derrière Pari sous une couverture en laine, les petits pieds froids de sa sœur collés contre les siens, il roula sur le dos. Pari appuya sa joue contre le creux familier sous sa clavicule. Il inspira l'odeur cuivrée de la poussière du désert et fixa le ciel empli d'étoiles semblables à des cristaux de glace dont la lueur s'intensifiait et vacillait tour à tour. Un délicat croissant de lune berçait le contour vague et fantomatique de la partie cachée de l'astre.

Il repensa à ce fameux hiver, presque trois ans plus tôt, quand tout était plongé dans l'obscurité, quand le vent contournait la porte et s'infiltrait dans la maison par chaque petite fissure du plafond en faisant entendre un long sifflement, grave et assourdissant. Dehors, le village entier avait disparu sous la neige. Les nuits étaient interminables et dépourvues d'étoiles, les journées brèves et sinistres. Le soleil se montrait rarement, et seulement pour faire de courtes apparitions. Il se souvenait des cris laborieux d'Omar, puis de son silence, puis de son père lorsqu'il avait sculpté une planche d'un air lugubre sous un croissant de lune en tout point pareil à celui qu'ils avaient au-dessus d'eux à cet instant, et de ses coups pour l'enfoncer dans le sol gelé juste devant la petite tombe.

Et maintenant, la fin de l'automne se profilait de nouveau. L'hiver rôdait déjà, mais son père et Parwana n'en parlaient jamais, comme si prononcer ce mot risquait de hâter son arrivée.

— Père ?

De l'autre côté du feu, un petit grognement retentit.

— Tu me laisseras t'aider ? À construire l'annexe, je veux dire.

Des volutes de fumée montaient de la cigarette de son père, qui fixait l'obscurité, le regard perdu dans le vide.

— Père ?

Assis sur une roche, celui-ci s'agita.

— Tu pourrais peut-être m'aider à préparer le mortier, répondit-il.

— Je ne sais pas comment faire.

— Je te montrerai. Tu apprendras.

— Et moi ? demanda Pari.

— Toi ?

Il tira sur sa cigarette et attisa le feu avec un bâton. Des petites étincelles éparses s'élevèrent en dansant dans le noir.

— Tu seras responsable de l'eau. Tu veilleras à ce qu'on n'ait jamais soif, parce qu'un homme ne peut pas travailler s'il n'est pas assez désaltéré.

Pari resta silencieuse.

— Père a raison, dit Abdullah.

Sa sœur voulait se salir les mains, patauger dans la boue, et elle était déçue par la tâche qui lui était confiée.

— Sans toi pour aller nous chercher à boire, on ne finira jamais cette maison.

Leur père glissa son bâton dans l'anse de la bouilloire afin de retirer celle-ci du feu et la poser sur le côté.

— Tu sais quoi ? lança-t-il. Montre-moi que tu es déjà capable de t'occuper de l'eau et je te trouverai autre chose à faire.

Pari se tourna vers Abdullah, le visage illuminé par un sourire.

C'était comme lorsqu'elle était bébé et qu'elle dormait sur son torse. Parfois, durant la nuit, il ouvrait les yeux et la découvrait qui lui souriait en silence avec la même expression.

C'était lui qui l'élevait. Réellement. Même s'il avait seulement dix ans. Quand elle était toute petite, c'était lui que Pari réveillait la nuit par ses cris et ses marmonnements, et lui aussi qui marchait dans le noir en la faisant tressauter dans ses bras. Il avait changé ses couches sales. Il lui avait donné le bain. Leur père ne pouvait pas s'en charger – c'était un homme, et de toute façon il était toujours trop épuisé par son travail. Et Parwana, déjà enceinte d'Omar, tardait à répondre aux besoins de Pari. Elle n'en avait ni la patience ni l'énergie. Cette responsabilité avait donc incombé à Abdullah, mais cela ne le dérangeait pas du tout. Il le faisait volontiers. Il aimait être celui qui avait aidé Pari à faire ses premiers pas et qui s'était extasié devant son premier mot. Tel était son but dans la vie. Telle était la raison pour laquelle Dieu l'avait créé. Pour qu'il soit présent auprès de Pari quand Il avait emporté leur mère.

— Baba, dit Pari. Raconte-nous une histoire.

— Il se fait tard.

— S'il te plaît.

Leur père était un homme très renfermé qui prononçait rarement plus de deux phrases de suite. Mais, à l'occasion, et sans qu'Abdullah puisse s'expliquer pourquoi, quelque chose en lui se débloquait et les récits se bousculaient dans sa bouche. Il lui arrivait de les captiver, Pari et lui, pendant que Parwana s'affairait bruyamment dans la cuisine avec ses casseroles. Il leur rapportait des fables qu'il tenait de sa grand-mère et qui les envoyaient vers des contrées peuplées de sultans, de djinns, de *divs* malveillants et de sages derviches. Parfois aussi, il inventait des histoires. Comme ça, sur-le-champ. Il dévoilait alors une propension à l'imagination et au rêve qui surprenait toujours Abdullah. Leur père ne lui semblait jamais plus présent, plus vivant, plus à nu et plus sincère que lorsqu'il s'exprimait ainsi, comme si ses contes étaient autant de minuscules fenêtres ouvertes sur son monde opaque et impénétrable.

Mais ce soir-là, sa mine indiquait clairement qu'ils n'auraient pas droit à une nouvelle histoire.

— Il se fait tard, répéta-t-il.

Il prit la bouilloire avec le bord du châle drapé sur ses épaules et se servit une tasse de thé. Il souffla dessus, avala une gorgée. Les flammes jetaient une lueur orange sur son visage.

— C'est l'heure de dormir. Une longue journée nous attend demain.

Abdullah remonta la couverture sur Pari et lui. Blotti au-dessous, il fredonna une comptine contre la nuque de sa sœur.

> *J'ai trouvé une triste petite fée*
> *À l'ombre d'un arbre en papier*

Déjà à moitié assoupie, Pari chantonna son couplet d'une voix traînante.

> *Je connais une triste petite fée*
> *Que le vent un soir a soufflée.*

Elle s'endormit presque aussitôt après.

Abdullah s'éveilla quelques heures plus tard et constata que leur père n'était plus là. Il se redressa, apeuré. Le feu s'était presque éteint et seules quelques infimes braises rougeoyaient encore. Il regarda à gauche, à droite, mais ne distingua rien dans cette immensité noire et étouffante. Il se sentit pâlir. Le cœur tambourinant dans sa poitrine, il tendit l'oreille et retint son souffle.

— Père ? murmura-t-il.

Silence.

La panique commença à monter en lui. Il resta assis sans bouger, le dos droit, aux aguets, mais un long moment s'écoula sans qu'il ne capte le moindre bruit. Il n'entendait rien. Ils étaient seuls, Pari et lui, encerclés par l'obscurité. Ils avaient été abandonnés. Leur père les avait abandonnés. Pour la première fois, il mesura toute l'étendue du désert – et du monde. Il était si facile de s'y perdre. Il n'y avait là personne pour vous aider,

personne pour vous montrer le chemin. Puis une hypo-
thèse plus affreuse s'immisça dans sa conscience. Leur
père était mort. Quelqu'un lui avait tranché la gorge.
Des bandits. Ils l'avaient tué et s'approchaient à présent
de Pari et de lui, sans se presser, en savourant ce qui
pour eux s'apparentait à un jeu.

— Père ? répéta-t-il d'une voix stridente.

Aucune réponse.

— Père ?

Il continua à crier, encore et encore. Un étau se resserrait sur sa gorge. Il perdit le compte du nombre de
fois où il appela son père sans qu'aucune réponse ne
lui parvienne dans le noir. Il imagina des visages cachés
dans les montagnes, des gens qui l'observaient, qui
se moquaient de lui et de Pari. La peur lui tordait le
ventre. Il se mit à frissonner et à gémir tout bas, prêt à
hurler.

Puis il y eut un bruit de pas et une silhouette surgit
de l'obscurité.

— Je croyais que tu étais parti, dit Abdullah en
tremblant.

Son père s'assit près des cendres du feu.

— Où étais-tu ?

— Rendors-toi, mon garçon.

— Tu ne nous abandonnerais pas, hein ? Tu ne
ferais pas ça, Père ?

Celui-ci le fixa, mais ses traits se fondaient dans le
noir, de telle sorte que son expression demeurait indéchiffrable.

— Tu vas réveiller ta sœur.

— Ne nous laisse pas.

— Ça suffit, maintenant.

Le cœur cognant à se rompre, Abdullah s'allongea et
serra fort Pari dans ses bras.

Abdullah n'était jamais allé à Kaboul et ce qu'il savait de la capitale venait des histoires qu'oncle Nabi lui avait racontées. Certes, il s'était déjà rendu dans quelques agglomérations plus petites pour accompagner son père dans son travail, mais jamais dans une vraie ville, et rien de ce que son oncle lui avait dit n'aurait pu le préparer à l'agitation de celle-là – la plus grande et la plus animée de toutes. Où qu'il pose les yeux, il voyait des feux de circulation, des salons de thé, des restaurants, des boutiques avec des devantures en verre et des enseignes lumineuses de toutes les couleurs. Les voitures avançaient dans un bruit de ferraille le long des rues bondées en klaxonnant et en se faufilant de justesse entre les bus, les piétons et les cyclistes. Des *garis* tintinnabulants tirés par des chevaux allaient et venaient sur les boulevards, leurs roues cerclées de fer cahotant sur la route. Les trottoirs qu'Abdullah longea avec son père et sa sœur étaient envahis par des vendeurs de cigarettes et de chewing-gums, des kiosques à journaux et des maréchaux-ferrants occupés à battre des fers à cheval. Aux carrefours, des agents de la circulation vêtus d'uniformes mal ajustés jouaient de leur sifflet et faisaient des gestes autoritaires dont personne ne semblait tenir compte.

Tenant Pari sur sa hanche, Abdullah s'assit sur un banc, près d'une boucherie, et partagea avec elle une assiette de haricots blancs à la sauce tomate et au chutney de coriandre que leur père avait achetée pour eux à un vendeur des rues.

— Regarde, Abollah, dit Pari en montrant une boutique en face d'eux.

Derrière la devanture se tenait une jeune femme habillée d'une belle robe verte brodée de petits miroirs et de perles, d'un long foulard assorti, de bijoux en argent et d'un pantalon rouge sombre. Parfaitement immobile, elle observait les passants avec indifférence. Elle ne cligna pas une seule fois des yeux, ne bougea pas non plus d'un pouce pendant qu'Abdullah et Pari finissaient leurs haricots, et resta encore immobile après ça. Abdullah aperçut un peu plus loin une affiche géante accrochée à la façade d'un grand bâtiment. Elle représentait une belle et jeune Indienne qui se baissait comme par jeu derrière une sorte de bungalow, au milieu d'un champ de tulipes sur lequel il pleuvait à verse. Les hanches moulées par son sari mouillé, elle souriait timidement. Était-ce ça qu'oncle Nabi appelait un cinéma, cet endroit où les gens allaient regarder des films ? Avec un peu de chance, il les y emmènerait, Pari et lui, au cours du mois à venir. Abdullah s'en réjouissait d'avance.

La mosquée bleue au bout de la rue venait de faire retentir l'appel à la prière lorsque la voiture d'oncle Nabi s'arrêta au bord du trottoir. Portant comme toujours son costume vert olive, il ouvrit en grand la portière du côté conducteur – sans remarquer un jeune garçon en caftan qui passait là à vélo et qui fit un écart juste à temps pour l'éviter.

Oncle Nabi courut donner une accolade à leur père. Puis il se pencha joyeusement vers Abdullah et Pari afin d'être à leur hauteur.

— Vous aimez Kaboul, les enfants ?

— Il y a beaucoup de bruit, répondit Pari – ce qui le fit rire.

— En effet. Venez, vous verrez plein d'autres choses dans la voiture. Essuyez vos pieds avant de monter. Saboor, installe-toi à l'avant.

Le siège arrière, froid et dur, était d'un bleu clair assorti à la carrosserie. Abdullah se glissa vers la place derrière le conducteur et aida Pari à grimper sur ses genoux, non sans noter les regards envieux que leur jetaient les passants. Pari tourna la tête vers lui et tous deux échangèrent un sourire.

En route, ils observèrent la ville défiler derrière la vitre. Après leur avoir expliqué qu'il allait suivre un chemin plus long afin de leur faire découvrir un peu Kaboul, oncle Nabi leur montra une colline appelée Tapa Maranjan et le mausolée en forme de dôme au-dessus qui dominait la ville. C'était là, leur dit-il, que Nader Shah, le père du roi Zaher Shah, était enterré. Il leur montra aussi la citadelle de Bala Hissar, en haut de la montagne Koh-e Shir Darwaza, que les Britanniques avaient utilisée au cours de leur seconde guerre contre l'Afghanistan.

— C'est quoi, ça, oncle Nabi ? demanda Abdullah, qui tapota la vitre à la vue d'un gros bâtiment jaune rectangulaire.

— Le Silo. La nouvelle usine à pain, répondit Nabi en tenant le volant d'une main et en se dévissant la tête pour lui faire un clin d'œil. Cadeau de nos amis les Russes.

Une usine qui fabriquait du pain. Abdullah n'en revenait pas. En comparaison, il songea à Parwana, à Shadbagh, lorsqu'elle aplatissait sa pâte en la frappant contre les parois de leur *tandoor* en terre.

Enfin, oncle Nabi bifurqua dans une grande rue toute propre bordée de cyprès régulièrement espacés. Là, les maisons étaient élégantes et plus grandes que toutes celles qu'Abdullah avait jamais vues. Blanches, jaunes ou bleu clair, érigées sur un étage pour la plupart, elles étaient protégées par de hauts murs et un portail métallique. Plusieurs voitures semblables à celle d'oncle Nabi étaient également garées là.

Ils s'arrêtèrent devant une allée le long de laquelle poussait une rangée de buissons taillés avec soin. Au bout se dressait une demeure blanche si imposante qu'Abdullah eut du mal à en croire ses yeux.

— Ta maison est immense ! s'extasia Pari, les yeux écarquillés.

Oncle Nabi rejeta la tête en arrière et éclata de rire.

— Ah, j'aimerais bien ! Mais non, c'est celle de mes employeurs. Vous allez les rencontrer. Tenez-vous bien, maintenant.

La maison se révéla encore plus impressionnante une fois qu'oncle Nabi les eut conduits à l'intérieur. Elle devait être assez grande pour contenir au moins la moitié des habitations de Shadbagh. C'était comme s'ils avaient pénétré dans le palais du *div*. Le jardin à l'arrière, joliment aménagé, comprenait des parterres de fleurs bien entretenus, des petits buissons et, çà et là, quelques arbres fruitiers, parmi lesquels Abdullah reconnut des cerisiers, des pommiers, des abricotiers et des grenadiers. On y accédait depuis la maison par une galerie surmontée d'un toit – une « véranda », dixit oncle Nabi – et entourée d'une petite rambarde que les rameaux d'une vigne recouvraient, telle une toile d'araignée. En se rendant dans la pièce où M. et Mme Wahdati les attendaient, Abdullah avisa une salle de bains avec les toilettes en porcelaine dont oncle Nabi leur avait parlé, et un lavabo étincelant aux robinets de couleur bronze. Lui qui passait des heures chaque semaine à remplir des seaux au puits communal de son village fut stupéfait de découvrir que l'eau pouvait être accessible d'un simple tour de main.

Pari, leur père et lui se retrouvèrent bientôt assis sur un gros canapé orné de glands dorés, avec dans leur dos de doux coussins parsemés de petits miroirs octogonaux. En face d'eux, un tableau représentant un vieux tailleur de pierre courbé au-dessus d'un bloc rocheux, le maillet à la main, occupait à lui seul presque tout un mur. Des tentures bordeaux habillaient les larges fenêtres qui s'ouvraient sur un balcon ceint d'une haute balustrade en fer forgé. Tout dans la pièce était lustré, sans le moindre grain de poussière.

Jamais Abdullah n'avait eu autant conscience de sa saleté.

Le patron d'oncle Nabi, M. Wahdati, avait pris place sur un fauteuil en cuir. Les bras croisés, il les observait d'un air qui n'était pas vraiment inamical, mais distant, impénétrable. Il était plus grand que leur père – Abdullah l'avait remarqué dès l'instant où il s'était levé pour les saluer. De faible carrure, les lèvres fines et le front haut et luisant, il portait un costume blanc cintré avec une chemise verte au col ouvert dont les manchettes étaient fermées par des lapis-lazulis ovales. Il n'avait pas prononcé plus de quelques mots depuis qu'ils étaient entrés dans la pièce.

Pari contemplait l'assiette de gâteaux sur la table en verre devant eux. Abdullah n'avait jamais imaginé qu'il puisse en exister autant de différents. Il y en avait au chocolat, en forme de doigts et recouverts de serpentins de crème, d'autres plus petits et fourrés à l'orange, d'autres encore tout verts et en forme de feuilles...

— Vous en voulez un ? demanda Mme Wahdati, qui meublait la conversation à elle seule. Allez-y, servez-vous, tous les deux. Je les ai sortis pour vous.

Abdullah et Pari se tournèrent vers leur père afin de quêter sa permission. Cela parut charmer

Mme Wahdati, car elle haussa les sourcils et inclina la tête en souriant.

Il acquiesça discrètement.

— Un chacun, dit-il à voix basse.

— Oh, non, protesta Mme Wahdati. J'ai envoyé Nabi les chercher presque à l'autre bout de la ville.

Leur père rougit et détourna le regard. Assis au bord du canapé, sa calotte usée dans les mains, il veillait à éloigner ses genoux de Mme Wahdati et restait concentré sur son mari.

Abdullah choisit deux gâteaux et en donna un à Pari.

— Oh, prends-en un autre. Il ne faudrait pas que Nabi se soit donné tout ce mal pour rien, dit Mme Wahdati d'un ton de gai reproche, tout en souriant à oncle Nabi.

— Ce n'était rien du tout, dit-il, gêné.

Il s'était posté à l'entrée du salon, à côté d'un grand meuble en bois aux épaisses portes vitrées. Sur les rayons à l'intérieur, Abdullah aperçut des photos encadrées de M. et Mme Wahdati. L'une d'elles les montrait en compagnie d'un autre couple, vêtus d'épais foulards et de gros manteaux, devant un fleuve blanc d'écume. Sur une autre, Mme Wahdati riait en tenant un verre et en serrant de son bras nu la taille d'un homme qui, chose incroyable, n'était pas M. Wahdati. Il y avait une photo de mariage aussi – lui, grand et bien mis, en costume noir, et elle en robe blanche fluide, tous deux affichant un sourire pincé.

Abdullah lorgna leur hôtesse, sa taille fine, sa jolie petite bouche, ses sourcils parfaitement arqués, les ongles de ses doigts de pieds vernis de rose et son rouge à lèvres assorti. Il se souvenait d'elle à présent. Il y avait près de deux ans, quand Pari était encore un bébé, oncle Nabi était venu avec elle à Shadbagh parce qu'elle voulait rencontrer sa famille. Elle portait ce jour-là une robe couleur pêche sans manches – il revoyait encore l'air étonné de son père – et des lunettes de soleil aux grosses montures blanches. Elle n'avait cessé de sourire, de poser des questions sur le village, leur vie, le nom et l'âge de chacun d'eux. Elle s'était comportée comme si elle était à sa place dans leur maison de pisé basse de plafond, assise contre le mur noir de suie, près de la fenêtre constellée de mouches et de la bâche en plastique ternie qui séparait la pièce principale de la cuisine – là où il dormait avec Pari. Elle avait fait des tas de manières, insistant pour enlever ses talons hauts à l'entrée, choisissant de s'asseoir par terre alors que leur père lui avait proposé de manière tout à fait sensée de prendre une chaise. À croire qu'elle était des leurs. Il n'avait que huit ans, mais il avait vu clair en elle.

Le souvenir le plus marquant qu'il gardait de cette visite était cependant l'attitude de Parwana. Alors enceinte d'Iqbal, elle était restée assise dans son coin, silhouette voilée murée dans le silence et recroquevillée sur elle-même, la tête rentrée dans les épaules, les pieds ramenés sous son gros ventre, comme si elle voulait se fondre dans le mur. Son visage était protégé des regards par un voile sale qu'elle serrait en boule sous son menton. Abdullah avait perçu la honte qui émanait d'elle telle une vapeur, son embarras, son sentiment d'être toute petite et il avait éprouvé un élan de compassion étonnant envers sa belle-mère.

Mme Wahdati prit un paquet posé près de l'assiette de gâteaux et alluma une cigarette.

— Nous avons fait un long détour en venant et je leur ai fait voir la ville, dit oncle Nabi.

— Bien ! Très bien ! approuva-t-elle. Étiez-vous déjà venu à Kaboul, Saboor ?

— Une fois ou deux, Bibi Sahib.

— Et puis-je vous demander quelle a été votre impression ?

— La ville est très peuplée, répondit-il avec un haussement d'épaules.

— En effet.

M. Wahdati ôta une petite peluche sur la manche de sa veste et fixa le tapis.

— Très peuplée, et parfois fatigante, continua sa femme.

Son père hocha la tête en faisant mine de comprendre.

— Kaboul est une île, en réalité. Certains la disent progressiste, et peut-être est-ce vrai. Oui, je suppose. Mais elle est aussi déconnectée du reste de ce pays. Ne vous méprenez-pas, Saboor, ajouta-t-elle en le voyant baisser les yeux sur sa calotte. Je soutiens sans réserve toutes les décisions progressistes qui sont adoptées ici. Dieu sait que le pays en a besoin. Mais parfois, cette ville est un peu trop contente d'elle-même à mon goût. Je vous jure, les gens sont d'une prétention…

Elle soupira.

— Cela en devient lassant reprit-elle. Pour ma part, j'ai toujours admiré la campagne. J'y suis très attachée. Les provinces éloignées, les *qarias*, les petits villages. Le véritable Afghanistan, pour ainsi dire.

Il opina avec hésitation.

— Je ne suis peut-être pas d'accord avec toutes les traditions tribales, ni même avec la plupart d'entre elles, d'ailleurs, mais il me semble que là-bas, les gens mènent des vies plus authentiques. Ils ont quelque chose de solide en eux. Une humilité rafraîchissante. Le sens de l'hospitalité, aussi. Une capacité à surmonter les

épreuves. Et de la fierté. C'est le bon mot, Suleiman ?
De la fierté ?

— Arrête, Nila, répondit-il posément.

Un silence pesant s'ensuivit. M. Wahdati tambouri-
nait sans bruit sur le bras de son fauteuil pendant que,
accoudée au sien, les pieds croisés, sa femme souriait
froidement en tenant sa cigarette barbouillée de rose.

Ce fut elle qui rompit le silence.

— Ce n'est sans doute pas le bon mot, dit-elle.
« Dignité » conviendrait mieux, peut-être.

Elle sourit, dévoilant des dents blanches bien alignées. Abdullah n'en avait jamais vu de pareilles.

— Oui, voilà. C'est beaucoup mieux. Les gens à
la campagne donnent une impression de dignité. Ils
la portent sur eux, n'est-ce pas ? Un peu comme un
badge. Je suis sincère. Je la vois en vous, Saboor.

— Merci, Bibi Sahib, marmonna-t-il en s'agitant sur
le canapé sans cesser de contempler sa calotte.

Mme Wahdati hocha la tête, puis se tourna vers Pari.

— Et, si je peux me permettre, tu es absolument
charmante.

Pari se rapprocha d'Abdullah.

— « Aujourd'hui, j'ai vu le charme, la beauté, la
grâce insondable du visage que je cherchais », récita
lentement Mme Wahdati, avant de sourire. C'est de
Rûmî. Vous avez entendu parler de lui ? On dirait qu'il
a composé ces vers juste pour toi, ma chérie.

— Madame est une poétesse accomplie, déclara
oncle Nabi.

En face d'eux, M. Wahdati se pencha pour prendre
un gâteau, le cassa en deux et mordit dedans.

— Nabi veut juste être gentil avec moi, dit
Mme Wahdati en lui jetant un regard plein de chaleur.

Une fois de plus, Abdullah vit les joues de son oncle s'empourprer.

Puis leur hôtesse écrasa son mégot en le pressant durement à plusieurs reprises contre le cendrier.

— Et si j'emmenais les enfants ailleurs ?

Son mari laissa échapper un soupir audible et abattit ses mains sur les accoudoirs de son fauteuil comme pour se lever, mais resta à sa place.

— Je vais les emmener au bazar, dit Mme Wahdati. Enfin, si vous êtes d'accord, Saboor. Nabi nous y conduira. Pendant ce temps, Suleiman pourra vous montrer l'arrière de la propriété. Comme ça, vous verrez par vous-même le site à construire.

Il acquiesça d'un signe de tête.

M. Wahdati ferma lentement les yeux.

Tous se levèrent.

Soudain, Abdullah souhaita que son père remercie ces gens pour les gâteaux et le thé, qu'il les prenne par la main, Pari et lui, et qu'ils quittent cette maison, ses tableaux, ses tentures, son luxe débordant et son confort. Ils n'auraient qu'à remplir leur outre, acheter du pain et quelques œufs durs, et repartir par le même chemin qu'à l'aller. Ils traverseraient de nouveau le désert, ses amas rocheux, ses collines, pendant que son père leur raconterait des histoires. Tous deux se relaieraient pour tirer la charrette de Pari. En deux jours, trois peut-être, ils seraient de retour à Shadbagh, et tant pis si c'était avec les poumons emplis de poussière et les membres fatigués. En les voyant arriver, Shuja accourrait pour danser autour de Pari. Ils seraient chez eux.

— Allez-y, les enfants, lâcha son père.

Abdullah fit un pas en avant, sur le point de dire quelque chose, mais la main épaisse d'oncle Nabi se posa sur son épaule pour l'obliger à faire demi-tour et l'entraîner dans le couloir.

— Attendez un peu de voir les bazars de cette ville, déclara-t-il. Vous n'en avez jamais vu de semblables.

Mme Wahdati s'était assise avec eux sur la banquette arrière. L'air dans la voiture était saturé de son parfum lourd, et aussi d'une autre odeur qu'Abdullah ne reconnut pas, une odeur douce et un peu âcre à la fois. Elle les bombarda de questions. Qui étaient leurs amis ? Allaient-ils à l'école ? Elle les interrogea sur leurs corvées quotidiennes, leurs voisins, leurs jeux. Les rayons du soleil tombaient sur son visage, si bien qu'il distinguait le fin duvet sur sa joue et la limite discrète de son maquillage sous la mâchoire.

— J'ai un chien, dit Pari.

— Ah oui ?

— C'est un sacré numéro, lança oncle Nabi depuis l'avant de la voiture.

— Il s'appelle Shuja. Il sait quand je suis triste.

— Les chiens sont ainsi, commenta Mme Wahdati. Ils sont plus doués pour ça que certaines personnes de ma connaissance.

Ils passèrent devant trois écolières qui sautillaient sur le trottoir, vêtues d'uniformes noirs et de foulards blancs noués sous le menton.

— Je n'ai pas oublié ce que j'ai dit tout à l'heure, mais Kaboul n'est pas si terrible, dit Mme Wahdati en triturant son collier d'un air absent, le regard tourné vers le dehors et les traits soudain empreints d'une certaine pesanteur. Je n'aime jamais tant cette ville qu'à la fin du printemps, après la saison des pluies. L'air si pur. Les prémices de l'été. La manière dont le soleil éclaire les montagnes…

Elle sourit faiblement.

— Ce sera agréable d'avoir une enfant à la maison. Un peu de bruit, pour changer. Un peu de vie.

Abdullah la regarda avec inquiétude. Il y avait quelque chose d'alarmant chez cette femme, sous son maquillage, son parfum et ses appels à la compassion. Quelque chose de semblable à des fissures. Il se surprit à penser à la fumée des plats cuisinés par Parwana, à l'étagère de la cuisine croulant sous les pots, les assiettes dépareillées et les casseroles tachées. Le matelas qu'il partageait avec Pari lui manquait, malgré sa saleté et l'entrelacs de ressorts qui menaçaient toujours de percer à la surface. Tout cela lui manquait. Jamais il n'avait aspiré si douloureusement à être chez lui.

Mme Wahdati s'avachit sur son siège et soupira en serrant son sac à main comme une femme enceinte aurait agrippé son ventre gonflé.

Oncle Nabi s'arrêta près d'un trottoir grouillant de passants. De l'autre côté de la rue, près d'une mosquée dont les minarets s'élançaient vers le ciel, se trouvait le bazar – un labyrinthe de passages voûtés et d'allées à ciel ouvert où se pressait une foule compacte. Ils déambulèrent le long de rangées d'échoppes vendant des vestes en cuir, des bijoux colorés sertis de pierres, des épices de toutes sortes. Mme Wahdati avançait avec Abdullah et Pari, tandis qu'oncle Nabi fermait la marche. À présent qu'ils étaient à l'extérieur, elle portait des lunettes de soleil qui la faisaient bizarrement ressembler à un chat.

Les appels des bonimenteurs résonnaient de toutes parts et de la musique s'échappait à plein volume de chaque étal ou presque. Ils passèrent devant des stands proposant des livres, des radios, des lampes et des casseroles gris argenté. Abdullah aperçut deux soldats aux bottes poussiéreuses et aux longs pardessus marron foncé qui partageaient une cigarette en examinant chaque personne d'un air teinté d'ennui et d'indifférence.

Ils firent une pause devant une boutique de chaussures. Mme Wahdati fourragea parmi toutes les paires exposées sur des boîtes pendant que Nabi se dirigeait d'un pas nonchalant vers l'échoppe suivante, les mains nouées dans le dos, pour étudier quelques vieilles médailles avec condescendance.

— Que penses-tu de celles-ci ? demanda Mme Wahdati à Pari en lui montrant une paire de baskets jaunes toutes neuves.

— Elles sont jolies ! s'exclama la fillette, stupéfaite.

— Essaie-les, alors.

Elle aida Pari à les enfiler et les lui attacha. Puis elle se tourna vers Abdullah et le fixa par-dessus ses lunettes.

— Une paire ne te ferait pas de mal à toi non plus. Je n'arrive pas à croire que tu aies parcouru à pied tout le chemin depuis ton village avec ces sandales.

Il refusa la proposition d'un geste et détourna la tête. Plus loin, dans l'allée, un vieil homme à la barbe hirsute et aux pieds bots mendiait auprès des gens.

— Regarde, Abollah ! dit Pari en levant une jambe après l'autre pour montrer ses chaussures.

Elle martela le sol, sautilla sur place. Mme Wahdati appela oncle Nabi et lui demanda de marcher un peu avec la fillette afin que celle-ci puisse voir si elle se sentait bien dans ses chaussures. Oncle Nabi s'exécuta ; il prit Pari par la main et fit quelques pas avec elle.

Mme Wahdati baissa les yeux sur Abdullah.

— Tu trouves que je suis méchante, n'est-ce pas ? À cause de ce que j'ai dit tout à l'heure.

Il regardait sa sœur passer près du mendiant aux pieds bots. Celui-ci s'adressa à elle, et elle se tourna vers leur oncle pour lui dire quelque chose. Oncle Nabi jeta une pièce au vieil homme.

Abdullah se mit à pleurer sans bruit.

— Oh, mon gentil garçon, dit Mme Wahdati, manifestement surprise. Pauvre chou.

Elle sortit un mouchoir de son sac à main et le lui tendit, mais il le repoussa d'un geste brusque.

— S'il vous plaît, ne faites pas ça, la supplia-t-il d'une voix brisée.

Elle s'accroupit près de lui et remonta ses lunettes sur ses cheveux. Elle avait les yeux humides, elle aussi, et lorsqu'elle les tapota avec son mouchoir, ils laissèrent une traînée noire sur le tissu.

— Je ne t'en veux pas, si tu me détestes. Tu as le droit. Mais même si je ne m'attends pas à ce que tu comprennes, pas aujourd'hui en tout cas, sache que c'est pour le mieux. Je t'assure, Abdullah. C'est pour le mieux. Un jour, tu t'en rendras compte.

Il leva le visage vers le ciel et laissa échapper un long gémissement, juste au moment où Pari revenait en sautillant vers lui, les yeux débordant de gratitude, ivre de joie.

Un matin, cet hiver-là, son père alla chercher sa hache et abattit le grand chêne avec l'aide de Baitullah, le fils du mollah Shekib, et de quelques hommes. Personne ne tenta de s'interposer. Sous le regard d'Abdullah et des garçons du village, il commença par ôter la balançoire. Il grimpa dans l'arbre, coupa les cordes avec un couteau, puis il s'attaqua au tronc avec les autres jusqu'à la fin de l'après-midi, moment où le vieux chêne s'affaissa enfin avec un grondement retentissant. Il prétendait qu'ils avaient besoin de bois de chauffage pour l'hiver, mais il avait manié la hache avec violence, les mâchoires serrées et la mine assombrie, comme si en réalité il ne supportait plus la vue de cet arbre.

À présent, sous un ciel couleur de pierre, les hommes frappaient le tronc couché, les joues et le nez rougis par le froid, et leur lame heurtait le bois en faisant résonner un bruit creux. Abdullah, lui, arrachait de petits rameaux aux grosses branches situées vers la cime de l'arbre. Deux jours plus tôt, la neige était tombée pour la première fois de la saison. Pas beaucoup, pas encore. Ce n'était que la promesse de choses à venir. Bientôt, l'hiver s'abattrait sur Shadbagh, avec ses petits glaçons, ses longues congères et ses vents qui fendillaient la peau sur le dos des mains en une minute. Pour l'heure, la neige ne formait qu'une petite couche sur le sol, entrecoupée çà et là jusqu'aux montagnes de bandes de terre marron clair.

Abdullah ramassa une brassée de fines branches et les charria vers une pile communale qui grossissait à vue d'œil à proximité. Il portait ses nouvelles bottes, des gants et un manteau d'hiver matelassé bleu foncé, avec une doublure fourrée orange. Il avait déjà servi, mais à part la fermeture Éclair cassée, que son père avait réparée, il était comme neuf. Il avait aussi quatre poches profondes qui s'ouvraient et se refermaient avec un bruit sec, et une capuche, matelassée elle aussi, qu'il pouvait resserrer autour de son visage en tirant sur un cordon. Il la repoussa et souffla un long panache de vapeur.

Le soleil baissait à l'horizon, mais il discernait encore le vieux moulin qui se dressait, gris et sévère, au-dessus des murs de terre du village. Ses ailes grinçaient chaque fois qu'une bourrasque cinglante arrivait des montagnes. Il n'abritait guère plus que des hérons bleus en été, mais à présent que l'hiver était là, ces derniers étaient partis, laissant la place aux corbeaux. Chaque matin, il était réveillé par leurs croassements et leurs cris discordants.

Quelque chose attira son regard, par terre, un peu plus loin. Il s'en approcha et s'agenouilla.

Une plume. Petite. Jaune.

Il ôta un gant pour la ramasser.

Ce soir, ils allaient faire la fête, lui, son père et son demi-frère Iqbal. Baitullah venait d'avoir un nouveau garçon. Un *motreb* chanterait pour les hommes pendant que quelqu'un jouerait du tambourin. Il y aurait du thé, du pain chaud fraîchement cuit et du *shorwa*, une soupe de légumes avec des pommes de terre. Après cela, le mollah Shekib tremperait un doigt dans un bol d'eau sucrée et le donnerait à sucer au bébé. Puis il sortirait sa pierre noire brillante, son rasoir à double lame, et il soulèverait le linge recouvrant le ventre de l'enfant. Un rituel ordinaire. La vie continuait à Shadbagh.

Abdullah tourna la plume dans sa main.

Je ne veux pas de pleurnicheries, avait dit son père. *Pas question. Je ne le tolérerai pas.*

Et il n'y en avait pas eu. Personne au village n'avait demandé où était Pari. Personne n'avait même prononcé son nom. Il s'étonnait qu'elle ait pu disparaître aussi radicalement de leur vie.

Seul Shuja avait fait écho à sa douleur en surgissant chaque matin devant leur porte. Parwana lui avait jeté des cailloux. Son père l'avait chassé avec un bâton. Malgré cela, il n'avait cessé de revenir. Tous les soirs ils l'entendaient gémir tristement, et tous les matins ils le retrouvaient couché près de la porte, la gueule sur ses pattes avant, un regard mélancolique et dénué de reproche posé sur ses assaillants. Cela avait duré des semaines, jusqu'au jour où Abdullah l'avait aperçu qui s'éloignait vers les montagnes, la tête basse. Nul à Shadbagh ne l'avait revu depuis.

Il fourra la plume jaune dans sa poche et se dirigea vers le moulin.

Il lui arrivait de surprendre son père dans les moments où il baissait sa garde et de lui découvrir une mine rembrunie nuancée d'émotions déroutantes. Il lui apparaissait diminué, dépouillé de quelque chose d'essentiel. Il déambulait dans la maison ou s'asseyait au chaud près de leur gros poêle en fonte tout neuf, le petit Iqbal sur les genoux, en contemplant les flammes d'un air absent. Sa voix avait pris des accents traînants qu'Abdullah ne se rappelait pas avoir entendus avant, comme si un poids grevait chacun de ses mots. Il s'abîmait dans de longs silences, le visage fermé, et ne racontait plus d'histoires – plus depuis qu'Abdullah et lui étaient rentrés de Kaboul. Peut-être avait-il aussi vendu sa muse aux Wahdati, songeait Abdullah.

Envolée.

Disparue.

Ne restait plus rien.

Pas même une explication.

Rien, sinon cet aveu de Parwana : *Il fallait que ce soit elle. Je suis désolée, Abdullah. Il fallait que ce soit elle.*

Un doigt coupé afin de sauver la main.

Il s'agenouilla par terre derrière le moulin, au pied de la tour de pierre qui tombait en ruine, et ôta ses gants pour creuser le sol. Il revoyait ses sourcils épais, son grand front bombé, ses dents écartées lorsqu'elle souriait. Il entendait dans sa tête son rire léger résonnant dans toute la maison, comme autrefois. Il avait encore en mémoire le tumulte qui avait suivi leur retour du bazar. La panique de Pari. Ses cris. Oncle Nabi qui l'emportait vivement. Abdullah creusa jusqu'à ce que ses doigts heurtent du métal. Il glissa les mains en dessous, sortit la petite boîte à thé du trou et essuya la terre froide sur le couvercle.

Ces derniers temps, il pensait souvent à l'histoire que son père leur avait racontée la veille de leur voyage à Kaboul, celle du vieux paysan Baba Ayub et du *div*. Il suffisait qu'il se trouve à un endroit où Pari s'était tenue un jour, et là, devant l'absence de sa sœur, semblable pour lui à une odeur qui aurait émané de la terre sous ses pieds, ses jambes cessaient de le porter, son cœur s'effondrait sur lui-même, et il aspirait à boire une gorgée de la potion magique que le *div* avait donnée à Baba Ayub, pour pouvoir lui aussi tout oublier.

Mais il était impossible d'oublier. Pari flottait sans y être invitée à la périphérie de son champ de vision partout où il allait, telle la poussière collée à sa chemise. Elle était présente dans les silences devenus si fréquents à la maison, des silences qui enflaient entre les mots, tantôt froids et vides, tantôt débordants de choses inexprimées, à la manière d'un nuage chargé d'une pluie qui jamais ne tomberait. Certaines nuits, il rêvait qu'il était de nouveau dans le désert, seul, cerné par les montagnes. Au loin, une petite lueur s'allumait, s'éteignait, s'allumait, s'éteignait encore. Comme un message.

Il ouvrit la boîte. Elles étaient toutes là. Les plumes de Pari. Celles de coq, de canard, de pigeon. Celle du paon, aussi. Il jeta la jaune au milieu. Un jour…, pensa-t-il.

Il espérait.

Son temps à Shadbagh était compté, de même qu'il l'avait été pour Shuja. Il le savait, désormais. Plus rien ne le retenait au village. Il n'y avait pas de foyer. Il attendrait que l'hiver passe, et une fois le dégel bien amorcé, il se lèverait un matin avant l'aube, franchirait le seuil de leur maison, puis choisirait une direction et se mettrait en route. Il irait aussi loin de Shadbagh que ses pieds accepteraient de le porter. Et si plus tard, en traversant quelque vaste étendue, le désespoir s'emparait de lui, il s'arrêterait et fermerait les yeux en se remémorant la plume de faucon que Pari avait trouvée dans le désert. Il l'imaginerait se détacher de l'oiseau, tout là-haut dans les nuages, à des centaines de mètres au-dessus du sol, tournoyer et tourbillonner au milieu de courants violents, soufflée par de violentes rafales de vent sur des kilomètres et des kilomètres de désert et de montagnes, et finalement atterrir là, entre tous les endroits possibles et contre toute attente, au pied de cet amas rocheux où sa sœur l'avait aperçue. Cela l'emplirait d'étonnement, mais aussi d'espoir, que de telles choses puissent se produire. Et même si la sagesse le lui déconseillait, il s'armerait de courage, rouvrirait les yeux et reprendrait sa marche.

3

Printemps 1949

PARWANA LE SENT avant de repousser les couvertures et de le voir. Les fesses de Masooma en sont toutes couvertes, jusqu'à ses cuisses, de même que les draps, le matelas et le dessus-de-lit. Masooma la regarde par-dessus son épaule, avec dans les yeux une demande timide de pardon, et aussi de la honte – toujours la honte, après tout ce temps, toutes ces années.

— Je suis désolée, murmure-t-elle.

Parwana a envie de hurler, mais elle se force à esquisser un sourire. Dans des moments comme celui-là, elle doit prendre sur elle pour se rappeler une vérité inébranlable et ne pas la perdre de vue : tout est sa faute. Rien de ce qui lui est échu n'est injuste ou indu. Elle n'a que ce qu'elle mérite. En soupirant, elle examine les draps souillés et frémit à l'idée du travail qui l'attend.

— Je vais te nettoyer, dit-elle.

Masooma se met à pleurer en silence, sans que rien sur son visage ne trahisse le moindre changement d'expression. Rien hormis des larmes qui gonflent et coulent sur ses joues.

Dehors, dans le froid du petit matin, Parwana allume du feu dans le foyer aménagé sur le sol. Une fois qu'il a pris, elle va remplir un seau d'eau au puits communal de Shadbagh, le met à chauffer et tend ses paumes vers les flammes. De là où elle est, elle aperçoit le moulin, la mosquée du village où, enfants, Masooma et elle ont appris à lire auprès du mollah Shekib, et aussi la maison de celui-ci, au pied d'une petite colline. Plus tard, quand le soleil sera haut dans le ciel, son toit sur lequel sa femme fait sécher des tomates formera un carré rouge vif parfait qui tranchera avec le fond poussiéreux des alentours. Parwana lève les yeux vers les pâles étoiles du matin qui la fixent en clignotant avec indifférence. Elle se ressaisit.

À l'intérieur, elle retourne Masooma sur le ventre, puis plonge un linge dans l'eau et nettoie sa sœur en essuyant les excréments sur ses fesses, son dos et la chair flasque de ses jambes.

— Pourquoi tu prends de l'eau chaude, Parwana ? dit Masooma, la tête dans l'oreiller. Pourquoi tu te donnes cette peine ? Tu n'es pas obligée. Je ne sentirais pas la différence.

— Peut-être. Mais moi, si, répond Parwana en grimaçant sous l'effet de la puanteur. Maintenant, tais-toi et laisse-moi finir ça.

À partir de là, sa journée se déroule comme toujours depuis la mort de leurs parents, quatre ans plus tôt. Elle donne à manger aux poules. Elle fend du bois et rapporte des seaux d'eau du puits. Elle prépare de la pâte et fait cuire du pain dans le *tandoor* devant leur maison en pisé. Elle balaie le sol. L'après-midi, elle s'accroupit près du ruisseau avec les autres villageoises pour laver son linge contre les rochers. Puis, parce que c'est vendredi, elle se rend sur la tombe de ses parents au cimetière et récite une courte prière pour chacun d'eux. Et toute la journée, entre ces corvées, elle prend le temps de changer Masooma de position en la faisant rouler tantôt sur un côté, tantôt sur l'autre, et en coinçant à chaque fois un oreiller sous ses fesses.

À deux reprises ce jour-là, elle aperçoit Saboor.

Elle le voit d'abord accroupi devant sa petite maison en compagnie de son fils Abdullah, occupé à attiser le feu qu'il vient d'allumer, les yeux plissés face à la fumée. Puis de nouveau plus tard, en train de discuter avec d'autres hommes – des hommes qui, comme lui, ont des familles maintenant, mais avec qui autrefois, lorsqu'ils n'étaient que des garçons, il se disputait, faisait voler des cerfs-volants, pourchassait les chiens et jouait à cache-cache. Un poids pèse sur lui depuis quelque temps, un voile tragique – une femme morte et deux enfants, dont l'un encore en bas âge. Il parle à présent d'une voix fatiguée tout juste audible et se traîne dans le village comme une version usée et amoindrie de lui-même.

Parwana l'observe de loin, en proie à un désir presque paralysant. Elle s'efforce de détourner la tête quand elle passe près de lui. Et si, par accident, leurs regards se croisent tout de même, elle ne reçoit de lui qu'un petit salut qui lui fait monter le rouge aux joues.

Ce soir-là, le temps qu'elle se couche, c'est à peine si elle a encore la force de lever les bras. La fatigue lui donne le tournis. Étendue dans son lit, elle attend de s'endormir.

Puis, dans le noir :

— Parwana ?

— Oui ?

— Tu te souviens de la fois où on a fait du vélo ensemble ?

— Mmm.

— On allait si vite ! On dévalait la colline et les chiens nous couraient après.

— Je m'en souviens, oui.

— On criait toutes les deux. Et ensuite, on a heurté cette pierre…

Parwana entend presque sa sœur sourire dans l'obscurité.

— Mère était furieuse contre nous, continue Masooma. Et Nabi aussi. Son vélo était fichu.

Parwana ferme les yeux.

— Parwana ?

— Oui.

— Tu veux bien dormir avec moi, ce soir ?

Elle repousse son couvre-lit et traverse la hutte pour rejoindre Masooma et se glisser sous sa couverture. Sa sœur appuie la joue sur son épaule, un bras posé en travers d'elle.

— Tu mérites mieux que moi, chuchote-t-elle.

— Ne recommence pas avec ça, répond Parwana avant de lui caresser les cheveux avec ces longs gestes patients qui font plaisir à Masooma.

Durant un moment, elles discutent paresseusement et à voix basse de petites choses sans importance, chacune réchauffant le visage de l'autre par son souffle. Ce sont des instants à peu près heureux pour Parwana. Ils lui rappellent leur enfance, quand sa sœur et elle se blottissaient sous la même couverture, nez contre nez, en gloussant sans bruit et en se murmurant des secrets et des ragots. Masooma ne tarde pas à s'endormir, et tandis que sa langue accompagne ses rêves de claquements bruyants, Parwana contemple par la fenêtre le ciel d'un noir d'ébène. Son esprit vagabonde entre des fragments de pensées, jusqu'à ce qu'il s'arrête sur une image qu'elle a vue un jour dans un vieux magazine, celle de deux frères siamois, la mine sombre, rattachés au niveau du torse par une épaisse bande de chair. Deux êtres inextricablement liés, le sang né dans la moelle du premier coulant dans les veines du second. Unis de façon permanente. Parwana sent comme un étau, un désespoir semblable à une main qui se refermerait à l'intérieur de sa poitrine. Elle prend une inspiration et tente de se concentrer sur Saboor, mais seules lui reviennent en mémoire des rumeurs qu'elle a entendues au village, selon lesquelles il serait en quête d'une nouvelle femme. Elle chasse alors son visage de son esprit et refoule cette idée ridicule.

Parwana avait été une surprise.

Masooma était déjà sortie et gigotait tranquillement dans les bras de la sage-femme lorsque leur mère poussa un cri et que le sommet d'une autre tête commença à l'écarteler une seconde fois. La naissance de Masooma s'était déroulée sans problème – ce petit ange s'était lui-même mis au monde, dirait plus tard la sage-femme. Celle de Parwana, à l'inverse, avait été longue, très éprouvante pour la mère, et dangereuse pour le bébé puisqu'il avait fallu le libérer du cordon ombilical qui s'était enroulé autour de son cou comme dans un accès de panique meurtrier causé par la séparation. Dans ses plus noirs moments, ceux où elle ne peut s'empêcher de se dégoûter elle-même, Parwana songe que ce cordon faisait peut-être preuve de sagesse. Peut-être savait-il qui était la meilleure des deux.

Masooma se nourrissait à l'heure, dormait quand il fallait et ne pleurait que si elle avait besoin de manger ou d'être changée. Elle aimait sucer son hochet, aussi. Éveillée, elle se montrait gaie et de bonne humeur. Un rien suffisait à enchanter cette petite boule emmaillotée qui ne faisait que rire et pousser des cris joyeux.

Quel bébé facile à vivre ! s'extasiaient les gens.

Parwana, elle, était un tyran qui écrasait leur mère sous le joug de son autorité. Désemparé par ses colères, leur père allait se réfugier chez son frère pour y dormir, emmenant avec lui le frère aîné des fillettes, Nabi. Pour sa femme, le soir marquait le début d'un calvaire aux proportions épiques ponctué de rares instants de repos. Toutes les nuits, elle ne faisait que marcher en ballottant doucement Parwana dans ses bras, en la berçant, en lui chantant des comptines. Elle grimaçait lorsque sa fille mordait son sein gonflé et à vif et suçait son mamelon comme si elle voulait aspirer son lait jusque dans ses os. Mais l'allaitement ne l'apaisait en rien : même le ventre plein, elle hurlait et s'agitait dans tous les sens, sourde aux suppliques.

Masooma les observait dans son coin, pensive et impuissante, avec l'air d'avoir pitié du triste sort de leur mère.

Nabi n'était pas du tout comme ça, dit celle-ci un jour à leur père.

Tous les bébés sont différents.

Elle me tue, celle-là.

Cela passera, répondit-il. *C'est comme le mauvais temps.*

Et en effet, cela avait fini par passer. Peut-être Parwana avait-elle souffert de coliques, ou bien d'un mal inoffensif. Mais il était trop tard. Elle s'était déjà fait une réputation.

Un après-midi, à la fin de l'été, alors que les jumelles avaient dix mois, les villageois se rassemblèrent à Shadbagh après un mariage. Avec une attention fiévreuse, les femmes dressèrent sur des plats des pyramides de riz blanc moelleux et parsemé de safran. Elles coupèrent du pain, raclèrent le riz craquant au fond des casseroles, firent circuler des plats d'aubergines frites au yaourt et à la menthe séchée. Pendant que Nabi jouait dehors avec quelques garçons, sa mère, assise avec d'autres personnes du village sur un tapis étendu au pied du chêne géant, jetait de temps à autre un coup d'œil aux jumelles qui dormaient à l'ombre, côte à côte.

Après le repas, au moment du thé, les bébés se réveillèrent de leur sieste. Presque aussitôt, quelqu'un attrapa Masooma. Elle passa joyeusement de bras en bras, allant d'un cousin à une tante, d'une tante à un oncle. Tel la faisait rebondir sur ses jambes, tel autre la posait en équilibre sur un genou. Beaucoup de mains lui chatouillèrent le ventre et beaucoup de nez se frottèrent contre le sien. Les convives éclatèrent de rire lorsqu'elle s'amusa à tirer sur la barbe du mollah Shekib. Ils s'émerveillèrent de son naturel si sociable. Ils la soulevèrent et admirèrent le rose de ses joues, le bleu saphir de ses yeux, la courbe gracieuse de son front – autant de signes annonciateurs de la beauté saisissante qui serait la sienne dans quelques années.

Restée sur les genoux de sa mère, Parwana regardait en silence Masooma assurer le spectacle, l'air un peu désorientée, seul membre de ce public d'adorateurs qui ne comprenait pas la raison de toute cette agitation. Sa mère baissait parfois les yeux sur elle et pressait son petit pied doucement, comme pour s'excuser. Lorsque quelqu'un s'aperçut que Masooma allait bientôt avoir deux nouvelles dents, elle fit faiblement remarquer que Parwana en avait trois, elle. Mais personne n'y fit attention.

Les filles avaient neuf ans quand la famille se rendit un soir de bonne heure chez les parents de Saboor pour célébrer l'*iftar*, la rupture du jeûne après le ramadan. Les adultes prirent place sur des coussins autour de la pièce au milieu du brouhaha assourdissant des conversations. Du thé, des vœux et des ragots furent échangés à proportions égales, tandis que les vieillards faisaient glisser un chapelet entre leurs doigts. Assise tranquillement dans son coin, Parwana se réjouissait de respirer le même air que Saboor et d'être à proximité de ses grands yeux sombres. Au cours de la soirée, elle se risqua plusieurs fois à l'épier en douce. Elle le vit mordre dans un carré de sucre, frotter la douce inclinaison de son front, rire aux éclats aux propos d'un vieil oncle. Lorsqu'il la surprenait, comme il le fit une fois ou deux, elle détournait vivement la tête avec raideur, toute gênée. Ses genoux commençaient à trembler. Sa bouche était si sèche qu'elle pouvait à peine parler.

Elle songea au carnet caché sous ses affaires à la maison. Saboor ne cessait d'imaginer des histoires, des contes peuplés de djinns, de fées, de démons et de *divs*. Souvent, les enfants du village se rassemblaient autour de lui et, dans un silence absolu, l'écoutaient inventer pour eux de nouvelles fables. Six mois plus tôt environ, Parwana l'avait entendu dire à Nabi qu'il espérait mettre un jour tout cela par écrit. Peu de temps après, alors qu'elle se trouvait avec sa mère dans un bazar d'une autre ville, elle avait repéré sur un étal de livres d'occasion un carnet magnifique au papier réglé tout neuf, avec une épaisse reliure marron gaufrée sur les bords. Elle savait que sa mère ne pouvait pas se permettre un tel achat, aussi avait-elle guetté le moment où le vendeur ne la regardait pas pour glisser vivement le carnet sous son pull.

Mais depuis, six mois s'étaient écoulés et elle n'avait toujours pas eu le courage de l'offrir à Saboor. Elle était terrifiée à l'idée qu'il se mette à rire, ou qu'il voie ce cadeau pour ce qu'il était vraiment et qu'il le lui rende. Et c'est ainsi que tous les soirs, allongée dans son lit sous sa couverture, elle serrait secrètement le carnet dans ses mains en effleurant les reliefs du cuir. *Demain*, se promettait-elle. *Demain, j'irai le lui donner.*

Plus tard ce jour-là, après le repas de l'*iftar*, tous les enfants foncèrent jouer dehors. Parwana, Masooma et Saboor se succédèrent sur la balançoire que le père de Saboor avait suspendue à une branche solide du grand chêne. Vint le tour de Parwana. Saboor était censé la pousser, mais il oubliait toujours de le faire, trop absorbé qu'il était par sa dernière histoire. Celle-là parlait justement de leur chêne et de ses pouvoirs magiques. Lorsqu'on souhaitait quelque chose, disait Saboor, il fallait s'agenouiller au pied du tronc et murmurer son vœu, et si l'arbre était d'accord pour l'exaucer, il laissait tomber pile dix feuilles sur votre tête.

La balançoire ralentit jusqu'à ce qu'elle s'arrête presque complètement. Parwana se tourna vers Saboor pour lui demander de continuer, mais les mots moururent dans sa gorge. Masooma et lui se souriaient, et dans la main de Saboor Parwana aperçut le carnet. Son carnet *à elle*.

Je l'ai trouvé dans la maison, lui expliqua sa sœur par la suite. *C'était à toi ? Je te le rembourserai d'une façon ou d'une autre, je te le promets. Ça ne t'ennuie pas, hein ? Je me suis dit qu'il était parfait pour lui. Pour ses histoires. Non, mais tu as vu comme il était content ? Tu as vu, Parwana ?*

Parwana répondit que non, cela ne l'ennuyait pas, mais tout au fond d'elle-même, elle était anéantie. Elle ne cessait de songer au sourire que Masooma et Saboor avaient échangé, au regard qu'ils s'étaient lancé. Elle-même aurait tout aussi bien pu avoir disparu dans les airs, comme un génie sorti de l'une des histoires de Saboor, tant ils avaient oublié sa présence. La douleur fut cuisante. Cette nuit-là, dans son petit lit, elle pleura en silence.

Le temps que sa sœur et elle aient onze ans, Parwana avait développé une compréhension précoce des garçons et de leur étrange comportement face aux filles qu'ils appréciaient en secret. Elle le constatait en particulier lorsque Masooma et elle revenaient à pied de l'école. En fait d'école, il s'agissait plutôt d'une pièce à l'arrière de la mosquée locale où, en plus de leur apprendre à réciter le Coran, le mollah Shekib enseignait à tous les enfants du village à lire, à écrire et à mémoriser des poèmes. Shadbagh avait de la chance d'avoir un homme si sage pour *malik*, disait leur père. En rentrant chez elles après ces leçons, elles croisaient souvent un groupe de gamins assis sur un mur, qui les interpellaient parfois en criant ou en leur lançant des petits cailloux. Parwana ripostait en général par des invectives et des jets de cailloux plus gros, même si Masooma la tirait toujours par le coude en la pressant d'un ton raisonnable de marcher plus vite et de ne pas se mettre en colère à cause d'eux. Mais elle se trompait. Parwana ne s'énervait pas contre eux parce qu'ils les prenaient pour cible, mais parce qu'ils visaient *uniquement* Masooma. Elle le savait : ce petit jeu agaçant relevait de la fanfaronnade, et plus les garçons en rajoutaient, plus ils trahissaient la profondeur de leur désir. Leurs regards ricochaient sur elle, mais ils s'attardaient sur Masooma, éperdus, émerveillés, incapables de se détourner. Malgré leurs blagues frustes et leurs sourires lascifs, ils étaient tétanisés par Masooma.

Puis, un jour, l'un d'eux leur jeta non pas un caillou, mais une grosse pierre qui roula à leurs pieds. Ses amis et lui ricanèrent et se donnèrent des coups de coude lorsque Masooma la ramassa. Elle était enveloppée d'une feuille de papier maintenue par un élastique. Masooma attendit d'être à bonne distance pour la dérouler et lut le message avec Parwana.

Je jure que depuis que j'ai vu ton visage,
Le monde entier m'est devenu tricherie et illusion
Le jardin ne sait plus ce qu'est une feuille ou une fleur
Les oiseaux distraits ne distinguent plus les graines du
[collet tendu pour eux.

Un poème de Rûmî, un de ceux que leur avait appris le mollah Shekib.

Ils s'améliorent, s'amusa Masooma.

En-dessous, le garçon avait écrit : *Je veux t'épouser.* Et il avait ajouté ces quelques mots : *J'ai un cousin pour ta sœur. Il est parfait pour elle. Ils pourront brouter ensemble le pré de mon oncle.*

Masooma déchira la feuille en deux. *Ne fais pas attention à eux, Parwana*, dit-elle. *Ce sont des imbéciles.*

Des crétins, opina Parwana.

Mais elle eut toutes les peines du monde à plaquer un sourire sur ses lèvres. Le message était déjà rude, mais ce qui la blessait le plus, c'était la réaction de Masooma. Le garçon ne s'était pas explicitement adressé à elle, et pourtant elle avait tout de suite supposé que le poème lui était destiné et que le cousin mentionné revenait à sa sœur. Pour la première fois, Parwana se vit à travers son regard. Elle vit l'image que sa sœur avait d'elle – ce qui revenait à contempler l'image que les autres avaient d'elle. Elle en fut mortifiée. Humiliée.

De toute façon, ajouta Masooma en haussant les épaules et en souriant, *je suis déjà prise.*

*

Nabi est venu leur rendre visite, comme tous les mois. Il est le fils prodigue de la famille, peut-être même du village tout entier, au motif qu'il travaille à Kaboul et qu'il débarque à Shadbagh dans la grosse voiture bleue rutilante de son employeur, au capot surmonté d'une tête d'aigle brillante. À chaque fois, tout le monde se rassemble pour assister à son arrivée, les enfants courent et braillent au côté du véhicule.

— Comment ça va ? demande-t-il.

Tous les trois partagent un thé et des amandes dans la hutte. De l'avis de Parwana, Nabi est très séduisant, avec ses pommettes finement sculptées, ses yeux noisette, ses favoris et son épaisse chevelure brune coiffée en arrière de son front. Il porte son habituel costume couleur olive qui semble d'une taille trop grand pour lui. Il en est fier, elle le sait. Il ne cesse de tirer sur les manches, de redresser le col, de pincer le pli du pantalon, bien qu'il n'ait jamais vraiment réussi à venir à bout de l'odeur persistante d'oignon brûlé qui imprègne le tissu.

— Eh bien, la reine Homaira est passée prendre le thé hier, dit Masooma. Elle nous a complimentées sur notre goût exquis en matière de décoration.

Elle sourit gentiment à son frère, dévoilant ses dents jaunissantes. Nabi éclate de rire et baisse les yeux sur sa tasse. Avant qu'il ne trouve du travail à Kaboul, il aidait Parwana à s'occuper de Masooma. Ou du moins a-t-il essayé, durant un temps. Mais il n'y arrivait pas. C'était trop dur pour lui et Kaboul a été son échappatoire. Parwana l'envie, sans pour autant lui tenir vraiment rigueur de son départ, même si lui-même se fait des reproches – elle sait qu'il y a plus qu'une

80

petite part de pénitence dans l'argent qu'il lui apporte tous les mois.

Masooma s'est coiffée et a souligné ses yeux d'un trait de khôl, comme toujours lorsque Nabi vient les voir. En réalité, elle ne le fait pas tant pour lui que pour le lien qu'il représente entre Kaboul et elle. À ses yeux, il est le fil qui la rattache à un monde glamour et luxueux, à une ville regorgeant de voitures, de lumières, de restaurants fastueux et de palais royaux, et peu importe que ce fil soit ténu. Longtemps auparavant, Masooma se décrivait comme une citadine enfermée dans un village.

— Et toi ? Tu t'es trouvé une femme ? demande joyeusement Masooma.

Nabi agite une main en riant – la même réaction qu'il opposait à leurs parents lorsqu'ils l'interrogeaient à ce sujet.

— Quand me referas-tu visiter Kaboul, mon frère ?

Nabi les a emmenées là-bas l'année précédente. Il est venu les chercher à Shadbagh, puis, une fois à Kaboul, il a sillonné les rues de la ville en passant devant toutes les mosquées, tous les quartiers commerçants, les cinémas, les restaurants. Il a montré à Masooma le palais Bagh-e-Bala, perché sur une colline surplombant la ville. Dans les jardins de Babour, il l'a soulevée du siège avant de la voiture et l'a portée dans ses bras jusqu'au mausolée de l'empereur moghol. Ils ont prié là, tous les trois, à la mosquée Shah Jahan, avant de s'installer au bord d'un bassin aux carreaux bleus afin de manger le pique-nique que Nabi avait préparé pour eux. Cela a peut-être été le jour le plus heureux de la vie de Masooma depuis l'accident, et Parwana devait bien reconnaître que c'était grâce à Nabi.

— Bientôt, Inch'Allah, répond-il en tapotant sa tasse.

— Ça t'ennuierait d'ajuster le coussin sous mes genoux, Nabi ? Ah, c'est beaucoup mieux, merci, soupire Masooma. J'ai adoré Kaboul. Si je le pouvais, je partirais là-bas à pied à la première heure demain matin.

— Un jour, peut-être.

— Quoi, aller à Kaboul à pied ?

— Non, bafouille-t-il. Je voulais dire…

Puis il sourit lorsque Masooma éclate de rire.

Dehors, il donne de l'argent à Parwana et s'appuie contre le mur en allumant une cigarette. Masooma est restée faire la sieste à l'intérieur, comme tous les après-midi.

— J'ai vu Saboor tout à l'heure, déclare Nabi en tirant sur les peaux mortes d'un de ses doigts. Quelle tragédie. Il m'a dit le prénom du bébé, mais je l'ai oublié.

— Pari.

Nabi hoche la tête.

— Il m'a annoncé qu'il cherchait à se remarier. Sans que je lui demande rien.

Parwana détourne le regard en essayant de feindre l'indifférence, mais son cœur se met à cogner. Un voile de sueur se forme sur sa peau.

— Encore une fois, je ne lui ai rien demandé, insiste Nabi. C'est lui qui a abordé le sujet. Et il m'a entraîné à l'écart pour m'en parler.

Parwana le soupçonne de savoir ce qu'elle éprouve au fond d'elle pour Saboor depuis tant d'années. Masooma a beau être sa jumelle, Nabi est le seul à l'avoir jamais comprise. Mais elle ne voit pas pourquoi il se donne la peine de lui apprendre cette nouvelle. À quoi bon ? Ce dont Saboor a besoin, c'est d'une femme sans attaches, sans entraves, d'une femme libre de se dévouer à lui, à son garçon et sa dernière-née. Son temps à elle est déjà dévoré. Consumé. Il le sera toute sa vie.

— Je suis sûre qu'il trouvera quelqu'un.

Nabi acquiesce en silence.

— Je repasserai le mois prochain, dit-il en écrasant sa cigarette sous son pied.

Après son départ, Parwana entre dans la hutte, où elle a la surprise de découvrir Masooma éveillée.

— Je croyais que tu dormais.

Masooma tourne la tête vers la fenêtre et cligne des yeux lentement, avec lassitude.

À treize ans, les filles allaient parfois faire des courses pour leur mère dans les bazars bondés des villes alentour. Une odeur humide s'élevait dans les allées non pavées fraîchement aspergées d'eau. Toutes deux déambulaient le long des échoppes qui vendaient des narguilés, des châles en soie, des casseroles en cuivre, de vieilles montres. Des poulets égorgés suspendus par les pattes dessinaient des cercles lents au-dessus des morceaux d'agneau et de bœuf.

Partout, Parwana voyait l'attention des hommes s'éveiller brusquement au passage de Masooma. Elle remarquait leurs efforts pour se comporter comme si de rien n'était, mais leurs yeux s'attardaient sur sa sœur, incapables de fixer autre chose. Lorsqu'elle lançait un regard dans leur direction, ils donnaient l'impression ridicule d'avoir été distingués entre tous. Ils s'imaginaient avoir partagé un moment avec elle. Elle interrompait les conversations au beau milieu d'une phrase, pétrifiait les fumeurs occupés à tirer sur leur cigarette. Elle était celle qui faisait trembler les genoux et se renverser les tasses.

Certains jours, tout cela devenait trop pesant pour Masooma et elle paraissait presque honteuse. Elle disait alors qu'elle préférait ne pas sortir pour éviter d'être dévisagée. Ces jours-là, c'était comme si, quelque part au fond d'elle-même, Masooma avait vaguement compris que sa beauté était une arme. Un pistolet chargé au canon pointé sur sa tempe. Le plus souvent cependant, ces réactions semblaient lui plaire. Elle savourait son pouvoir de distraire un homme d'un simple sourire fugace, mais stratégique, et de faire fourcher les langues.

Une beauté comme la sienne, cela vous brûlait les yeux.

Et près d'elle, il y avait Parwana et sa démarche traînante, sa poitrine plate, son teint cireux, ses cheveux crépus, son visage triste aux traits grossiers, ses poignets épais et ses épaules masculines. Une ombre pathétique, partagée entre la jalousie et l'excitation d'être vue en compagnie de Masooma, de profiter de toute cette attention, telle une mauvaise herbe qui se serait nourrie de l'eau destinée à un lis poussant plus en amont au bord d'un cours d'eau.

Toute sa vie, Parwana a veillé à ne pas se poster devant une glace avec sa sœur. Contempler son visage à côté du sien, voir si distinctement ce qui lui avait été refusé la désespérait. Mais en public, les yeux des étrangers étaient comme autant de petits miroirs et elle n'avait pas d'échappatoire.

Elle porte Masooma à l'extérieur et s'assoit avec elle sur le *charpoy*, le petit lit qu'elle a posé là, en prenant soin d'empiler des coussins afin que sa sœur puisse s'adosser confortablement au mur. Hormis le chant des grillons, c'est une soirée silencieuse, une soirée sombre aussi, à peine éclairée par les quelques lanternes qui luisent encore derrière les fenêtres du village et par la lumière blanche parcheminée d'une lune gibbeuse.

Parwana remplit d'eau le récipient du narguilé, y verse une pincée de tabac mélangé à deux doses de poudre d'opium grosses comme des têtes d'allumette, puis allume le charbon sur la plaque métallique et tend la pipe à Masooma. Après avoir tiré longuement sur l'embout du tuyau, celle-ci s'incline contre les coussins et lui demande si elle peut appuyer ses jambes sur les siennes. Parwana se baisse pour soulever ses membres inertes et les poser sur elle.

Quand Masooma fume, son visage se relâche. Ses paupières tombent. Sa tête s'incline en dodelinant sur le côté et sa voix prend une intonation distante et traînante. Un sourire effleure les coins de sa bouche, capricieux, indolent, suffisant plutôt que satisfait. Elles se parlent peu dans ces moments-là. Parwana écoute la brise et l'eau qui gargouille dans le narguilé. Elle observe les étoiles, la fumée qui dérive au-dessus d'elle. Le silence est plaisant et ni elle ni Masooma n'éprouvent le besoin de le meubler avec des paroles inutiles.

Jusqu'à cette question :

— Tu veux bien faire quelque chose pour moi ?

Parwana pivote vers sa sœur.

— Je veux que tu m'emmènes à Kaboul, continue Masooma en exhalant lentement.

La fumée tourbillonne, s'enroule sur elle-même, dessinant à chaque instant des formes différentes.

— Tu es sérieuse ?

— Je veux voir le palais de Darulaman. On n'en a pas eu l'occasion la dernière fois. Et on pourrait peut-être aussi retourner au mausolée de Babour.

Parwana se penche en avant pour déchiffrer son expression. Elle cherche à y déceler un soupçon d'espièglerie, mais sous le clair de lune, elle ne distingue que l'éclat calme et fixe des yeux de sa sœur.

— Il faut compter deux jours de marche au moins. Voire trois.

— Tu imagines la tête de Nabi quand il nous verra ?

— On ne sait même pas où il habite.

Masooma balaie cet argument d'un geste mou de la main.

— Il nous a dit dans quel quartier il vivait. On frappera à quelques portes et on demandera aux gens. Ce n'est pas si compliqué.

— Et comment ira-t-on là-bas ? Avec toi qui ne peux pas marcher !

Masooma retira le narguilé de sa bouche.

— Pendant que tu travaillais dehors aujourd'hui, le mollah Shekib est passé me voir et j'ai discuté un long moment avec lui. Je lui ai dit que nous comptions aller quelques jours à Kaboul. Juste toi et moi. Il a fini par me donner sa bénédiction. Et aussi sa mule. Tu vois, tout est arrangé.

— Tu es folle.

— Peut-être, mais c'est ce que je veux. C'est mon souhait.

Parwana s'adosse de nouveau au mur en secouant la tête. Son regard dérive vers le ciel et se perd dans l'obscurité parsemée de nuages.

— Je m'ennuie à mourir, Parwana.

Elle pousse un long soupir et refait face à sa sœur.

— S'il te plaît, insiste Masooma en portant le narguilé à ses lèvres. Ne me refuse pas ça.

Un jour qu'elles avaient dix-sept ans, elles allèrent s'asseoir de bon matin sur une branche en haut du grand chêne, leurs pieds pendant dans le vide.

Saboor va faire sa demande ! murmura Masooma d'une voix suraiguë.

Sa demande ? dit Parwana sans comprendre – du moins pas tout de suite.

Oui, enfin, il ne la fera pas en personne, précisa Masooma en riant derrière sa main. *Bien sûr que non. C'est son père qui va s'en charger.*

Parwana comprit cette fois, et elle en resta bouleversée. *Comment le sais-tu ?* articula-t-elle avec peine.

Masooma lui répondit. Les mots s'échappaient de sa bouche en un flot frénétique, mais Parwana n'entendait presque rien. À la place, elle imagina le mariage de sa sœur. Précédant les joueurs de *shehnai* et de *dhol*[1], des enfants en habit neuf porteraient des paniers remplis de fleurs et d'un nécessaire à henné. Saboor ouvrirait le poing de Masooma pour poser la poudre sur sa paume, puis l'attacherait avec un ruban blanc. Suivraient les prières, la bénédiction de leur union. Les cadeaux. Masooma et Saboor se contempleraient sous un voile brodé de fil d'or et se donneraient l'un l'autre une cuillérée de sorbet et de *malida*[2].

Et elle, Parwana, serait là, parmi les invités, témoin de cette scène. On attendrait d'elle qu'elle sourie, qu'elle applaudisse, qu'elle soit heureuse, même si son cœur se lézardait et se brisait.

Une rafale de vent souffla sur l'arbre, agitant les branches et faisant bruisser les feuilles. Parwana dut s'accrocher pour ne pas perdre l'équilibre.

Masooma avait cessé de parler. Elle souriait à présent en se mordant la lèvre inférieure. *Tu veux savoir comment je suis au courant pour sa demande en mariage ? Je vais te le dire. Ou plutôt, je vais te montrer.*

Elle se détourna et plongea une main dans sa poche.

---

1. *Shehnai* : sorte de hautbois. *Dhol* : tambour. *(Toutes les notes sont de la traductrice.)*
2. *Malida* : pâte sucrée et brisée, dont l'aspect rappelle celui de la semoule.

C'est là que se produisit quelque chose dont Masooma ignorait tout. Profitant de l'inattention de sa sœur, Parwana prit appui sur ses paumes afin de soulever ses fesses, puis se laissa retomber sur la branche de manière à la faire trembler. Masooma poussa un cri. Déséquilibrée, elle bascula en avant en agitant désespérément les bras en tous sens. Parwana regarda ses propres mains se mouvoir. Elle ne poussa pas *vraiment* Masooma, mais le bout de ses doigts entra en contact avec le dos de celle-ci, et si bref et subtil qu'eût été son geste, elle le commit bel et bien. Cela ne dura qu'une fraction de seconde, après quoi elle tenta aussitôt de rattraper sa sœur, de la retenir par l'ourlet de sa jupe, tandis que Masooma, paniquée, criait son nom, et elle le sien. Elle saisit Masooma par son vêtement. L'espace d'un instant, il parut possible qu'elle parvienne à la sauver, mais le tissu se déchira et lui échappa.

La chute sembla interminable. Masooma heurta les branches, effrayant les oiseaux et faisant voler les feuilles. Elle tourna, rebondit, brisa les petits rameaux de l'arbre, jusqu'à ce qu'une branche basse, épaisse celle-là, celle à laquelle la balançoire était accrochée, la cueille sur le dos avec un craquement insupportable. Son corps se plia en arrière, presque en deux.

Quelques minutes plus tard, un cercle s'était formé autour d'elle. Nabi et leur père pleuraient en essayant de lui faire reprendre conscience. Des gens baissaient les yeux sur elle. Quelqu'un prit sa main, qu'elle avait gardée fermée, et la déplia. Dans sa paume se trouvaient très exactement dix petites feuilles froissées.

— Il faut que tu le fasses maintenant, dit Masooma d'une voix légèrement tremblante. Si tu attends demain matin, tu n'en auras plus le courage.

Tout autour d'elles, au-delà de la faible lueur du feu que Parwana a alimenté avec des broussailles et des herbes cassantes, s'étend une zone aride et infinie de sable et de montagnes engloutie par l'obscurité. Cela fait presque deux jours qu'elles traversent ce paysage désertique en direction de Kaboul. Parwana a marché à côté de la mule en tenant la main de Masooma, attachée quant à elle sur la selle. Ensemble, elles ont suivi des chemins raides qui s'incurvaient, descendaient et serpentaient au milieu de crêtes rocheuses, sur un sol parsemé d'herbes couleur ocre et rouille et zébré en tous sens de longues fissures formant comme une toile d'araignée.

Debout près du feu, Parwana contemple sa sœur, cette forme horizontale étendue sous une couverture de l'autre côté des flammes.

— Et Kaboul ? dit-elle, même si elle comprend maintenant qu'il ne s'agissait que d'une ruse.

— Oh, je t'en prie. Tu es censée être la plus futée de nous deux.

— Tu ne peux pas me demander ça.

— Je suis fatiguée, Parwana. Ma vie ne ressemble à rien. Et elle est une punition pour nous deux.

— Rentrons à la maison, réplique Parwana dont la gorge commence à se serrer. Je ne peux pas faire ça. Je ne peux pas te laisser partir.

— Non, dit Masooma, en larmes à présent. C'est moi qui te laisse partir. Je te libère.

Parwana se rappelle un autre soir, longtemps auparavant, où Masooma faisait de la balançoire et où elle-même la poussait. Elle avait regardé sa sœur tendre les jambes et incliner la tête en arrière chaque fois qu'elle atteignait son point le plus haut dans les airs, ses cheveux longs claquant tels des draps sur une corde à linge. Elle revoit toutes les petites poupées qu'elles ont patiemment façonnées ensemble à partir d'épis de maïs et habillées de robes de mariée faites avec de vieux bouts de tissu.

— Dis-moi, Parwana...

Elle refoule les larmes qui voilent sa vision et s'essuie le nez du revers de la main.

— Son garçon, Abdullah. Et la petite fille, Pari. Tu penses être capable de les aimer comme s'ils étaient à toi ?

— Masooma...

— Tu y arriverais ?

— Je pourrais essayer.

— Bien. Alors épouse Saboor. Prends soin de ses enfants. Donne naissance aux tiens.

— C'est toi qu'il aimait. Pas moi.

— Il finira par t'aimer, avec le temps.

— Tout est ma faute. Tout.

— Je ne vois pas ce que tu entends par là et je ne veux pas le savoir. À ce stade, je ne souhaite rien d'autre que partir. Les gens comprendront, Parwana. Le mollah Shekib les aura prévenus. Il leur dira qu'il m'a donné sa bénédiction.

Parwana lève la tête vers le ciel nocturne.

— Sois heureuse, Parwana, insiste sa sœur. S'il te plaît, sois heureuse. Fais-le pour moi.

Elle se sent sur le point de tout avouer à Masooma, de lui révéler combien elle se trompe, combien elle connaît mal celle avec qui elle a partagé le même ventre maternel, et combien, depuis des années maintenant, sa vie à elle n'est qu'une longue excuse muette. Mais qu'en tirerait-elle ? Du soulagement, une fois encore aux dépens de Masooma ? Elle ravale ses mots. Elle a déjà infligé suffisamment de souffrances à sa jumelle.

— Je veux fumer, maintenant, dit Masooma, qui poursuit d'un ton plus dur et sans appel pour l'empêcher de protester. Il est temps.

Parwana va chercher le narguilé dans le sac accroché à l'extrémité de la selle. Ses mains tremblent lorsqu'elle prépare le mélange habituel dans le récipient.

— Encore. Mets-en beaucoup plus.

Les joues baignées de larmes, Parwana renifle et ajoute une autre pincée, puis une autre, puis encore une autre. Elle allume ensuite le charbon et pose le narguilé près de sa sœur.

— Maintenant, déclare Masooma, dont les joues et les yeux brillent dans la lueur orange des flammes, si tu m'as jamais aimée, Parwana, si tu es une vraie sœur pour moi, va-t'en. Pas d'embrassades. Pas d'au revoir. Ne me force pas à te supplier.

Parwana veut dire quelque chose, mais Masooma détourne la tête en laissant échapper un son plaintif. Elle se lève alors lentement, s'approche de la mule et serre la sangle de la selle avant de prendre les rênes. Elle s'aperçoit soudain qu'il lui est peut-être impossible de vivre sans sa sœur. Elle n'est pas sûre d'en être capable. Comment supportera-t-elle les jours où son absence lui semblera un fardeau bien plus lourd que sa présence ne l'a jamais été ? Comment apprendra-t-elle à marcher au bord du trou béant que laissera Masooma derrière elle ?

Sois courageuse, l'entend-elle presque dire.

Elle tire sur les rênes, fait pivoter la mule et se met en route.

Elle marche en fendant l'obscurité tandis qu'un vent froid lui fouette le visage. Elle garde la tête baissée et ne se retourne qu'une seule fois, un peu plus tard. À travers ses larmes, le feu de camp n'est plus qu'un tout petit point jaune et flou au loin. Elle imagine Masooma étendue à côté, seule dans le noir. Bientôt les flammes s'éteindront et elle aura froid. Son instinct lui souffle de revenir sur ses pas, d'étendre une couverture sur sa sœur et de se glisser dessous, tout contre elle.

Elle s'oblige à reprendre sa marche.

À ce moment-là, elle perçoit quelque chose. Un bruit étouffé, distant, comme un gémissement. Elle s'arrête net et incline la tête. Cela recommence. Son cœur se met à cogner dans sa poitrine. Elle se demande avec effroi si ce n'est pas Masooma qui a changé d'avis et qui crie son nom. À moins qu'il ne s'agisse juste d'un chacal ou d'un renard du désert hurlant quelque part dans le noir. Elle n'en est pas certaine. Peut-être aussi est-ce le vent, songe-t-elle.

Ne m'abandonne pas, ma sœur. Reviens.

Le seul moyen d'être fixée serait de rebrousser chemin, et c'est ce qu'elle fait. Elle effectue quelques pas en direction de Masooma. Puis elle se fige. Masooma avait raison. Si elle revient vers elle maintenant, elle n'aura pas le courage de la quitter au lever du soleil. Elle flanchera et finira par rester avec elle. À jamais. Là réside sa seule chance.

Elle ferme les yeux. Le vent fait battre son foulard contre son visage.

Nul n'a besoin de le savoir. Nul n'en saura rien. Ce sera son secret, un secret qu'elle ne partagera qu'avec les montagnes. Pourra-t-elle vivre avec, ça c'est une autre question, mais Parwana pense connaître la réponse. Elle qui a vécu avec des secrets toute sa vie.

Elle entend de nouveau le gémissement au loin.

Tout le monde t'aimait, Masooma.

Et moi, personne.

Et pourquoi, ma sœur ? Qu'avais-je fait ?

92

Elle reste un long moment immobile dans le noir.

Pour finir, elle fait son choix. Elle baisse la tête et repart vers un horizon qu'elle ne distingue pas. Après ça, elle n'a plus un regard en arrière. Elle sait qu'elle faiblira sinon. Elle perdra toute sa détermination, parce qu'elle se reverra avec sa sœur sur un vieux vélo en train de dévaler une colline en cahotant sur les pierres et les gravillons, le métal martelant leurs fessiers dans les nuages de poussière soulevés à chacun de leurs dérapages. Elle est assise sur le cadre et Masooma sur la selle. C'est sa sœur qui prend les virages en épingle à cheveux à toute vitesse en faisant pencher le vélo très bas. Mais Parwana n'a pas peur. Elle sait que Masooma ne l'enverra pas voler par-dessus le guidon, qu'elle ne lui fera pas de mal. Le monde se fond dans un tourbillon flou d'excitation, le vent siffle à leurs oreilles, et lorsqu'elle tourne la tête en arrière, Masooma échange un regard avec elle et toutes deux éclatent de rire pendant que des chiens errants se lancent à leur poursuite.

Parwana continue à avancer vers sa nouvelle vie. Elle poursuit sa marche dans l'obscurité qui l'enveloppe, tel un ventre maternel, et quand le jour paraît enfin, quand elle lève les yeux dans le brouillard de l'aube et qu'elle aperçoit à l'est une bande de lumière pâle qui frappe le flanc d'un rocher, elle ressent cet instant comme une naissance.

4

AU NOM D'ALLAH LE TRÈS CLÉMENT, le Très Miséricordieux,

Je sais que je ne serai plus de ce monde lorsque
vous lirez cette lettre, monsieur Markos, parce que,
au moment de vous la donner, je vous ai demandé de
ne l'ouvrir qu'après ma mort. Laissez-moi vous dire
quel plaisir cela a été de vous connaître au cours de
ces sept dernières années, monsieur Markos. En même
temps que j'écris ces mots, je repense affectueusement
au rituel annuel qu'est devenue pour nous la planta-
tion des tomates dans le jardin, à vos visites matinales
dans mon petit logis pour y prendre le thé et plaisanter, à nos échanges impromptus de leçons d'anglais et
de farsi. Je vous remercie pour votre amitié, votre prévenance, et pour le travail que vous avez entrepris dans
ce pays, et je m'en remets à vous pour faire part de ma
gratitude à vos bons collègues, en particulier mon amie
Mlle Amra Ademovic, dont le cœur recèle des trésors
de compassion, ainsi que sa charmante fille Roshi.

Je dois avouer que cette lettre ne vous est pas seulement destinée, monsieur Markos. Elle s'adresse
aussi à une autre personne à qui, je l'espère, vous la
transmettrez, comme je vous l'expliquerai plus tard.

Pardonnez-moi si je répète certains faits dont vous avez peut-être déjà connaissance. Je les inclus par nécessité, pour elle. Vous le verrez, cette lettre contient plus d'un aveu, mais des questions pragmatiques me poussent également à l'écrire. Concernant ces dernières, je serai malheureusement dans l'obligation de faire appel à votre aide, mon ami.

J'ai longtemps réfléchi au moment où faire débuter cette histoire. Ce n'est pas chose facile pour un homme qui doit avoir dans les quatre-vingt-cinq ans. Mon âge exact reste un mystère pour moi, comme pour beaucoup d'Afghans de ma génération, mais je ne pense pas me tromper dans mon estimation parce que je me rappelle très nettement une bagarre avec mon ami Saboor, celui qui deviendrait plus tard mon beau-frère, le jour où nous avons appris que Nader Shah avait été abattu et que son fils, le jeune Zaher, lui avait succédé sur le trône. C'était en 1933. Je pourrais démarrer là, j'imagine. Ou à un autre moment. Une histoire est semblable à un train en marche. Peu importe à quel endroit vous sautez à bord, tôt ou tard vous atteindrez votre destination. Mais je suppose que je ferais mieux de choisir pour point de départ l'élément sur lequel s'achève aussi ce récit. Oui, il me paraît logique de commencer et de conclure avec Nila Wahdati.

Je l'ai rencontrée en 1949, l'année de son mariage avec M. Wahdati. Cela faisait déjà deux ans que je travaillais pour Suleiman Wahdati – j'avais quitté Shadbagh, mon village natal, afin de m'installer à Kaboul en 1946 et j'avais auparavant été employé durant un an dans une autre maison du même quartier. Les circonstances de mon départ de Shadbagh ne sont pas une source de fierté pour moi, monsieur Markos. Considérez cela comme la première de mes confessions : je me sentais étouffé par la vie que je menais au village avec mes sœurs, dont l'une était infirme. Je ne cherche pas à m'absoudre, mais j'étais un jeune homme désireux de partir à la conquête du monde, un jeune homme plein de rêves, si vagues et modestes qu'ils aient été, et je voyais mes belles années s'éloigner et mes perspectives d'avenir se réduire de plus en plus. Je suis donc parti, certes pour subvenir aux besoins de mes sœurs, c'est vrai, mais aussi pour m'échapper.

Étant à temps plein au service de M. Wahdati, je vivais chez lui à temps plein aussi. À l'époque, la maison n'était pas dans le triste état où vous l'avez trouvée en arrivant à Kaboul en 2002, monsieur Markos. C'était une magnifique et somptueuse demeure, aux murs d'un blanc si éclatant qu'on les aurait dits sertis de diamants. Le portail s'ouvrait sur une large allée goudronnée, et une fois que l'on avait atteint la maison, on pénétrait dans un vestibule haut de plafond, décoré de grands vases en céramique et d'un miroir rond au cadre en noyer sculpté, pile à l'endroit où vous avez accroché durant un moment la vieille photo de votre amie d'enfance sur la plage. Le sol en marbre brillant du salon était recouvert d'un tapis turkmène rouge sombre. Il a disparu aujourd'hui, de même que les canapés en cuir, la table basse réalisée à la main, le jeu d'échecs en lapis-lazuli, le grand meuble en acajou. Seule une infime partie du mobilier a survécu, et encore ai-je peur qu'elle n'ait pas conservé son lustre d'antan.

La première fois que je suis entré dans la cuisine carrelée, je suis resté bouche bée. À mes yeux, elle était assez grande pour nourrir presque tout mon village natal. J'avais là un piano de cuisson, un réfrigérateur, un grille-pain et quantité de casseroles, de poêles, de couteaux et d'appareils à ma disposition. Les salles de bains, quatre au total, avaient des carreaux de marbre sculptés de manière très élaborée et des vasques en porcelaine. Et vous savez, ces trous carrés sur votre plan de toilette à l'étage, monsieur Markos ? Eh bien ils accueillaient à l'origine des lapis-lazulis.

Et puis il y avait le jardin. Un jour, il faudra que vous vous installiez dans votre bureau à l'étage, monsieur Markos, pour le contempler de haut et essayer d'imaginer ce qu'il fut autrefois. On y accédait par une véranda semi-circulaire à la rambarde couverte de vigne. La pelouse était verte et luxuriante, parsemée de parterres de fleurs – du jasmin, des églantiers, des géraniums, des tulipes – et bordée par deux rangées d'arbres fruitiers. Un homme pouvait s'allonger sous l'un des cerisiers, monsieur Markos, fermer les yeux et écouter la brise se faufiler entre les feuilles en pensant qu'il n'y avait pas de plus bel endroit sur terre.

Je logeais pour ma part au fond du jardin, dans une cabane avec une fenêtre et des murs propres peints en blanc. Assez grande pour satisfaire les maigres besoins d'un jeune célibataire, elle était meublée d'un lit, d'un bureau et d'une chaise, et l'espace restant me permettait de dérouler mon tapis de prière cinq fois par jour. Cela me convenait parfaitement alors, et cela me convient toujours.

J'étais employé comme cuisinier – une compétence que j'avais développée d'abord en observant ma défunte mère, et plus tard auprès d'un vieil Ouzbek qui travaillait dans une maison de Kaboul où j'avais été son aide durant un an. Et, pour mon plus grand plaisir, j'étais aussi le chauffeur de M. Wahdati. Il possédait une Chevrolet des années 1940, bleue avec un toit couleur fauve, des sièges en vinyle bleu et des roues aux jantes chromées. C'était une belle voiture qui attirait l'attention partout où nous allions. M. Wahdati m'autorisait à prendre le volant parce que je lui avais montré que j'étais quelqu'un de prudent et d'habile, mais aussi parce qu'il faisait partie de l'espèce très rare des hommes qui n'aiment pas conduire.

S'il vous plaît, ne croyez pas que je me vante, monsieur Markos, quand je dis que j'étais un bon serviteur. En l'observant attentivement, je m'étais familiarisé avec les goûts et les aversions de M. Wahdati, ses excentricités, les choses qui l'agaçaient. J'avais fini par bien connaître ses habitudes et ses rituels. Par exemple, chaque matin après le petit déjeuner, il allait se promener, mais comme il n'aimait pas marcher seul, il attendait de moi que je l'accompagne. Je me conformais à ses désirs, bien entendu, même si je ne voyais pas l'intérêt de ma présence. L'air toujours perdu dans ses pensées, il ne m'adressait pour ainsi dire pas la parole au cours de ces sorties. Il avançait d'un pas rapide, les mains nouées dans le dos, en saluant les passants d'un signe de tête tandis que les talons de ses mocassins en cuir cirés claquaient sur le trottoir. Quant à moi, incapable de faire d'aussi longues enjambées que lui, je ne cessais d'être distancé et de devoir accélérer pour le rattraper. Le reste de la journée, il se retirait le plus souvent dans son bureau à l'étage pour lire ou disputer une partie d'échecs contre lui-même. Il adorait dessiner, et même si je ne pouvais pas attester de son talent, du moins pas à cette époque – il ne m'a jamais montré ses œuvres –, je le surprenais souvent debout dans son bureau, près de la fenêtre, ou sur la véranda, le front plissé, la mine concentrée, son crayon à la mine de charbon tournoyant sur une feuille de son carnet.

Tous les deux ou trois jours, je le conduisais en ville. Il rendait visite à sa mère une fois par semaine et, bien qu'il les évitât la plupart du temps, il assistait à l'occasion à des réunions familiales comme des enterrements, des fêtes d'anniversaire ou des mariages. Une fois par mois aussi, je l'emmenais dans une boutique spécialisée où il reconstituait son stock de pastels, de mines de charbon, de gommes, de taille-crayons et de carnets à dessin. Parfois, il avait juste envie de rester assis sur la banquette arrière pendant que je roulais. *Où allons-nous, Sahib ?* lui demandais-je. Il haussait les épaules, je disais, *Très bien, Sahib*, puis je passais la première vitesse et nous étions partis. Je faisais le tour de la ville des heures durant, sans but précis, allant d'un quartier à un autre, longeant la rivière de Kaboul, montant au Bala Hissar, poussant parfois jusqu'au palais Darulaman. Certains jours, je quittais Kaboul pour aller au lac Quargha. Je me garais près de la rive, coupais le moteur, et M. Wahdati restait parfaitement immobile, sans un mot, semblant se satisfaire de baisser la vitre pour contempler les oiseaux qui volaient d'arbre en arbre et les rayons du soleil qui frappaient la surface de l'eau en s'éparpillant dessus en mille petites taches dansantes. Quand je l'observais ainsi dans le rétroviseur, il me faisait l'effet d'être la personne la plus seule au monde.

Tous les mois, il me laissait très généreusement emprunter sa voiture pour rentrer à Shadbagh, mon village natal, voir ma sœur Parwana et son mari Saboor. À chacune de mes visites, j'étais accueilli par des hordes d'enfants braillards qui galopaient à côté du véhicule en donnant des tapes sur les ailes et en toquant aux vitres. Quelques-uns de ces avortons essayaient même de grimper sur le toit et je devais les chasser de peur qu'ils n'égratignent la peinture ou ne cabossent la carrosserie.

Regarde-toi, Nabi, disait Saboor. *Tu es une célébrité.*

Ses enfants Abdullah et Pari ayant perdu leur mère (Parwana était leur belle-mère), je m'efforçais toujours de leur prêter attention, surtout à l'aîné, qui paraissait en avoir le plus besoin. Je lui proposais de l'emmener seul en balade avec la Chevrolet. À chaque fois, il insistait pour que sa petite sœur vienne aussi et il la tenait fermement sur ses genoux pendant que nous faisions le tour de Shadbagh. Je le laissais mettre en marche les essuie-glaces, appuyer sur le klaxon. Je lui montrais comment allumer les veilleuses et les phares.

Après que toute l'agitation provoquée par la voiture était retombée, je buvais un thé avec ma sœur et Saboor et je leur racontais ma vie à Kaboul. Je prenais soin de ne pas trop m'épancher sur M. Wahdati. À vrai dire, j'étais très attaché à lui car il me traitait bien, et parler de lui dans son dos m'aurait donné l'impression de le trahir. Si j'avais été un employé moins discret, je leur aurais dit que Suleiman Wahdati était un être déconcertant pour moi, un homme a priori content de passer le restant de ses jours à vivre de la fortune dont il avait hérité, un homme sans profession, sans passion apparente, et apparemment sans désir de laisser une trace derrière lui en ce monde. Je leur aurais dit qu'il menait une vie dépourvue de but ou de sens, à l'image de ces promenades désœuvrées que je lui faisais faire. Une vie vécue depuis le siège arrière, observée à mesure qu'elle défilait sous ses yeux, toute brouillée. Une vie indifférente.

Voilà ce que je leur aurais dit, mais je ne le faisais pas. Et bien m'en a pris, parce que je me serais lourdement trompé.

Un jour, M. Wahdati a surgi dans le jardin vêtu d'un beau costume rayé que je ne lui avais jamais vu auparavant. Il m'a demandé de le conduire dans un riche quartier de la ville et, une fois sur place, il m'a ordonné de me garer dans la rue, devant une belle demeure. Je l'ai regardé sonner au portail et entrer après qu'un serviteur était venu lui ouvrir. La maison était énorme, plus que la sienne, et plus belle encore. De hauts cyprès agrémentaient l'allée, ainsi qu'un ensemble dense de buissons fleuris d'une espèce que je n'ai pas reconnue. Le jardin couvrait une superficie au moins deux fois égale à celui de M. Wahdati et les murs étaient assez hauts pour qu'un homme juché sur les épaules d'un autre puisse à peine jeter un œil par-dessus. La richesse étalée là était d'un autre ordre que celle de mon employeur, je le sentais bien.

C'était le début de l'été et le soleil illuminait le ciel. Un air chaud pénétrait dans la voiture par les vitres que j'avais baissées. Un chauffeur est peut-être payé pour conduire, mais il passe en réalité le plus clair de son temps à attendre. Attendre devant des boutiques, le moteur tournant au ralenti. Attendre devant la salle de réception d'un mariage en écoutant le bruit étouffé de la musique. Pour m'occuper ce jour-là, j'ai joué un peu aux cartes. Puis, lorsque je m'en suis lassé, je suis sorti de la voiture et j'ai fait quelques pas dans un sens et dans l'autre. Je suis ensuite revenu m'asseoir au volant en me disant que j'arriverais peut-être à faire une petite sieste avant le retour de M. Wahdati.

C'est alors que le portail s'est ouvert sur une jeune femme brune portant des lunettes de soleil et une robe couleur mandarine aux manches courtes qui lui arrivait juste au-dessus du genou. Elle avait les jambes et les pieds nus. Je ne savais pas si elle m'avait remarqué, assis dans la voiture, mais si elle l'a fait, elle n'en a rien montré. Elle a appuyé un pied contre le mur derrière elle, de sorte que le bas de sa robe est légèrement remonté, dévoilant une petite partie de la cuisse en dessous. Je me suis senti devenir cramoisi des joues jusqu'au cou.

Permettez-moi de faire ici un autre aveu, monsieur Markos, un aveu d'une nature quelque peu déplaisante qui ne se prête guère à une formulation élégante. À l'époque, je devais avoir près de trente ans et j'aspirais ardemment à la compagnie d'une femme. Contrairement à la plupart des garçons avec qui j'avais grandi dans mon village, qui n'avaient jamais vu les cuisses nues d'une femme adulte et s'étaient mariés en partie pour avoir enfin le droit de contempler un tel spectacle, je n'étais pas sans expérience. À Kaboul, j'avais trouvé et fréquenté à l'occasion des établissements où un jeune homme pouvait satisfaire ses besoins de façon très commode et en toute discrétion. Je ne mentionne ce point que pour bien vous faire comprendre qu'aucune des prostituées avec lesquelles j'avais couché ne soutenait la comparaison avec la créature gracieuse et superbe qui venait juste de sortir de la maison.

Adossée au mur, elle a allumé une cigarette et l'a fumée sans hâte, avec une classe ensorcelante, en la tenant du bout de deux doigts et en mettant sa main en coupe devant elle chaque fois qu'elle la portait à ses lèvres. Je l'ai observée, fasciné. La manière dont elle pliait son fin poignet me rappelait une illustration que j'avais vue un jour dans un luxueux recueil de poèmes, celle d'une femme aux longs cils et aux cheveux bruns détachés, qui, étendue avec son amant dans un jardin, offrait à celui-ci une coupe de vin de ses doigts pâles et délicats. À un moment, quelque chose a paru attirer son attention dans la direction opposée à la mienne et j'en ai profité pour vite passer les mains dans mes cheveux, que la chaleur commençait à plaquer sur mon crâne. Lorsqu'elle s'est retournée, je me suis de nouveau figé. Elle a tiré quelques bouffées de plus, puis elle a écrasé sa cigarette contre le mur et est rentrée d'un pas nonchalant.

Enfin, je pouvais respirer.

Ce soir-là, M. Wahdati m'a appelé dans le salon.

— J'ai une nouvelle à t'apprendre, Nabi. Je vais me marier.

Il semblait que j'avais surestimé son goût pour la solitude.

L'annonce de ses fiançailles s'est vite répandue. De même que les rumeurs. J'en ai eu vent par l'intermédiaire des autres employés qui allaient et venaient dans la maison de M. Wahdati. Le plus bavard était Zahid, un jardinier présent trois jours par semaine pour entretenir la pelouse et tailler les arbres et les buissons. Ce type désagréable avait la manie répugnante de laisser pointer sa langue à la fin de chaque phrase, une langue avec laquelle il lançait des ouï-dire avec autant de désinvolture que des poignées d'engrais. Il faisait partie d'un groupe de serviteurs à vie qui, comme moi, travaillaient dans le quartier en tant que cuisiniers, jardiniers et garçons de courses. Un ou deux soirs par semaine, une fois leur journée terminée, ils se pressaient dans ma cabane pour prendre le thé après le dîner. Je ne me rappelle pas comment ce rituel a débuté, mais à partir du moment où il a été instauré, il m'a été impossible d'y mettre un terme. Je craignais de paraître grossier et inhospitalier et, pire encore, de donner à croire que je me jugeais supérieur à mes semblables.

Un soir, Zahid a dit aux autres que la famille de M. Wahdati désapprouvait ce mariage en raison de la piètre moralité de la fiancée. Selon lui, elle était connue à Kaboul pour n'avoir aucun *nang* et aucun *namoos* – aucun honneur – et, à vingt ans seulement, elle avait déjà autant d'hommes à son tableau de chasse que la voiture de M. Wahdati de kilomètres au compteur. Pire, a-t-il ajouté, non seulement elle ne le niait pas, mais elle écrivait des poèmes à ce sujet. À ces mots, un murmure réprobateur a traversé la pièce. L'un des hommes a fait remarquer que dans son village, elle aurait déjà été égorgée.

Là, je me suis levé et j'ai dit que j'en avais assez entendu. Je leur ai reproché de cancaner comme des vieilles pendant une séance de couture et je leur ai rappelé que sans M. Wahdati et ses pareils, nous serions toujours dans nos villages en train de ramasser des bouses de vache. *Qu'avez-vous fait de votre loyauté, de votre respect ?* ai-je tonné.

Un bref silence s'est ensuivi, durant lequel j'ai pensé avoir marqué les esprits de ces imbéciles. Mais des éclats de rire lui ont succédé. Zahid a déclaré que j'étais un lèche-cul, et que bientôt peut-être, la future maîtresse des lieux écrirait un poème intitulé « Ode à Nabi, lécheur de nombreux culs ». Indigné, je suis sorti de ma cabane sous les ricanements.

Je ne me suis pas beaucoup éloigné, cependant. Ces ragots me révoltaient et me fascinaient tour à tour. J'avais beau affecter une vertueuse rectitude, prêcher la bienséance et la discrétion, je suis resté à proximité pour les écouter. Je ne voulais pas rater un seul détail croustillant.

Les fiançailles n'ont duré que quelques jours et ont été couronnées non pas par une grande cérémonie avec des chanteurs, des danseurs et de multiples réjouissances, mais par la courte visite d'un mollah et deux signatures griffonnées sur une feuille de papier devant un témoin. Et c'est ainsi que, moins de deux semaines après que j'avais posé les yeux sur elle pour la première fois, Mme Wahdati a emménagé dans la maison.

Permettez-moi de marquer une petite pause, monsieur Markos, pour dire que je ferai désormais référence à la femme de M. Wahdati en usant de son prénom, Nila. Inutile de préciser que cette liberté ne m'était pas accordée à l'époque, et que je n'aurais pas accepté de le faire si on me l'avait proposé. Je ne l'appelais jamais autrement que Bibi Sahib, avec toute la déférence attendue de moi. Mais pour les besoins de cette lettre, je me dispenserai des règles de l'étiquette et je la nommerai de la même façon que j'ai toujours *pensé* à elle.

Bien. J'ai compris dès le début que ce mariage n'était pas heureux. J'ai rarement vu le couple échanger un regard tendre ou un mot affectueux. M. Wahdati et Nila étaient deux occupants d'une même maison dont les chemins semblaient ne presque jamais se croiser.

Tous les jours, je servais à M. Wahdati son petit déjeuner habituel, une tranche de *naan* grillé, une demi-tasse de noix, du thé vert avec une pincée de cardamome mais sans sucre, et un œuf cuit dur – il aimait que le jaune soit tout juste coulant lorsqu'il perçait la coquille, et mes tentatives infructueuses pour parvenir à cette consistance particulière avaient été pour moi une source de stress considérable au début. Je l'accompagnais ensuite dans sa promenade quotidienne pendant que Nila restait couchée, souvent jusqu'à midi, voire plus tard encore. Le temps qu'elle se lève, j'étais pour ainsi dire prêt à servir son déjeuner à M. Wahdati.

Toute la matinée, je m'acquittais de mes différentes tâches en guettant avec impatience le moment où Nila pousserait la porte-moustiquaire entre le salon et la véranda. Je faisais des paris dans ma tête, essayais de deviner comment elle serait habillée. Aurait-elle relevé ses cheveux ? Les aurait-elle attachés en chignon sur la nuque ou les verrais-je pendre librement sur ses épaules ? Porterait-elle des lunettes de soleil ? Des sandales ? Aurait-elle choisi son peignoir ceinturé en soie bleue ou celui couleur magenta, avec les gros boutons ronds ?

Lorsque, enfin, elle faisait son apparition, je m'affairais dans le jardin en prétendant que le capot de la voiture avait besoin d'être nettoyé, ou bien je trouvais un églantier à arroser, mais tout cela sans jamais cesser de l'observer. Je la regardais relever ses lunettes de soleil pour se frotter les yeux, ôter l'élastique de ses cheveux en rejetant la tête en arrière pour laisser ses boucles sombres et soyeuses tomber lâchement, puis s'asseoir, le menton posé sur ses genoux, et contempler le jardin en tirant des bouffées languides sur sa cigarette, ou croiser les jambes et agiter un pied de haut en bas – un geste qui suggérait pour moi l'ennui, ou l'agitation, ou peut-être une espièglerie insouciante qu'elle peinait à réprimer.

M. Wahdati se joignait parfois à elle, mais très rarement. Il passait la plupart de ses journées à faire ce qu'il avait toujours fait jusqu'alors, à savoir lire dans son bureau à l'étage et dessiner, le mariage ayant que peu ou pas altéré sa routine. Nila, elle, écrivait presque tous les jours, soit dans le salon, soit dans la véranda, un crayon à la main, les genoux recouverts de feuilles de papier qui se répandaient par terre, et toujours avec ses cigarettes. Le soir, lorsque je leur apportais leur dîner, chacun recevait son repas dans un silence ostentatoire, le regard baissé sur le plat de riz, et le silence n'était rompu que par un vague *merci* et le tintement des cuillères et des fourchettes contre la porcelaine.

Une ou deux fois par semaine, quand Nila avait besoin d'un paquet de cigarettes, de crayons neufs, d'un carnet ou de produits de maquillage, je lui servais de chauffeur. Si je savais à l'avance à quel moment, je veillais toujours à me peigner et à me nettoyer les dents avec mes doigts. Je me lavais la figure, frottais un citron coupé en deux sur mes mains pour faire passer l'odeur des oignons, cirais mes chaussures et époussetais mon costume vert olive. Celui-ci avait en réalité appartenu à M. Wahdati, et j'espérais qu'il ne l'avait pas dit à Nila – même si je le soupçonnais de l'avoir fait, non par méchanceté, mais parce que les hommes dans sa position ne mesurent souvent pas combien ce genre de détail insignifiant peut faire honte à un homme comme moi. Parfois, j'allais jusqu'à mettre la coiffure en peau de mouton de mon défunt père. Je me tenais là, devant le miroir, l'inclinant dans un sens et dans l'autre sur ma tête, tellement absorbé par mes efforts pour me rendre présentable devant Nila que si une guêpe avait atterri sur mon nez, elle aurait dû me piquer pour que je m'aperçoive de sa présence.

Une fois en route, je cherchais des petits détours afin d'allonger le trajet d'une minute – ou peut-être deux, mais pas davantage, pour ne pas éveiller ses soupçons – et de passer ainsi un peu plus de temps en sa compagnie. Agrippant à deux mains le volant, les yeux rivés sur la route, je veillais à rester rigoureusement maître de moi-même et je m'abstenais de la regarder dans le rétroviseur, sauf si elle s'adressait à moi. Je me contentais de la savoir assise là, sur le siège arrière, et d'inspirer ses multiples fragrances, le savon coûteux, la lotion, le parfum, le chewing-gum, la fumée de cigarette. La plupart du temps, cela suffisait à me donner des ailes.

C'est dans la voiture que nous avons eu notre première conversation. Notre première *vraie* conversation, puisque je ne tiens pas compte de toutes les occasions où elle m'avait demandé d'aller lui chercher ceci ou de lui porter cela. Ce jour-là, je la conduisais à la pharmacie pour qu'elle y récupère des médicaments.

— À quoi ressemble votre village, Nabi ? Comment s'appelle-t-il, déjà ?

— Shadbagh, Bibi Sahib.

— Ah oui, Shadbagh. Comment est-il ? Dites-moi.

— Il n'y a pas grand-chose à en dire, Bibi Sahib. C'est un village comme tous les autres.

— Oh, il y a sûrement un élément qui le caractérise.

Je suis resté calme en apparence, mais dans ma tête, je réfléchissais avec frénésie, en quête d'une bizarrerie bien trouvée qui serait à même de l'intéresser, de l'amuser. Peine perdue. Qu'est-ce qu'un homme comme moi, un villageois, un petit personnage menant une petite vie, aurait pu avoir à dire susceptible de captiver une femme pareille ?

— Les raisins y sont excellents.

À peine avais-je prononcé ces mots que j'ai souhaité me gifler. *Les raisins ?*

— Vraiment, a-t-elle répliqué d'un ton neutre.

— Ils sont très sucrés.

— Ah.

Je souffrais mille morts et sentais la sueur perler sous mes aisselles.

— Il y a une variété en particulier, ai-je ajouté, la bouche soudain sèche. On dit qu'elle ne pousse qu'à Shadbagh. Elle est très fragile, voyez-vous. Pas du tout résistante. Si on essaie de la planter à un autre endroit, même le village le plus proche, elle flétrit et dépérit. Elle meurt. De tristesse, affirment les gens de mon village, même si ce n'est pas vrai, bien sûr. C'est une question de sol et d'eau. Mais c'est ce qu'ils racontent, Bibi Sahib. Elle meurt de tristesse.

— C'est une très belle histoire, Nabi.

Je me suis risqué à jeter un rapide coup d'œil dans le rétroviseur. Nila regardait par la vitre du côté passager, mais à mon grand soulagement, les commissures de sa bouche s'étaient relevées en un infime sourire. Encouragé, je me suis entendu lui demander :

— Voulez-vous que je vous en raconte une autre, Bibi Sahib ?

— Certainement.

Le briquet a cliqueté et de la fumée a dérivé vers moi depuis le fond de la voiture.

— Eh bien, il y a un mollah à Shadbagh. Comme dans tous les villages, évidemment. Le nôtre s'appelle le mollah Shekib et il connaît plein d'anecdotes. Combien au juste, je l'ignore, mais il y avait une chose qu'il nous répétait toujours : quand on étudie les paumes de n'importe quel musulman, peu importe où dans le monde, on remarque en elles une particularité étonnante. Elles ont toutes les mêmes lignes. Et alors ? me direz-vous. Eh bien les lignes de la main gauche d'un musulman dessinent le nombre arabe quatre-vingt-un, et celles de la main droite, le nombre dix-huit. Retirez dix-huit de quatre-vingt-un, et qu'obtenez-vous ? Soixante-trois. L'âge du Prophète quand il est mort – que la paix soit sur lui.

J'ai entendu un ricanement à l'arrière.

— Un jour, ai-je continué, un voyageur est passé par Shadbagh. Il s'est bien sûr assis avec le mollah Shekib ce soir-là pour dîner avec lui, comme le veut la coutume. En entendant cette histoire, il a réfléchi et il a dit : « Mais, mollah Shekib, malgré tout le respect que je vous dois, j'ai rencontré un juif un jour et je vous jure que ses paumes présentaient les mêmes lignes. Comment expliquez-vous ça ? » Et là, le mollah a répondu que ce juif devait être au fond de lui un musulman.

Le brusque éclat de rire de Nila m'a envoûté pour le reste de la journée. Dieu me pardonne ce blasphème, c'était comme si le jardin des Vertueux, comme l'appelle le livre[1], était tombé du ciel juste sur moi, avec ses fleuves, son ombre et ses fruits perpétuels.

Comprenez bien que ce n'était pas seulement sa beauté qui m'ensorcelait tant, monsieur Markos – encore qu'elle aurait pu le faire à elle seule. Jamais de ma vie je n'avais rencontré une jeune femme comparable à Nila. Tout ce qu'elle faisait – la manière dont elle s'exprimait, celle dont elle marchait, s'habillait, souriait – était une nouveauté pour moi. Nila allait à l'encontre de toutes mes notions concernant la manière dont une femme est censée se comporter. Ce trait de caractère, je le savais, était fermement condamné par des gens comme Zahid, sûrement par Saboor aussi, et par tous les hommes et toutes les femmes de mon village, mais pour moi il ne faisait qu'ajouter à son allure et son mystère, déjà considérables.

Son rire a donc résonné à mes oreilles tandis que j'effectuais mon travail ce jour-là, et plus tard encore, quand les autres employés de la maison sont venus prendre le thé, j'ai souri et étouffé leurs gloussements sous le souvenir de sa douce hilarité. J'étais fier de

---

1. Allusion au *Jardin des Vertueux*, célèbre recueil de hadiths de l'imam Nawawi (XIIIᵉ siècle).

savoir que mon récit lui avait apporté un peu de réconfort au milieu d'un mariage si insatisfaisant. C'était une femme extraordinaire, et je me suis couché ce soir-là en ayant le sentiment que j'étais moi-même peut-être plus qu'un homme ordinaire. Tel était l'effet qu'elle avait sur moi.

Bientôt, nous avons discuté tous les jours, elle et moi, en général tard le matin, quand elle s'asseyait dans la véranda pour boire un café. Je m'approchais tranquillement, sous le prétexte d'accomplir une tâche ou une autre. Très vite, je me retrouvais appuyé contre une pelle, ou occupé à servir une tasse de thé vert, et je parlais avec elle. Je ressentais comme un privilège le fait qu'elle m'ait choisi. Je n'étais pas le seul serviteur de la maison, après tout. En plus de Zahid, ce rat sans scrupules, il y avait aussi une Hazara joufflue qui venait deux fois par semaine laver le linge. Mais c'était vers moi qu'elle s'était tournée. J'étais le seul, me disais-je, même en comptant son mari, avec qui sa solitude s'estompait. Elle assurait l'essentiel de la conversation et cela me convenait très bien. J'étais déjà content d'être le réceptacle de ses histoires. Elle m'a raconté par exemple une chasse à Djalālābād à laquelle son père l'avait emmenée, et le cerf mort aux yeux vitreux qui avait ensuite hanté ses cauchemars pendant des semaines. Elle m'a dit qu'elle était allée en France avec sa mère lorsqu'elle était petite, avant la Seconde Guerre mondiale. Pour s'y rendre, elle avait pris un train et un bateau. Elle m'a décrit les secousses des roues du wagon qui se réverbéraient dans ses côtes, les rideaux suspendus à des crochets et les compartiments séparés, ainsi que les ahanements et les sifflements rythmés de la locomotive à vapeur. Elle m'a parlé aussi des six semaines qu'elle avait passées en Inde l'année précédente avec son père, durant lesquelles elle avait été très malade.

De temps à autre, lorsqu'elle se tournait pour faire tomber la cendre de sa cigarette dans une soucoupe, je lorgnais brièvement les ongles rouges de ses orteils, l'éclat doré de ses mollets rasés, la cambrure de ses pieds, et toujours aussi sa poitrine lourde au galbe parfait. Il y avait des hommes sur cette terre qui avaient touché ces seins, m'émerveillais-je, qui les avaient embrassés en lui faisant l'amour. Que restait-il à accomplir dans la vie lorsqu'on avait connu ça ? Où un homme pouvait-il aller après s'être dressé au sommet du monde ? Ce n'était qu'au prix d'un immense effort de volonté que je parvenais à détacher les yeux de ce spectacle pour les poser sur un endroit sûr quand elle me refaisait face.

À mesure qu'elle se sentait plus à l'aise avec moi, elle a commencé à se plaindre de M. Wahdati durant ces conversations matinales. Un jour, elle m'a confié qu'elle le trouvait distant et souvent arrogant.

— Il s'est montré très généreux envers moi, ai-je protesté.

— Oh, je vous en prie, Nabi, a-t-elle répondu en agitant la main avec dédain. Vous n'êtes pas obligé de dire ça.

J'ai poliment baissé les yeux. Elle n'avait pas tout à fait tort. M. Wahdati avait par exemple l'habitude de corriger mes fautes d'expression en prenant un air supérieur qui pouvait passer non sans raison pour de l'arrogance. Parfois aussi, j'entrais dans la pièce où il était, je posais une assiette de friandises devant lui, lui resservais du thé, essuyais les miettes sur la table, et durant tout ce temps il ne m'accordait pas plus d'attention qu'à une mouche rampant sur la porte-moustiquaire. Sans même lever les yeux, il me réduisait à une chose insignifiante. Mais au bout du compte, j'estimais qu'il n'y avait pas là de quoi chicaner, car je connaissais des gens qui vivaient dans le même quartier – des gens pour lesquels j'avais travaillé – et qui battaient leurs serviteurs avec des bâtons et des ceintures.

— Il ne sait pas s'amuser et n'a pas le sens de l'aventure, a continué Nila en remuant mollement son café. Suleiman est un vieillard ronchon enfermé dans le corps d'un homme plus jeune.

J'ai été un peu surpris par sa franchise si cavalière.

— Il est vrai que M. Wahdati apprécie comme nul autre la solitude, ai-je dit, en optant prudemment pour la diplomatie.

— Il devrait peut-être vivre avec sa mère. Qu'en pensez-vous, Nabi ? Ils vont bien ensemble, croyez-moi.

La mère de M. Wahdati était une femme corpulente et assez prétentieuse qui habitait dans une autre partie de la ville avec son inévitable cortège de serviteurs et ses deux chiens bien-aimés. Elle chérissait ces derniers et les traitait non pas comme les égaux de ses domestiques, mais comme leurs supérieurs – et de beaucoup. C'était de petites créatures hideuses et dépourvues de poil, vite effrayées, angoissées et promptes à pousser des aboiements aigus particulièrement agaçants. Je les méprisais parce qu'ils avaient la manie ridicule de vouloir grimper après mes jambes dès l'instant où j'entrais chez leur maîtresse.

Chaque fois que je devais emmener Nila et M. Wahdati chez la vieille femme, l'atmosphère à l'arrière de la voiture m'apparaissait clairement tendue et je devinais au pli barrant le front de Nila que tous deux s'étaient disputés. Je me souviens quand cela arrivait à mes parents. Eux, ils n'avaient de cesse qu'un vainqueur incontestable soit déclaré. C'était leur façon de sceller ces moments déplaisants, de les calfater par un verdict et de les empêcher d'entacher la normalité du lendemain. Il n'en allait pas ainsi avec les Wahdati. Leurs querelles se diluaient plus qu'elles ne s'achevaient, comme une goutte d'encre dans un bol d'eau, en laissant une teinture résiduelle persistante.

Nul besoin d'être prophète pour supposer que la vieille femme n'avait pas approuvé ce mariage et que Nila le savait.

Nous avons poursuivi nos conversations, Nila et moi, mais une question ne cessait de me tarauder. Pourquoi avait-elle épousé M. Wahdati ? Je n'avais cependant pas le courage de la lui poser. Enfreindre à ce point les convenances n'était pas dans ma nature. Je pouvais seulement déduire de cette situation que pour certaines personnes, en particulier les femmes, une union, même aussi malheureuse que celle-là, offrait une échappatoire à un sort pire encore.

Un jour, à l'automne 1950, Nila m'a convoqué.

— Je veux que vous m'emmeniez à Shadbagh, a-t-elle dit.

Elle souhaitait rencontrer ma famille, voir d'où je venais. Je la servais à table et j'étais son chauffeur depuis un an maintenant, a-t-elle expliqué, et pourtant elle ne savait presque rien de moi. Le moins que l'on puisse dire est que sa requête m'a laissé sans voix. Il était inhabituel qu'une personne de son statut demande à parcourir une assez longue distance pour rencontrer la famille d'un serviteur. J'étais euphorique à l'idée que Nila s'intéresse autant à moi, et empli d'appréhension aussi, tant j'anticipais mon embarras et, oui, je l'avoue, ma honte lorsque je lui montrerais la pauvreté dans laquelle j'étais né.

Nous sommes partis par un matin couvert. Elle portait des talons hauts et une robe sans manches de couleur pêche, mais j'ai estimé qu'il ne m'appartenait pas de lui conseiller de mettre autre chose. En chemin, elle m'a interrogé sur mon village, les gens que je connaissais, ma sœur et Saboor, leurs enfants.

— Comment s'appellent-ils ?

— Eh bien, il y a d'abord Abdullah, qui a presque neuf ans. Sa mère est morte l'année dernière, si bien qu'il est en fait le beau-fils de Parwana. Sa sœur Pari a presque deux ans. Parwana a donné naissance à un garçon l'hiver dernier, un petit Omar, mais il est mort à l'âge de deux semaines.

— Que s'est-il passé ?

— L'hiver… Il s'abat sur ces villages une fois par an, Bibi Sahib, et prend un enfant ou deux au hasard. Les habitants peuvent juste espérer qu'il ne s'arrêtera pas chez eux.

— Mon Dieu, a-t-elle marmonné.

— Pour finir sur une note plus joyeuse, ma sœur est de nouveau enceinte.

Au village, nous avons été accueillis par la foule habituelle des enfants pieds nus qui se sont précipités vers la voiture, mais une fois que Nila a émergé de la banquette arrière, ils sont devenus silencieux et ont reculé, de peur peut-être qu'elle ne les gronde – en quoi ils se trompaient puisqu'elle a fait preuve envers eux de beaucoup de patience et de gentillesse. Elle s'est agenouillée en souriant, a parlé à chacun d'eux, leur a serré la main, a caressé leurs joues crasseuses et ébouriffé leurs cheveux sales. J'ai été très gêné lorsque les gens se sont massés pour la voir. Il y avait là Baitullah, un ami d'enfance, qui l'observait depuis le bord d'un toit, accroupi à côté de ses frères. Ils formaient comme une rangée de corbeaux, mâchonnant tous du tabac *naswar*. Et il y avait aussi son père, le mollah Shekib en personne, et trois hommes à barbe blanche assis à l'ombre d'un mur où ils égrenaient mollement les perles de leur chapelet, leurs yeux sans âge rivés avec mécontentement sur Nila et ses bras nus.

J'ai présenté Nila à Saboor et nous nous sommes dirigés vers la petite maison en pisé où il vivait avec Parwana, suivis par une foule de curieux. À la porte, Nila a insisté pour ôter ses chaussures, bien que Saboor lui eût assuré que ce n'était pas nécessaire. Nous sommes entrés dans la pièce. Assise dans un coin, raide et recroquevillée sur elle-même, Parwana a salué Nila d'une voix à peine audible.

Saboor a haussé les sourcils en direction d'Abdullah :

— Apporte-nous du thé, mon garçon.

— Oh, non, je vous en prie, a dit Nila en s'essayant par terre à côté de Parwana. Ne vous donnez pas cette peine.

Mais Abdullah avait déjà disparu dans la cuisine adjacente qui, je le savais, faisait aussi office de chambre pour Pari et lui. Une bâche en plastique ternie la séparait de l'espace où nous nous étions tous réunis. J'ai trituré mes clés de voiture en regrettant de ne pas avoir pu prévenir ma sœur de cette visite et lui donner ainsi le temps de faire un peu le ménage. Les murs craquelés étaient noirs de suie, une couche de poussière recouvrait le matelas déchiré sur lequel Nila s'était assise et des mouches parsemaient l'unique fenêtre de la pièce.

— Quel joli tapis, a commenté joyeusement Nila en passant les doigts dessus.

Il était rouge vif, avec des empreintes d'éléphant pour motifs. C'était le seul objet un tant soit peu précieux que possédaient Saboor et Parwana – et ils l'ont vendu cet hiver-là.

— Il appartenait à mon père, a dit Saboor.

— C'est un tapis turkmène ?

— Oui.

— J'adore la laine de mouton qu'ils utilisent. Ce travail est incroyable.

Saboor a opiné sans souffler mot. À aucun moment il ne l'a regardée, même lorsqu'il lui parlait.

La bâche en plastique s'est agitée. Abdullah est revenu avec un plateau chargé de tasses qu'il a posé par terre devant Nila, avant de lui en servir une et de s'asseoir jambes croisées en face d'elle. Elle a tenté d'engager la conversation avec lui en lui adressant quelques questions simples, mais il s'est contenté de hocher son crâne rasé, de marmonner une réponse monosyllabique et de braquer sur elle ses yeux pleins de méfiance. Je me suis dit qu'il faudrait que j'aie une petite conversation avec lui, que je le sermonne doucement sur ses manières. Mais que je le ferais gentiment, parce que je l'aimais bien. C'était un garçon sérieux et capable.

— À quel stade en êtes-vous de votre grossesse ? a demandé Nila à Parwana.

Tête baissée, ma sœur a répondu que la naissance était prévue pour l'hiver.

— Quelle chance vous avez. D'attendre un enfant, je veux dire. Et d'avoir un jeune beau-fils si poli.

Nila a souri à Abdullah, dont le visage est resté inexpressif.

Parwana a marmonné quelque chose qui était peut-être un merci.

— Et vous avez une petite fille aussi, si je me souviens bien ? Pari, c'est ça ?

— Elle dort, a dit Abdullah d'un ton sec.

— Ah. Il paraît qu'elle est charmante.

— Va chercher ta sœur, a ordonné Saboor à son fils.

Abdullah s'est attardé en regardant tour à tour son père et Nila, puis s'est levé visiblement à contrecœur.

Si j'avais le désir, même à cette heure tardive, d'être en quelque sorte absous de ma faute, je dirais que le lien unissant Abdullah à sa petite sœur était ordinaire. Sauf qu'il ne l'était pas. Nul à part Dieu ne sait pourquoi ces deux-là s'étaient choisis. Cela s'apparentait à un mystère. Je n'ai jamais vu une telle affinité entre deux êtres. En vérité, Abdullah était autant un père qu'un frère pour Pari. Lorsqu'elle était bébé et qu'elle pleurait la nuit, c'était lui qui bondissait hors de sa couche afin de marcher un peu avec elle. C'était lui qui se chargeait de changer ses couches sales, de la cajoler pour qu'elle se rendorme, de l'emmailloter. Sa patience envers elle était sans limite et il la promenait dans le village en la montrant avec autant de fierté que si elle était le trophée le plus convoité du monde.

Quand il est revenu avec une Pari encore ensommeillée, Nila a demandé à la prendre dans ses bras. Abdullah la lui a tendue d'un air suspicieux, comme si une alarme instinctive s'était déclenchée en lui.

— Oh, qu'elle est mignonne ! s'est exclamée Nila, dont les gestes maladroits trahissaient son inexpérience des jeunes enfants.

Pari l'a fixée avec confusion, puis s'est tournée vers Abdullah en se mettant à pleurer. Il s'est empressé de la reprendre à Nila.

— Regardez-moi ces yeux ! a-t-elle continué. Oh, et ces joues ! N'est-elle pas mignonne, Nabi ?

— En effet, Bibi Sahib.

— Et elle a reçu un nom parfait. Pari. Elle est effectivement belle comme une fée.

Abdullah a observé Nila en berçant Pari dans ses bras. Sa mine s'assombrissait.

Sur le chemin du retour, Nila s'est avachie sur le siège arrière, la tête appuyée contre la vitre. Elle n'a rien dit durant un long moment, jusqu'à ce qu'elle éclate brusquement en sanglots.

J'ai arrêté la voiture sur le bas-côté de la route.

Elle est restée longtemps silencieuse, le visage enfoui dans ses mains, les épaules agitées de spasmes. Pour finir, elle s'est mouchée.

— Merci, Nabi, a-t-elle dit.

— De quoi, Bibi Sahib ?

— De m'avoir emmenée ici. C'était un privilège de rencontrer votre famille.

— Le privilège était pour eux. Et pour moi. Nous étions honorés.

— Votre sœur a des enfants magnifiques, a-t-elle déclaré en retirant ses lunettes de soleil et en se tapotant les yeux.

J'ai médité cette remarque. Dans un premier temps, j'ai décidé de me taire, mais elle avait pleuré en ma présence, et l'intimité de cet instant appelait des paroles de réconfort.

— Vous aurez bientôt les vôtres, Bibi Sahib, ai-je dit doucement. Inch'Allah, Dieu y veillera. Attendez, vous verrez.

— Je ne pense pas, non. Même Lui, Il ne peut rien y faire.

— Bien sûr que si, Bibi Sahib. Vous êtes si jeune. Si tel est Son souhait, cela arrivera.

— Vous ne comprenez pas, a-t-elle répondu avec lassitude et une mine épuisée que je ne lui avais encore jamais vue. Je n'ai plus rien. On m'a tout ôté en Inde. Je suis vide à l'intérieur.

Je n'ai rien trouvé à lui répondre. Je mourais d'envie de passer sur le siège arrière, à côté d'elle, de l'attirer dans mes bras et de l'apaiser en l'embrassant. Avant même de comprendre ce que je faisais, je me suis penché pour prendre sa main dans la mienne. Alors que j'anticipais un mouvement de recul, elle a pressé mes doigts avec gratitude et nous sommes restés assis dans la voiture, non pas les yeux dans les yeux, mais tournés vers les plaines jaunies qui se flétrissaient d'un horizon à l'autre, creusées de fossés d'irrigation à sec et ponctuées çà et là de broussailles, de roches et de petits signes de vie. La main de Nila dans la mienne, j'ai contemplé les montagnes et les pylônes électriques, suivi du regard un camion qui avançait pesamment au loin en soulevant un nuage de poussière dans son sillage. Je serais volontiers resté là jusqu'à la nuit.

— Ramenez-moi à la maison, a-t-elle dit enfin en lâchant ma main. J'irai me coucher tôt, ce soir.

— Bien, Bibi Sahib.

Je me suis raclé la gorge et j'ai passé la première vitesse en tremblant légèrement.

Elle est allée dans sa chambre à l'étage et n'en est pas sortie pendant plusieurs jours. Ce n'était pas la première fois. À l'occasion, elle approchait une chaise de sa fenêtre et se plantait là en fumant et en balançant un pied avec une expression indéchiffrable. Elle ne parlait pas. Elle ne quittait pas sa chemise de nuit. Elle ne se lavait pas, ne se brossait ni les dents, ni les cheveux. Mais cette fois-là, elle n'a pas mangé non plus, et cette nouveauté a causé à M. Wahdati une inquiétude dont il était peu coutumier.

Le quatrième jour, quelqu'un a frappé au portail. J'ai découvert en ouvrant un homme âgé, grand, vêtu d'un costume parfaitement repassé et de mocassins vernis. Il y avait quelque chose d'imposant et d'assez menaçant dans la manière dont il se dressait devant moi, sans faire aucun cas de ma personne, en tenant sa canne lustrée à deux mains comme s'il s'agissait d'un sceptre. Il n'avait pas encore dit un mot, mais je soupçonnais déjà d'avoir en face de moi un homme habitué à être obéi.

— J'ai cru comprendre que ma fille ne se sentait pas bien, a-t-il déclaré.

C'était donc son père. Je ne l'avais encore jamais rencontré.

— En effet, Sahib. J'en ai peur.

— Alors écartez-vous, jeune homme.

Et il m'a poussé pour entrer.

Dans le jardin, je me suis employé à fendre du bois pour le poêle. De là où j'étais, je voyais bien la fenêtre de la chambre de Nila, derrière laquelle se découpait la silhouette de son père. Courbé en deux, il appuyait une main sur son épaule. Elle, elle avait cet air qu'ont les gens surpris par un fracas soudain, un pétard ou une porte claquée par un courant d'air.

Ce soir-là, elle a mangé.

Quelques jours plus tard, Nila m'a convoqué dans la maison et m'a dit qu'elle allait organiser une réception. Nous ne recevions pour ainsi dire jamais lorsque M. Wahdati était célibataire, mais depuis qu'elle avait emménagé avec lui, Nila le faisait deux à trois fois par mois. La veille, elle me donnait des instructions détaillées sur les amuse-gueules et les plats à cuisiner, et je me rendais ensuite au marché pour y chercher les produits nécessaires, au premier rang desquels figurait l'alcool. Je n'en avais jamais acheté avant car M. Wahdati ne buvait pas – cela n'avait rien à voir avec la religion, il n'aimait tout simplement pas les effets que la boisson avait sur lui. Nila en revanche connaissait très bien certaines officines, des « pharmacies », ainsi qu'elle les nommait en plaisantant, où, pour l'équivalent de deux fois mon salaire mensuel, on pouvait se procurer sous le manteau un flacon de « médicament ». J'éprouvais des sentiments partagés à l'idée d'effectuer cette course et de me rendre complice d'un péché mais, comme toujours, mon désir de plaire à Nila l'emportait sur tout le reste.

Comprenez, monsieur Markos, que lorsque nous organisions une fête à Shadbagh, que ce soit pour célébrer un mariage ou une circoncision, tout se déroulait en deux endroits distincts, l'un pour les femmes, l'autre pour les hommes. Lors des réceptions de Nila, tout le monde se mélangeait. La plupart des femmes s'habillaient comme elle, avec des robes qui dévoilaient entièrement leurs bras et une bonne partie de leurs jambes. Elles fumaient, buvaient des verres à moitié remplis d'une boisson incolore, ou bien rouge, ou ambrée, et elles se racontaient des blagues, et riaient, et touchaient librement les bras d'hommes que je savais mariés et dont l'épouse était présente dans la pièce. Moi, je portais de petites assiettes de *bolani* et de *lola kabob*[1] d'un bout à l'autre du salon enfumé, circulant parmi les groupes d'invités pendant que le tourne-disque diffusait non pas de la musique afghane, mais quelque chose que Nila appelait du jazz, un genre musical que vous affectionnez aussi, monsieur Markos. Le tintement aléatoire des notes du piano et l'étrange lamentation des cuivres sonnaient à mes oreilles comme une sorte de cacophonie, mais Nila adorait ça et je ne cessais de l'entendre

---

1. *Bolani* : pain frit ou cuit et fourré d'une farce aux légumes. *Lola kabob* : saucisses de bœuf.

123

dire aux invités qu'il fallait *absolument* qu'ils écoutent tel ou tel morceau. Toute la nuit, elle a tenu un verre à la main et lui a porté bien plus d'attention qu'à la nourriture que je servais.

M. Wahdati a fait peu d'efforts pour lier conversation avec ses invités. Il s'est mêlé à eux pour la forme, mais a passé l'essentiel de son temps dans un coin, l'air distant, en faisant tournoyer un soda dans son verre et en affichant un sourire courtois, sans desserrer les lèvres, quand quelqu'un s'adressait à lui. Puis, comme à son habitude, il s'est excusé lorsque les gens ont demandé à Nila de leur réciter ses poèmes.

C'était de loin le moment de la soirée que je préférais. Lorsqu'elle commençait, je trouvais toujours une occupation qui me permettait de rester à proximité. Cloué sur place, une serviette à la main, je m'efforçais de tout entendre. Les poèmes de Nila ne ressemblaient à aucun de ceux avec lesquels j'avais grandi. Vous le savez bien, nous autres Afghans adorons notre poésie. Même les moins instruits parmi nous peuvent réciter des vers de Hafez, de Khayyam ou de Saadi. Vous rappelez-vous, monsieur Markos, lorsque vous m'avez dit l'année dernière combien vous aimiez les Afghans ? Je vous ai demandé pourquoi et vous m'avez répondu en riant : *Parce que même vos tagueurs citent Rûmî sur les murs.*

Mais les poèmes de Nila défiaient la tradition. Ils ne suivaient aucun mètre établi, aucun schéma de rimes. De même, ils n'abordaient pas des thèmes habituels tels que les arbres, les fleurs printanières et les bulbuls. Nila écrivait sur l'amour, et par amour, je n'entends pas les ardents désirs soufis de Rûmî ou Hafez, mais l'amour physique. Elle écrivait sur des amants qui chuchotaient sur l'oreiller, qui se caressaient. Elle écrivait sur le plaisir. Je n'avais encore jamais entendu un tel langage dans la bouche d'une femme. Je me tenais là, j'écoutais sa voix rauque flotter dans le couloir, les yeux fermés et les oreilles rouges, en imaginant qu'elle me faisait la lecture à moi, que nous étions les amants du poème, jusqu'à ce que quelqu'un rompe le charme en demandant du thé ou des œufs à la poêle. Nila m'appelait alors et je me précipitais vers elle.

Ce soir-là, le poème qu'elle a choisi de lire m'a pris au dépourvu. Il évoquait un homme et sa femme dans un village qui pleuraient leur nourrisson emporté par le froid de l'hiver. Les invités l'ont visiblement beaucoup apprécié, à en juger par leurs hochements de tête, leurs murmures d'approbation et leurs applaudissements chaleureux quand Nila a levé les yeux de sa feuille. Malgré ça, j'ai été un peu étonné, et déçu aussi, de voir que le malheur de ma sœur avait servi à distraire ces gens, et je n'ai pu me défaire de cette impression qu'une sorte de trahison avait été commise.

Quelques jours plus tard, Nila m'a dit qu'elle avait besoin d'un nouveau sac à main. M. Wahdati lisait le journal à la table où je lui avais servi de la soupe de lentilles et du *naan*.

— Il te faut quelque chose, Suleiman ? a-t-elle demandé.

— Non, *aziz*, merci.

Je l'entendais rarement appeler Nila autrement que *aziz*, ce mot qui signifie bien-aimée, chérie, et pourtant jamais le couple ne paraissait si distant et ce terme affectueux si empesé que lorsqu'il était prononcé par M. Wahdati.

En chemin, Nila a dit qu'elle voulait passer prendre une amie et elle m'a indiqué comment me rendre chez elle. Après m'être garé, je l'ai regardée remonter la rue jusqu'à une maison à un étage aux murs rose vif. Au début, j'ai laissé tourner le moteur, mais au bout de cinq minutes, comme elle n'était toujours pas revenue, j'ai coupé le contact. Bien m'en a pris, parce que deux heures se sont écoulées avant que je voie ressurgir sa fine silhouette. En lui ouvrant la portière arrière, j'ai senti sous son parfum familier une autre odeur qui ressemblait un peu au cèdre, avec peut-être une pointe de gingembre, et que je connaissais pour l'avoir respirée lors de la réception deux jours plus tôt.

— Je n'ai rien trouvé qui me plaisait, a-t-elle annoncé en se remettant du rouge à lèvres.

À la vue de ma mine perplexe dans le rétroviseur, elle a baissé son bâton de rouge et m'a fixé par en dessous.

— Vous m'avez emmenée dans deux boutiques différentes, mais je n'ai trouvé aucun sac à main à mon goût.

Ses yeux se sont rivés aux miens dans le miroir et se sont attardés là un moment, attendant. J'ai compris que j'étais désormais dépositaire d'un secret. Elle mettait mon allégeance à l'épreuve. Elle me demandait de choisir.

— Je crois même que vous vous êtes rendue dans trois boutiques, ai-je dit faiblement.

Elle a souri jusqu'aux oreilles.

— *Parfois je pense que vous êtes mon seul ami, Nabi*[1].

Je suis resté interloqué. Elle m'a traduit la phrase.

Elle avait toujours son sourire radieux, mais il n'a pas suffi à me remonter le moral.

Durant tout le restant de la journée, j'ai accompli mon travail deux fois moins vite que d'habitude, et

---

1. Les passages en italique suivis d'un astérisque sont en français dans le texte.

avec une partie seulement de mon enthousiasme. Et lorsque les hommes sont venus prendre le thé et que l'un d'entre eux a chanté pour nous, sa chanson n'a pas réussi à me réconforter. J'avais le sentiment que c'était moi qui avais été fait cocu. Et j'étais sûr que l'emprise de Nila sur moi s'était enfin estompée.

Mais le lendemain matin, à mon lever, elle était toujours là, emplissant de nouveau mon espace vital du sol au plafond, s'infiltrant dans les murs, saturant l'air que je respirais comme un nuage de vapeur. Je ne pouvais pas lutter, monsieur Markos.

Je ne saurais vous dire à quel moment précisément l'idée m'est venue.

Peut-être était-ce ce matin d'automne venteux, quand j'ai servi le thé à Nila. Alors que je me baissais pour lui couper une tranche de *roat*[1], le bulletin d'information que diffusait la radio sur le rebord de la fenêtre a annoncé que l'hiver 1952 pourrait bien être encore plus rigoureux que le précédent. Ou peut-être était-ce avant cela, le jour où j'ai emmené Nila dans la maison aux murs roses, ou encore avant, quand je lui ai tenu la main dans la voiture pendant qu'elle pleurait.

Dans tous les cas, une fois cette idée entrée dans mon crâne, il m'a été impossible de l'en déloger.

Je vous avoue, monsieur Markos, que j'ai agi la conscience presque parfaitement tranquille, et avec la conviction que mon projet n'était le fruit que de la bienveillance et de bonnes intentions. Quelque chose qui, bien que douloureux à court terme, conduirait à long terme à un bien supérieur pour toutes les parties

---

1. *Roat* : pain sucré, souvent parfumé à la cardamome et dégusté avec du thé.

concernées. Mais j'étais aussi guidé par des intérêts moins honorables, et notamment celui-ci : offrir à Nila ce qu'aucun autre homme, pas plus son mari que le propriétaire de la grande maison rose, ne pouvait lui donner.

J'ai d'abord parlé à Saboor. Pour ma défense, je dirai que si je l'avais cru disposé à accepter de l'argent, je lui en aurais volontiers donné au lieu de lui faire cette proposition. Sachant qu'il en avait besoin – il m'avait confié ses difficultés à trouver du travail –, j'aurais demandé une avance sur salaire afin qu'il ait de quoi tenir tout l'hiver avec les siens. Mais comme tant de mes compatriotes, mon beau-frère était affligé d'une fierté à la fois mal placée et inébranlable. Jamais il n'aurait accepté un sou venant de moi. Après son remariage, il m'avait même demandé d'arrêter les petits versements que je faisais à Parwana, au motif qu'il était un homme et qu'il entendait pourvoir lui-même aux besoins de sa famille. Et il est mort en ne faisant rien d'autre que ça, avant d'avoir quarante ans. Il s'est effondré un jour qu'il récoltait des betteraves à sucre dans un champ quelque part près de Baghlan. On m'a raconté qu'il était mort en serrant toujours la fourche dans ses mains en sang et couvertes d'ampoules.

Je n'étais pas père et je ne ferai donc pas semblant de deviner au terme de quelles délibérations tourmentées Saboor a pris sa décision. De même, je n'étais pas informé de la teneur des discussions entre les Wahdati. En soumettant mon idée à Nila, je l'avais juste priée de la présenter comme venant d'elle, et non de moi, dans ses échanges avec son mari. Je savais qu'il s'y opposerait. Je n'avais jamais perçu en lui le moindre instinct paternel, au point que je m'étais déjà demandé si l'incapacité de Nila à avoir des enfants n'était pas ce qui l'avait poussé à l'épouser. Quoi qu'il en soit, je me suis tenu à l'écart de l'atmosphère tendue qui régnait entre ces deux-là. Quand je me couchais le soir, je ne voyais que les larmes qui avaient jailli des yeux de Nila au moment où je lui avais parlé et la manière dont elle avait pris mes mains en me fixant avec gratitude et – j'en étais certain – quelque chose qui ressemblait beaucoup à de l'amour. Je ne pensais qu'à ce cadeau que je lui offrais et que ne pouvaient pas lui faire des hommes bien mieux lotis que moi dans la vie. Je ne pensais qu'à la profondeur de mon dévouement envers elle, et à la joie que j'y mettais. Et je pensais, j'espérais – en pure perte, bien sûr – qu'elle commencerait peut-être à voir en moi un peu plus qu'un loyal serviteur.

Quand, pour finir, M. Wahdati a cédé – ce qui ne m'a pas étonné, tant la volonté de Nila était redoutable –, j'en ai informé Saboor et lui ai proposé de les conduire à Kaboul, Pari et lui. Je n'ai jamais vraiment compris pourquoi il a choisi de venir à pied depuis Shadbagh avec elle. Ni pourquoi il a permis à Abdullah de les accompagner. Peut-être s'accrochait-il au peu de temps qu'il lui restait à passer avec sa fille. Peut-être aussi cherchait-il une sorte de pénitence dans les conditions éprouvantes de ce voyage. À moins que ce ne fût sa fierté qui l'ait dissuadé de monter dans la voiture de l'homme qui achetait sa fille. Mais au bout du compte, ils étaient bien là au rendez-vous, devant la mosquée, tous les trois pleins de poussière. En les emmenant chez les Wahdati, j'ai fait de mon mieux pour paraître plein d'entrain devant les enfants, qui ne se doutaient pas de ce qui les attendait ni de la terrible scène qui allait bientôt se dérouler.

Il ne servirait pas à grand-chose de vous la décrire en détail, monsieur Markos, cette scène qui s'est effectivement déroulée comme je le craignais. Sachez pourtant qu'après toutes ces années, je sens encore mon cœur se serrer quand son souvenir s'impose à moi. Comment pourrait-il en être autrement ? J'ai pris ces deux enfants sans défense, dans lesquels l'amour le plus simple et le plus pur avait trouvé à s'exprimer, et je les ai arrachés l'un à l'autre. Jamais je n'oublierai cette brusque panique générale. Pari qui battait des jambes, affolée, et qui criait *Abollah, Abollah*, tandis que je l'entraînais hors de la pièce en la portant jetée sur mon épaule. Abdullah qui hurlait le nom de sa sœur et tentait d'écarter son père de son chemin. Nila, les yeux écarquillés, les mains plaquées sur sa bouche, peut-être pour étouffer ses propres cris. Tout cela pèse sur moi. Malgré le temps passé, monsieur Markos, tout cela pèse encore sur moi.

Pari n'avait pas tout à fait quatre ans à l'époque, mais en dépit de son jeune âge, il y avait des réflexes en elle qui avaient besoin d'être corrigés. Elle a par exemple reçu l'ordre de m'appeler juste Nabi, et non plus Kaka Nabi. Ses erreurs lui ont été gentiment signalées, encore et encore, y compris par moi, jusqu'à ce qu'elle finisse par croire que nous n'avions aucun lien de parenté. Je suis devenu pour elle Nabi le cuisinier et Nabi le chauffeur. Nila, elle, est devenue « maman » et M. Wahdati « papa ». Nila a commencé à lui enseigner le français, qui avait été la langue de sa mère.

La froideur avec laquelle M. Wahdati avait accueilli la fillette n'a pas duré longtemps. À sa grande surprise peut-être, les larmes d'angoisse de Pari et la douleur qu'elle éprouvait à être séparée de sa famille l'ont vite désarmé. Bientôt, elle nous a rejoints dans nos promenades matinales. M. Wahdati l'installait dans une poussette et déambulait avec elle dans le quartier. Ou alors il l'asseyait sur ses genoux, derrière le volant de la voiture, et souriait patiemment pendant qu'elle appuyait sur le klaxon. Il a engagé un menuisier qui lui a fabriqué un lit-gigogne à trois tiroirs, une commode en érable pour ses jouets et une petite armoire basse. Puis il a fait repeindre en jaune tous les meubles de sa chambre après avoir appris que cette couleur était sa préférée. Et un jour, je l'ai découvert assis par terre en tailleur à côté de Pari, en train de dessiner des girafes et des macaques sur les portes de l'armoire avec un talent assez remarquable. Cela faisait des années que je le voyais dessiner, mais je n'avais encore jamais posé les yeux sur son travail – ce qui en dit long sur sa nature réservée, monsieur Markos.

L'une des conséquences de l'arrivée de Pari a été que, pour la première fois, la famille Wahdati a ressemblé à une vraie famille. Désormais liés par l'affection qu'ils portaient à la fillette, Nila et son mari prenaient tous leurs repas ensemble. Ils allaient se promener avec elle dans un parc à proximité et restaient assis avec contentement sur un banc en la regardant jouer. Quand je leur servais du thé le soir après avoir débarrassé la table, je surprenais souvent l'un d'eux occupé à lire un livre d'enfant à Pari, laquelle, installée sur leurs genoux, oubliait chaque jour un peu plus sa vie passée à Shadbagh et les personnes qui en faisaient partie.

Mais sa présence a eu une autre conséquence, que je n'avais cette fois pas anticipée : elle m'a relégué au second plan. Soyez clément avec moi, monsieur Markos, et rappelez-vous que j'étais un jeune homme. Je reconnais que j'ai nourri des espoirs, si ridicules qu'ils aient été. C'était grâce à moi que Nila était mère, après tout. J'avais décelé l'origine de son malheur et je lui avais fourni un antidote. Pensais-je que nous deviendrions amants ? J'aimerais pouvoir dire que je n'étais pas si stupide, monsieur Markos, mais cela ne serait pas tout à fait vrai – la vérité, à mon avis, est que nous attendons tous qu'il nous arrive quelque chose d'extraordinaire, quand bien même les obstacles seraient insurmontables.

Je ne m'attendais pas en revanche à être à ce point éclipsé. Nila n'avait plus une minute de libre à présent, tout son temps étant pris par Pari. Les leçons alternaient avec des jeux, des siestes, des promenades, et encore des jeux. Nos bavardages quotidiens sont passés à la trappe. Si elles s'amusaient toutes les deux avec des cubes ou un puzzle, Nila remarquait à peine que je lui avais apporté son café et que j'étais encore là, choqué. Quand nous nous parlions, elle semblait distraite, et toujours impatiente d'abréger la conversation. Dans la voiture, son expression était distante. Pour cette raison, et bien que j'en aie honte, j'avoue que j'ai éprouvé une pointe de rancœur envers ma nièce.

Conformément à l'accord conclu avec les Wahdati, la famille de Pari n'avait pas le droit de lui rendre visite. De même, aucun contact avec elle ne leur était autorisé. Je suis retourné un jour à Shadbagh, peu après l'emménagement de Pari chez les Wahdati, avec un modeste cadeau pour Abdullah et un autre pour le petit garçon de ma sœur, Iqbal, désormais presque en âge de marcher.

— Tu as fait tes cadeaux, a déclaré Saboor. Maintenant, il est temps que tu t'en ailles.

Je lui ai dit que je ne comprenais pas le pourquoi de cet accueil si glacial et de ses manières brusques.

— Tu comprends très bien, a-t-il répliqué. Et ne te sens pas obligé de revenir nous voir.

Il avait raison. Je comprenais très bien. Un froid s'était installé entre nous. Ma visite avait été maladroite

132

et s'était déroulée dans une atmosphère tendue, conflictuelle même. Il ne paraissait plus naturel de nous asseoir ensemble, de boire du thé et de discuter de la météo ou de la récolte de raisin de l'année. Saboor et moi affections de trouver normale une situation qui ne l'était plus. Quelle qu'en ait été la raison, j'avais au bout du compte brisé sa famille. Il ne voulait plus de moi chez lui et oui, je le comprenais. Après ça, j'ai cessé d'aller à Shadbagh. Je n'ai plus jamais revu aucun d'entre eux.

C'est au début du printemps 1955 que nos vies à tous dans la maison ont changé à jamais, monsieur Markos. Je me souviens qu'il pleuvait. Pas une pluie exaspérante, de celles qui font coasser les crapauds, mais une bruine indécise qui n'a cessé d'aller et venir toute la matinée. Je le sais parce que le jardinier, Zahid, était là, appuyé sur un râteau, paresseux comme à son habitude, et disait qu'il allait peut-être écourter sa journée de travail à cause du mauvais temps. Je m'apprêtais à me retirer dans ma hutte, ne serait-ce que pour ne plus avoir à écouter ses sottises, quand j'ai entendu Nila crier mon nom à l'intérieur de la maison.

J'ai traversé le jardin en courant. Sa voix venait de la chambre de maître à l'étage.

Je l'ai trouvée dans un coin, contre le mur, une paume plaquée sur sa bouche.

— Il ne va pas bien, a-t-elle dit, la main devant la bouche.

Assis sur son lit dans un simple maillot de corps blanc, M. Wahdati émettait d'étranges sons gutturaux et tentait avec obstination, mais sans succès, d'accomplir un geste avec son bras droit. Il avait le teint pâle, les traits défaits et les cheveux en bataille, et j'ai remarqué avec horreur qu'un filet de bave coulait à la commissure de ses lèvres.

— Nabi ! Faites quelque chose !

Pari, alors âgée de six ans, était entrée dans la chambre et grimpait à présent sur le lit en tirant M. Wahdati par son maillot.

— Papa ? Papa ?

Il a baissé la tête vers elle, les yeux écarquillés, en ouvrant et refermant la bouche. Elle a hurlé.

Je l'ai vivement attrapée et portée vers Nila, à qui j'ai dit de l'emmener dans une autre pièce parce qu'il ne fallait pas qu'elle voie son père dans un état pareil. Nila a cligné des yeux, comme au sortir d'une transe. Elle nous a dévisagés tour à tour, Pari et moi, avant de tendre les bras à la fillette. Elle me demandait sans cesse ce qu'avait son mari et me répétait de faire quelque chose.

J'ai appelé Zahid depuis la fenêtre. Pour une fois, ce bon à rien s'est révélé utile. Il m'a aidé à enfiler un pantalon de pyjama à M. Wahdati, puis à le soulever hors du lit, à le descendre dans l'escalier et à l'installer sur le siège arrière de sa voiture. Pendant que Nila montait à côté de lui, j'ai ordonné au jardinier de rester à la maison pour s'occuper de Pari. Là, il a commencé à protester, mais je l'ai frappé du plat de la main sur la tempe, aussi fort que je le pouvais, tout en le traitant de mule et en lui rappelant qu'il devait faire ce qu'on lui disait.

J'ai ensuite reculé dans l'allée et suis parti en écrasant l'accélérateur.

Deux semaines se sont écoulées avant qu'on ramène M. Wahdati chez lui. Le chaos s'est abattu sur la maison, soudain envahie par des hordes de parents. Je faisais infuser du thé et cuisinais presque du matin jusqu'au soir pour nourrir tel oncle, tel cousin, telle tante âgée. Toute la journée, la sonnette du portail retentissait, des talons cliquetaient sur le sol en marbre du salon et des murmures se propageaient dans le vestibule à mesure qu'un flot de visiteurs s'y déversait. J'avais rarement vu la plupart d'entre eux et j'ai compris qu'ils se fendaient d'une apparition plus par égard pour l'auguste mère de M. Wahdati que pour cet homme reclus et malade avec lequel ils entretenaient peu de liens. Sa mère est d'ailleurs venue elle aussi, bien sûr – sans ses chiens, Dieu merci. Elle a déboulé dans la maison avec un mouchoir dans chaque main pour tapoter ses yeux rougis et son nez qui coulait et s'est plantée près de son lit en pleurant. Pour couronner le tout, elle était habillée en noir, comme si son fils était déjà mort, ce qui m'a effrayé.

Et, d'une certaine façon, il l'était. Du moins l'homme qu'il avait été. La moitié de son visage ressemblait désormais à un masque figé. Ses jambes ne lui servaient presque plus à rien et s'il pouvait bouger le bras gauche, le droit n'était plus qu'un amas d'os et de chair flasque. Pour ne rien arranger, il s'exprimait par des grognements rauques et des gémissements dont personne ne parvenait à déterminer le sens.

Le médecin nous a dit qu'il éprouvait des émotions, comme avant son attaque, et qu'il avait également conservé son entendement, mais qu'il était incapable d'agir en fonction d'eux pour le moment.

Ce n'était pas tout à fait vrai. Au bout de la première semaine environ, il a bien fait sentir ce que lui inspiraient ses visiteurs, y compris sa mère. Même très malade, il restait un être fondamentalement solitaire. Et il n'avait que faire de leur pitié, de leurs mines désolées, de leurs mouvements de tête abattus devant son état pitoyable. Lorsqu'ils entraient dans sa chambre, il agitait sa main gauche avec colère pour les chasser. Lorsqu'ils s'adressaient à lui, il détournait le regard.

Lorsqu'ils s'asseyaient à son chevet, il serrait le drap dans son poing et grognait en martelant sa hanche jusqu'à ce qu'ils s'en aillent. Son rejet de Pari n'était pas moins insistant, même s'il se montrait beaucoup plus gentil avec elle. Si elle venait jouer avec ses poupées près de lui, il levait les yeux vers moi, l'air suppliant, les yeux humides et le menton tremblant, jusqu'à ce que je la fasse sortir de la chambre – il n'essayait pas de lui parler car il savait que son élocution la bouleversait.

Le grand exode des visiteurs a été un soulagement pour Nila. Quand les gens se massaient dans la maison, elle se retirait avec Pari dans la chambre de celle-ci à l'étage. Cela déplaisait fort à sa belle-mère, qui attendait sans doute – et, franchement, comment le lui reprocher ? – que Nila reste auprès de son fils, ne serait-ce que pour ménager les apparences. Mais les apparences, évidemment, Nila s'en contrefichait, de même que de tout ce qu'on pouvait dire sur elle. Et il se disait beaucoup de choses.

« Quel genre de femme est-ce là ? » ai-je entendu sa belle-mère s'exclamer plus d'une fois.

Elle se plaignait auprès de quiconque voulait bien l'écouter que Nila était sans cœur et qu'il y avait un trou béant dans son âme. Où était-elle, à présent que son époux avait besoin d'elle ? Quelle femme abandonnait son mari aimant et loyal ?

Une partie de ses propos était fondée. En effet, c'était moi qu'on était le plus certain de voir au chevet de son fils, moi qui lui donnais ses médicaments et qui saluais les nouveaux arrivants dans sa chambre. C'était à moi que le médecin s'adressait le plus souvent, et par conséquent à moi aussi, et non pas à Nila, que les gens demandaient des nouvelles de M. Wahdati.

En renvoyant chez eux ses visiteurs, celui-ci a retiré une épine du pied à sa femme, mais lui en a replanté une autre juste après. Tant qu'elle se terrait dans la chambre de Pari, Nila se tenait à distance à la fois d'une belle-mère désagréable et de la loque humaine qu'était devenu son mari. À présent la maison était vide et elle se retrouvait confrontée en tant qu'épouse à des obligations qu'elle était absolument incapable de remplir.

Elle ne pouvait pas le faire.

Et elle ne l'a pas fait.

Je ne dis pas qu'elle était cruelle ou sans pitié. J'ai vécu de longues années, monsieur Markos, et s'il y a bien une chose que j'ai fini par saisir, c'est qu'on gagne à faire preuve d'un peu d'humilité et de charité au moment de juger le cœur d'autrui. Ce que je dis, en revanche, c'est qu'en entrant un jour dans la chambre de M. Wahdati, j'ai découvert Nila en pleurs contre lui, une cuillère toujours à la main, tandis que de la purée de lentilles dégoulinait du menton de son mari sur le bavoir attaché autour de son cou.

— Laissez-moi faire, Bibi Sahib, ai-je murmuré.

Je lui ai pris la cuillère, j'ai essuyé la bouche de M. Wahdati et j'ai tenté de le nourrir, mais il a gémi et fermé les yeux en tournant la tête.

Peu de temps après cet épisode, j'ai traîné deux valises dans l'escalier et je les ai tendues à un chauffeur afin qu'il les range dans le coffre de sa voiture. Puis j'ai aidé Pari, qui portait son manteau jaune préféré, à grimper sur le siège arrière.

— Nabi, tu emmèneras papa nous voir à Paris, comme maman l'a dit ? a-t-elle demandé avec son sourire aux dents écartées.

J'ai répondu que je n'y manquerais pas quand son père irait mieux, et j'ai ensuite embrassé le dos de ses petites mains.

— Bibi Pari, je te souhaite bonne chance et beaucoup de bonheur.

J'ai croisé Nila lorsqu'elle a descendu les marches du perron, les yeux gonflés et barbouillés d'eye-liner. Elle venait de faire ses adieux à M. Wahdati dans sa chambre.

Je lui ai demandé comment il allait.

— Il est soulagé, je pense. Mais c'est peut-être simplement ce que j'ai envie de croire.

Elle a refermé son sac et passé la lanière sur son épaule.

— Ne dites à personne où je vais. Cela vaut mieux.

Je le lui ai promis.

Elle m'a assuré qu'elle écrirait bientôt. Après quoi, elle m'a longuement fixé droit dans les yeux – avec une sincère affection, m'a-t-il semblé.

— Je suis heureuse que vous soyez avec lui, Nabi, a-t-elle dit en posant une main sur mon visage.

Puis elle m'a serré dans ses bras, sa joue contre la mienne. Son parfum et celui de ses cheveux ont empli mes narines.

— C'était vous, Nabi, a-t-elle ajouté à mon oreille. Ç'a toujours été vous. Vous ne le saviez pas ?

Je n'ai pas compris et elle s'est détachée de moi avant que je puisse l'interroger. Tête baissée, elle a longé l'allée d'un pas rapide, les talons de ses bottes claquant sur l'asphalte, et s'est glissée près de Pari à l'arrière du taxi. Elle ne s'est tournée qu'une fois vers moi en pressant une paume contre la vitre lorsque la voiture a démarré. Cette paume blanche a été la dernière image que j'ai eue d'elle.

Je l'ai regardée partir et j'ai attendu que le taxi ait passé l'angle de la rue pour refermer le portail. À ce moment-là, je me suis appuyé contre le battant et j'ai pleuré comme un enfant.

Malgré le souhait de M. Wahdati, quelques visiteurs ont défilé, du moins durant une brève période. Mais pour finir, seule sa mère a continué à lui rendre visite. Elle venait une fois par semaine à peu près et claquait des doigts vers moi afin que j'apporte une chaise près du lit de son fils. À peine s'était-elle affaissée dessus qu'elle se lançait dans une tirade pleine de venin sur le caractère de sa femme désormais envolée. C'était une putain. Une menteuse. Une ivrogne. Une lâche qui avait fui Dieu sait où juste quand son mari avait le plus besoin d'elle. Tout cela, M. Wahdati le supportait en silence, en contemplant impassiblement la fenêtre derrière elle. Suivait un flot interminable de nouvelles, presque physiquement douloureuses à écouter pour la plupart en raison de leur banalité. Une cousine s'était disputée avec sa sœur qui avait eu le culot d'acheter exactement la même table basse qu'elle. Telle personne avait crevé en rentrant de Paghman le vendredi précédent. Telle autre avait changé de coiffure. Et ainsi de suite. Parfois, M. Wahdati grommelait quelque chose. Sa mère se tournait vers moi.

— Vous. Qu'a-t-il dit ?

Elle s'adressait toujours à moi de la sorte, avec des mots durs et saccadés.

Parce que je restais presque toute la journée avec M. Wahdati, j'avais lentement appris à décrypter ses paroles. Je me penchais tout près, et dans ce qui sonnait pour les autres comme un grognement ou un marmonnement inintelligible, je reconnaissais une envie de boire de l'eau, d'uriner dans le bassin hygiénique, ou le besoin d'être retourné. J'étais devenu de facto son interprète.

— Votre fils dit qu'il aimerait dormir.

La vieille femme soupirait, répliquait que c'était aussi bien comme ça, il fallait qu'elle y aille de toute façon. Puis elle se penchait pour l'embrasser sur le front et promettait de revenir bientôt. Après que je l'avais raccompagnée jusqu'au portail, où son propre chauffeur l'attendait, je retournais dans la chambre de M. Wahdati m'asseoir sur un tabouret près de son lit. Ensemble, nous savourions le silence. Et lorsque, de temps à autre, son regard croisait le mien, il secouait la tête avec un grand sourire de travers.

Le travail pour lequel j'avais été engagé était désormais très limité – je ne conduisais que pour aller faire des courses une ou deux fois par semaine et je ne cuisinais plus que pour deux personnes –, aussi ai-je jugé ridicule de continuer à payer les autres employés pour des tâches que je pouvais assumer moi-même. Je m'en suis ouvert à M. Wahdati, qui m'a fait signe de m'approcher.

— Tu vas t'épuiser, a-t-il dit.

— Non, Sahib. Je serai heureux de le faire.

Il m'a demandé si j'en étais sûr, et j'ai répondu que oui.

Des larmes lui sont montées aux yeux et ses doigts se sont refermés faiblement autour de mon poignet. Il avait été l'homme le plus stoïque que j'avais connu, mais depuis son attaque, les choses les plus triviales le rendaient agité, anxieux, larmoyant.

— Nabi, écoute-moi.

— Oui, Sahib.

— Verse-toi le salaire que tu veux.

J'ai dit qu'il n'était pas nécessaire de parler de ça.

— Tu sais où je garde mon argent.

— Reposez-vous, Sahib.

— Peu importe la somme.

J'ai déclaré que j'envisageais de préparer un potage de légumes pour le déjeuner.

— Du *shorwa*, cela vous tente ? ai-je lancé. Maintenant que j'y pense, j'ai bien envie d'en manger, moi.

J'ai mis fin aux soirées quotidiennes des autres employés dans ma cabane. Je ne me souciais plus de leur opinion et je refusais qu'ils viennent chez M. Wahdati s'amuser à ses dépens. J'ai ainsi eu l'immense plaisir de renvoyer Zahid. Je me suis également séparé de la femme hazara qui s'occupait des lessives et je me suis mis à les faire moi-même et à étendre le linge dehors. J'ai pris soin des arbres, taillé les buissons, tondu la pelouse, planté des fleurs et des légumes. J'ai entretenu la maison aussi, balayant les tapis, cirant les sols, époussetant les rideaux, lavant les carreaux, réparant les robinets qui fuyaient, remplaçant les tuyaux rouillés.

Jusqu'au jour où j'ai voulu ôter les toiles d'araignées sur les moulures de la chambre de M. Wahdati pendant qu'il dormait. C'était l'été, et nous subissions une chaleur sèche impitoyable. J'avais retiré les couvertures et les draps de M. Wahdati, remonté les jambes de son pyjama et ouvert les fenêtres, mais malgré ça et le ventilateur au plafond qui tournait en grinçant, rien n'y faisait, l'air brûlant s'infiltrait de toutes parts.

Il y avait dans la pièce un placard assez grand que je comptais nettoyer depuis quelque temps déjà. J'ai décidé de m'y attaquer ce jour-là. J'ai fait coulisser les portes et j'ai commencé par les costumes, que j'ai époussetés un à un, même si je devais reconnaître que, selon toute probabilité, M. Wahdati ne les mettrait plus jamais. De la poussière s'étant aussi accumulée sur des

141

tas de livres, je les ai essuyés à leur tour. J'ai astiqué des chaussures avec un chiffon et les ai alignées bien soigneusement. Puis j'ai découvert une grosse boîte en carton, presque cachée par plusieurs longs manteaux d'hiver. Je l'ai tirée vers moi. Elle était remplie de vieux carnets de dessins de M. Wahdati, empilés les uns sur les autres comme autant de tristes vestiges de sa vie passée.

J'ai pris le premier au sommet et l'ai ouvert à une page au hasard. Mes jambes ont soudain menacé de ne plus me porter. J'ai feuilleté tout le carnet, avant de le reposer et d'en ramasser un autre, et encore un autre, et encore un autre. Les pages défilaient sous mes yeux, chacune éventant mon visage avec un petit soupir, chacune représentant le même sujet dessiné à la mine de charbon. Ici, observé depuis la chambre à l'étage, je frottais l'aile avant de la voiture. Là, j'étais appuyé sur une pelle près de la véranda. On me voyait nouer mes lacets, couper du bois, arroser les buissons, servir du thé, prier, faire la sieste. Figurait aussi la voiture de M. Wahdati garée le long des rives du lac Quargha, vitre baissée. J'étais au volant, mon bras pendant par-dessus la portière. Une silhouette vaguement esquissée était assise à l'arrière et des oiseaux volaient en rond au-dessus de nos têtes.

C'était vous, Nabi.

Ç'a toujours été vous.

Vous ne le saviez pas ?

Je me suis tourné vers M. Wahdati. Il dormait profondément sur le côté. J'ai replacé avec soin les carnets dans la boîte en carton, j'ai refermé celle-ci et l'ai rangée dans son coin, sous les manteaux d'hiver. Puis j'ai quitté la pièce en tirant doucement la porte afin de ne pas le réveiller. J'ai suivi le couloir plongé dans la pénombre et descendu l'escalier. Je me suis vu marcher, sortir dans la chaleur de cette journée d'été, longer l'allée, pousser le portail, m'éloigner à grands pas dans la rue, passer l'angle et continuer à avancer sans un regard en arrière.

Comment allais-je pouvoir rester à présent ? me demandais-je. Je n'étais ni dégoûté ni flatté par ma découverte, monsieur Markos, mais totalement dérouté. J'ai essayé de m'imaginer comment continuer à travailler là en sachant ce que je savais. Le contenu de la boîte jetait un voile sur tout. Il m'était impossible d'ignorer une chose comme celle-là, impossible aussi de la chasser de mes pensées. Mais comment aurais-je pu partir en le laissant dans un tel état de faiblesse ? Je ne pouvais pas, pas sans avoir d'abord trouvé quelqu'un de convenable pour me remplacer. Je lui devais au moins ça parce qu'il avait toujours été bon envers moi — moi qui avais manœuvré dans son dos pour me gagner les faveurs de sa femme.

Je suis revenu dans la salle à manger et me suis assis à la table de verre, les yeux fermés. Je ne peux pas vous dire combien de temps je suis resté là sans bouger, monsieur Markos. Je sais juste qu'à un moment donné, j'ai entendu des mouvements à l'étage. J'ai rouvert les yeux. La lumière avait changé. Alors je me suis levé et j'ai mis de l'eau à bouillir pour le thé.

Un jour, je suis monté dans sa chambre et je lui ai dit que j'avais une surprise pour lui. C'était à la fin des années 1950, bien avant l'arrivée de la télévision à Kaboul. Lui et moi jouions beaucoup aux cartes à cette époque, et depuis peu aussi aux échecs, jeu dont il m'avait appris les règles et pour lequel je me montrais assez doué. Nous consacrions également un temps considérable à des leçons de lecture. Il s'est révélé un professeur patient qui fermait les yeux en m'écoutant lire et secouait doucement la tête lorsque je me trompais. *Encore*, disait-il. Son élocution s'était considérablement améliorée depuis son attaque. *Recommence, Nabi.* Grâce au mollah Shekib, j'étais plus ou moins instruit quand j'avais été engagé en 1947, mais ce sont les cours de Suleiman qui m'ont permis de progresser en lecture, puis en écriture. Il voulait m'aider, bien sûr, mais sa démarche était aussi intéressée : désormais, je pourrais lui lire des livres qu'il aimait. Même s'il était capable de le faire seul, il se fatiguait vite et n'y parvenait jamais très longtemps.

Quand j'étais pris par une tâche et que je ne pouvais pas être près de lui, il n'avait pas grand-chose pour s'occuper. Il écoutait des disques. Souvent, il devait se contenter de regarder par la fenêtre les oiseaux perchés sur des arbres, le ciel, les nuages, les enfants qui s'amusaient dans la rue, les vendeurs de fruits qui tiraient leurs ânes en chantant *Cerises ! Cerises du jour !*

Quand je lui ai parlé de ma surprise, il a voulu savoir ce que c'était. J'ai glissé un bras derrière son cou en répondant que nous allions d'abord descendre au rez-de-chaussée. Dans ce temps-là, j'étais encore jeune et fort, si bien que je n'avais presque aucun mal à le porter. Je l'ai conduit dans le salon et je l'ai doucement étendu sur le canapé.

— Alors ? a-t-il insisté.

Je suis allé chercher son fauteuil roulant dans l'entrée. Durant plus d'un an, j'avais fait pression sur lui pour qu'il en utilise un, et malgré ses refus obstinés, j'avais pris l'initiative d'en acheter un quand même. Il a tout de suite secoué la tête.

— C'est à cause des voisins ? Vous êtes gêné par ce qu'ils diront ?

Il m'a seulement demandé de le ramener à l'étage.

— Eh bien moi, je me fiche de ce qu'ils diront ou penseront, ai-je continué. Voilà ce qu'on va faire aujourd'hui, vous et moi. On va aller se promener. Il fait beau, ne discutez pas. Je finirai bon pour l'asile si on ne sort pas de cette maison, et ça vous mènerait à quoi, hein, que je devienne fou ? Franchement, Suleiman, arrêtez de pleurer comme une petite vieille.

Cette fois, il a ri en même temps qu'il pleurait, tout en répétant « Non, non ! » pendant que je l'installais dans son fauteuil. J'ai posé une couverture sur lui et l'ai emmené à l'extérieur.

Il convient de préciser ici que j'avais bel et bien cherché quelqu'un pour me remplacer. Je ne l'ai pas avoué à Suleiman – j'estimais préférable de trouver la bonne personne avant de le lui annoncer. Un certain nombre de candidats sont venus se renseigner sur le poste. Je les ai reçus en dehors de la maison afin de ne pas éveiller les soupçons de Suleiman, mais ma quête s'est révélée bien plus problématique que je ne l'avais imaginé. Quelques-uns étaient clairement faits du même bois que Zahid. Ceux-là – je les repérais très vite pour en avoir côtoyé toute ma vie –, je les avais d'emblée écartés. D'autres n'avaient pas les compétences nécessaires afin de cuisiner pour Suleiman qui, comme je l'ai déjà mentionné, était assez difficile. Ou alors ils ne savaient pas conduire. Beaucoup ne savaient pas lire non plus – un sérieux handicap dans la mesure où j'avais pris l'habitude de faire la lecture à Suleiman l'après-midi. Certains m'ont semblé impatients, un autre n'était pas du tout apte à prendre soin d'un homme qui pouvait avoir un comportement exaspérant, digne parfois d'un enfant capricieux. Et il y avait eu aussi ceux dont je sentais d'instinct qu'ils n'avaient pas le tempérament requis pour assumer une tâche aussi difficile.

Et c'est ainsi que, trois ans plus tard, je continuais à travailler là et à me persuader que je partirais quand j'aurais l'assurance que Suleiman était entre de bonnes mains. Trois ans plus tard, je lavais encore son corps un jour sur deux avec un linge mouillé, je le rasais, je lui coupais les ongles et les cheveux. Je le nourrissais, je l'aidais à utiliser son bassin hygiénique, je l'essuyais comme un nourrisson, je lavais les couches souillées que je lui mettais. À ce moment-là, nous avions développé un langage muet, né de la familiarité et de la routine et, inévitablement, une certaine décontraction auparavant inimaginable s'était immiscée dans notre relation.

Après que j'ai réussi à lui faire accepter le fauteuil roulant, l'ancien rituel de nos promenades matinales a repris. Je le sortais de la maison et nous longions la rue en saluant les voisins sur notre passage. Parmi eux figurait M. Bashiri, un jeune homme fraîchement diplômé de l'université de Kaboul qui travaillait pour le ministère des Affaires étrangères. Il avait emménagé avec son frère et leurs épouses respectives dans une grande demeure située à trois maisons de chez nous, de l'autre côté de la rue. Il nous arrivait de le croiser au moment où il faisait chauffer sa voiture le matin avant de partir et je m'arrêtais toujours pour plaisanter un peu avec lui. Ensuite, j'emmenais souvent Suleiman jusqu'au parc de Shar-e-Nau, où nous nous asseyions à l'ombre des ormes pour observer la circulation – les chauffeurs de taxi martelant leur klaxon du plat de la main, les vélos accompagnés par le tintement de leur sonnette, les ânes qui brayaient, les piétons suicidaires qui passaient juste devant les bus. Lui et moi sommes devenus des habitués du parc et de ses alentours. En rentrant, nous nous arrêtions en général afin d'échanger quelques mots aimables avec des vendeurs de magazines et des bouchers, quelques autres avec les jeunes policiers chargés de régler la circulation. Nous bavardions aussi avec des chauffeurs qui attendaient leurs passagers, appuyés contre leur voiture.

Parfois, j'installais Suleiman sur le siège arrière de la vieille Chevrolet, puis je rangeais le fauteuil dans le coffre et roulais jusqu'à Paghman, où je trouvais toujours un joli pré vert et un petit ruisseau ombragé par des arbres. Après le repas, Suleiman tentait de dessiner. Son attaque ayant affecté sa main droite, il avait toutes les peines du monde à y arriver, mais il a réussi à l'aide de la gauche à recréer des arbres, des collines et des bouquets de fleurs sauvages avec bien plus de talent que je n'aurais pu le faire, moi dont les facultés étaient intactes. Au bout d'un moment, fatigué, il s'assoupissait en laissant échapper son crayon. Je lui couvrais alors les jambes et m'étendais sur l'herbe près de son fauteuil. J'écoutais la brise dans les arbres, levais les yeux vers le ciel et les bancs de nuages qui glissaient au-dessus de nous.

Tôt ou tard, mes pensées dérivaient vers Nila, qu'un continent entier séparait de moi. Je me représentais la douce brillance de ses cheveux, la manière dont elle balançait son pied, sa sandale tapant son talon pendant qu'elle grillait une cigarette. Je revoyais la cambrure de son dos et le renflement de sa poitrine. Je mourais d'envie d'être de nouveau près d'elle, submergé par son parfum, de sentir mon cœur s'emballer, comme autrefois lorsqu'elle touchait ma main. Elle avait promis de m'écrire, et même si des années s'étaient écoulées et qu'elle m'avait selon toute vraisemblance oublié, je ne peux mentir aujourd'hui et prétendre que je n'éprouvais plus aucune bouffée d'espoir chaque fois que nous recevions du courrier.

Un jour, assis dans l'herbe à Pagham, je réfléchissais devant un échiquier. Cela se passait des années plus tard, en 1968, l'année qui a suivi la mort de la mère de Suleiman, et celle aussi où M. Bashiri et son frère sont chacun devenus pères d'un petit garçon – Idris pour le premier et Timur pour le second. J'apercevais souvent les bébés dans leurs poussettes quand leurs mères les emmenaient se promener dans le quartier. Ce jour-là, Suleiman et moi avions commencé à disputer une partie d'échecs, mais il s'était ensuite endormi et j'en avais profité pour essayer de trouver une riposte à son attaque d'ouverture.

— Dis-moi, Nabi, quel âge as-tu ? a-t-il soudain lancé.

— Eh bien, plus de quarante ans. Je sais au moins ça.

— Je me disais que tu devrais te marier. Tu ne resteras pas beau éternellement. Déjà, tu commences à grisonner.

Nous nous sommes souri. Je lui ai raconté que ma sœur Masooma me répétait la même chose autrefois.

Il m'a demandé si je me souvenais du moment où il m'avait engagé, en 1947, vingt et un ans plus tôt.

Évidemment, je m'en souvenais. Je me morfondais à l'époque dans un emploi d'aide-cuisinier à quelques rues de sa maison. Lorsque j'avais entendu dire qu'il recherchait un cuisinier – le sien s'était marié et était parti –, je m'étais rendu directement chez lui un après-midi et j'avais sonné au portail.

— Tu étais incroyablement mauvais aux fourneaux, a continué Suleiman. Aujourd'hui, tu accomplis des miracles, Nabi, mais ton premier repas… Mon Dieu. Et la première fois que tu as conduit ma voiture, j'ai cru que j'allais avoir une attaque.

Il a marqué une pause, puis a ri doucement, comme amusé par cette plaisanterie involontaire.

Cette confession a été une énorme surprise pour moi, monsieur Markos. Un choc même, car il ne s'était jamais plaint durant toutes ces années, que ce soit de ma cuisine ou de ma conduite.

— Pourquoi m'avez-vous embauché, dans ce cas ?

Il m'a fait face.

— Parce que tu es entré et que j'ai pensé à cet instant-là n'avoir jamais vu quelqu'un d'aussi beau.

J'ai baissé les yeux sur l'échiquier.

— Quand je t'ai rencontré, j'avais bien conscience que nous n'étions pas pareils, toi et moi. Ce que je voulais était impossible. Seulement nous avions nos promenades matinales, nos balades en voiture. Je ne prétendrai pas que cela me suffisait, mais c'était mieux que de ne pas être avec toi. J'ai appris à me contenter de ta proximité.

Il s'est de nouveau tu avant de poursuivre :

— Je crois que tu comprends une partie de ce que je te décris, Nabi. Je le sais.

J'étais incapable de croiser son regard.

— J'ai besoin de t'avouer, ne serait-ce qu'une fois, que je t'aime depuis très, très longtemps, Nabi. S'il te plaît, ne m'en veux pas.

J'ai secoué la tête. Durant quelques minutes, aucun de nous n'a rien dit. Ils respiraient entre nous, ces mots qu'il venait de prononcer, cette douleur d'une vie réprimée et d'un bonheur qui n'existerait jamais.

— Si je te parle aujourd'hui, Nabi, c'est pour que tu comprennes pourquoi je veux que tu t'en ailles.

Trouve-toi une femme. Fonde une famille, comme tout le monde. Il est encore temps pour toi.

— Ma foi, ai-je enfin répondu avec désinvolture dans l'espoir d'apaiser la tension de cet échange. Un de ces jours, pourquoi pas. Mais vous vous en mordrez les doigts. Et le pauvre diable qui devra laver vos couches à ma place aussi.

— Tu tournes toujours tout en dérision.

Un scarabée avançait doucement sur une feuille gris-vert.

— Ne reste pas pour moi. Voilà ce que je veux te faire comprendre, Nabi. Ne reste pas pour moi.

— Vous vous flattez.

— Encore ton ironie, a-t-il soupiré avec lassitude.

J'ai gardé le silence. Il avait tort, pourtant. Ma dernière remarque n'était pas une plaisanterie. Ce n'était plus pour lui que je restais. Au début, oui. Je l'avais fait parce qu'il avait besoin de moi, parce qu'il dépendait de moi pour tout. J'avais fui quelqu'un comme lui par le passé et j'emporterai dans ma tombe le remords que j'en éprouve encore. Je ne pouvais pas recommencer. Mais lentement, imperceptiblement, mes raisons avaient changé. Je ne saurais vous dire quand ou comment, monsieur Markos. À présent, c'était pour moi que je restais, voilà tout. Suleiman avait beau me conseiller de prendre femme, je me rendais compte en contemplant ma vie que j'avais déjà ce que les gens recherchent dans le mariage. J'avais le confort, une compagnie, une maison où j'étais toujours le bienvenu, où on m'aimait et où on m'estimait indispensable. En tant qu'homme, je continuais à pouvoir satisfaire mes besoins physiques – j'en avais encore, bien sûr, même s'ils étaient devenus moins fréquents et moins pressants avec les années –, comme je l'ai expliqué plus tôt. Quant aux enfants, bien que je les aie toujours aimés, je n'ai jamais senti en moi le moindre désir de paternité.

— Puisque tu fais ta tête de mule en refusant de te marier, a déclaré Suleiman, j'ai une requête à t'adresser. Mais à condition que tu l'acceptes par avance.

J'ai dit qu'il ne pouvait pas exiger ça de moi.

— Je le fais quand même.

J'ai levé les yeux vers lui.

— Tu as le droit de refuser, Nabi, me dit-il.

Il me connaissait bien. Il a souri de travers, j'ai promis d'accepter et il m'a présenté sa requête.

Que vous dire, monsieur Markos, des années qui ont suivi ? Vous connaissez bien l'histoire récente de ce pays assiégé. Il est inutile que je ressasse pour vous cette période si sombre. Je suis fatigué rien qu'à l'idée de l'évoquer par écrit. De toute façon, la souffrance de l'Afghanistan a déjà été suffisamment racontée, et par des plumes bien plus érudites et éloquentes que la mienne.

Je peux la résumer en un mot : la guerre. Ou plutôt, des guerres. Pas une, pas deux, mais de multiples guerres, à la fois grandes et petites, justes et injustes, avec sans cesse des acteurs différents dans les rôles des bons et des méchants – ou supposés tels –, chaque nouveau héros vous rendant de plus en plus nostalgique de l'ancien félon. Les noms changeaient, tout comme les visages, et je crache sur chacun d'eux sans distinction pour toutes les vendettas mesquines, les snipers, les mines antipersonnel, les bombardements, les roquettes, les pillages, les viols et les meurtres qui leur sont dus. Ah, assez ! La tâche est à la fois trop grande et trop déplaisante. J'ai connu ce temps-là et j'entends le revivre à travers ces pages le plus brièvement possible. Tout ce que j'en ai tiré de positif, c'est une certaine justification de mon choix concernant la petite Pari, qui devait être une jeune femme alors. Cela soulageait ma conscience de me dire qu'elle était en sécurité, loin de toutes ces tueries.

Les années 1980, comme vous le savez, monsieur Markos, n'ont en réalité pas été si terribles à Kaboul, dans la mesure où l'essentiel des combats se déroulait en province. Mais cela a été une période d'exode et de nombreuses familles de notre quartier ont fait leurs valises pour se rendre au Pakistan ou en Iran, avec l'intention de s'installer ensuite quelque part en Occident. Je me souviens très bien du jour où M. Bashiri est venu me dire au revoir. Je lui ai serré la main et souhaité bonne chance. J'ai aussi fait mes adieux à son fils Idris, alors un adolescent dégingandé de quatorze ans aux cheveux longs et à la bouche surmontée d'un fin duvet. Je lui ai confié que je regretterais beaucoup de ne plus le voir faire voler des cerfs-volants et jouer au football dans la rue avec son cousin Timur. Vous vous rappelez peut-être que nous les avons retrouvés bien des années plus tard, monsieur Markos, durant une fête que vous avez organisée à la maison au printemps 2003. Dans l'intervalle, ils étaient devenus des hommes.

Dans les années 1990, en revanche, les affrontements ont fini par atteindre la capitale. Kaboul a été la cible d'attaques menées par des hommes qui donnaient l'impression d'être sortis du ventre de leur mère avec une kalachnikov à la main, monsieur Markos. Des vandales, tous autant qu'ils étaient. Des voleurs armés qui s'attribuaient eux-mêmes des titres ronflants. Quand les roquettes ont commencé à voler dans le ciel, Suleiman est resté chez lui et a refusé de partir. Il a rejeté catégoriquement toute information concernant ce qui se passait en dehors des murs de sa maison, il a débranché la télévision et mis la radio de côté. Les journaux ne l'intéressaient pas davantage. À sa demande, je me suis abstenu de le tenir au courant des combats. Il savait à peine qui se battait contre qui, qui gagnait, qui perdait, comme s'il espérait qu'en ignorant ainsi obstinément la guerre, elle lui rendrait la pareille.

Il n'en a rien été, bien sûr. La rue où nous habitions, autrefois si tranquille et propre et pimpante, s'est transformée en zone d'affrontements. Les balles frappaient toutes les maisons. Des roquettes sifflaient au-dessus de nous et s'écrasaient un peu partout sur la chaussée en creusant des cratères dans l'asphalte. La nuit, des balles traçantes volaient en tous sens jusqu'à l'aube. Il y avait des jours où nous profitions d'un court répit, de quelques heures de calme, mais des salves de tirs éclataient ensuite brusquement en crépitant de tous les côtés tandis que les gens criaient dans la rue.

C'est durant ces années, monsieur Markos, que la maison a subi la majeure partie des dégâts que vous avez pu constater en la voyant pour la première fois, en 2002. Certes, certains d'entre eux étaient dus au passage du temps et à la négligence – j'étais devenu vieux et je n'avais plus les moyens de l'entretenir comme auparavant. Les arbres étaient morts après être restés des années sans donner de fruits, le gazon avait jauni, les fleurs, fané. Mais la guerre s'était montrée impitoyable envers cette demeure autrefois si belle. Les fenêtres avaient volé en éclats, brisées par le souffle des explosions. Une roquette avait pulvérisé le mur est du jardin ainsi que la moitié de la véranda où Nila et moi avions si souvent discuté. Une grenade avait endommagé le toit. Des impacts de balles scarifiaient les murs.

À cela s'ajoutaient les pillages, monsieur Markos. Des miliciens entraient à leur guise et repartaient avec ce qui leur chantait. Ils ont raflé la plupart des meubles, les tableaux, les tapis turkmènes, les statues, les chandeliers en argent, les vases en cristal. Ils ont détaché les lapis-lazulis dans les salles de bains. Un matin, je me suis réveillé en entendant des hommes dans l'entrée. J'ai découvert une bande de miliciens ouzbeks qui arrachaient le tapis de l'escalier avec des poignards aux lames incurvées. Je suis resté planté là à les regarder. Qu'aurais-je pu faire ? Que représentait pour eux un vieillard de plus avec une balle dans la tête ?

À l'image de la maison, Suleiman et moi commencions à être usés. Ma vue faiblissait et mes genoux me malmenaient presque au quotidien. Pardonnez-moi ma vulgarité, monsieur Markos, mais le simple fait d'uriner s'apparentait parfois à une épreuve d'endurance. Comme il fallait s'y attendre, la vieillesse a été plus dure envers Suleiman. De plus en plus ratatiné sur lui-même, il est devenu maigre et d'une fragilité saisissante. Il a manqué mourir deux fois, notamment au plus fort des affrontements entre les forces d'Ahmad Shah Massoud et celles de Gulbuddin Hekmatyar, quand des corps restaient des jours durant dans la rue sans que personne ne vienne les chercher. Suleiman souffrait à ce moment-là d'une pneumonie, contractée selon son médecin à force d'aspirer sa propre salive. Malgré la pénurie de médecins et de médicaments, j'ai réussi à le soigner, et sans doute à le ramener des portes de la mort.

Peut-être à cause de notre confinement et de notre proximité, nous nous sommes beaucoup disputés pendant cette période, lui et moi. Nous nous querellions

comme le font les couples mariés, avec fougue et entêtement, et sur des sujets triviaux.

Tu as déjà préparé des haricots cette semaine.

Pas du tout.

Mais si. Tu en as fait lundi !

Nous n'étions pas d'accord sur le nombre de parties
d'échecs disputées la veille. Et pourquoi posais-je toujours son eau sur le rebord de la fenêtre, là où le soleil
allait la réchauffer ?

Pourquoi n'avez-vous pas réclamé le bassin, Suleiman ?

Je t'ai appelé je ne sais pas combien de fois !

*Qu'est-ce que vous me reprochez ? D'être sourd ou
bien paresseux ?*

Pas la peine de choisir, c'est les deux !

*Vous ne manquez pas d'air. Oser me traiter de fei-
gnant alors que vous passez vos journées au lit…*

Et ainsi de suite.

Dans ces cas-là, il tournait la tête d'un côté et de
l'autre quand je tentais de le nourrir. Je le laissais alors
et sortais en claquant la porte. Parfois aussi, j'avoue,
je quittais la maison exprès pour l'inquiéter. « Où
vas-tu ? » me criait-il. Je ne répondais pas et faisais
semblant de partir pour de bon. Évidemment, je me
contentais d'aller fumer quelque part dans la rue – une
nouvelle habitude, ça, acquise sur le tard, même si je ne
m'y adonnais que lorsque j'étais en colère. Je pouvais
ainsi rester des heures dehors. Et pour peu que Suleiman m'ait vraiment énervé, je m'absentais jusqu'à la
tombée de la nuit. Mais je revenais toujours. Je rentrais
dans sa chambre sans dire un mot, je le changeais de
position et tapotais ses oreillers, chacun de nous évitant
de regarder l'autre, chacun de nous attendant les lèvres
pincées une offre de paix de sa part.

Ces disputes ont pris fin avec l'arrivée des talibans, ces jeunes hommes barbus et armés de fouets, aux traits durs et aux yeux cernés de khôl. Leur cruauté et leurs excès ont eux aussi été abondamment décrits, si bien que là non plus, je ne vois pas l'utilité de vous les énumérer, monsieur Markos. Je dois juste dire que, ironie du sort, leurs années à Kaboul ont coïncidé pour moi avec une période de répit personnel. Ils réservaient l'essentiel de leur mépris et de leur fanatisme aux jeunes, notamment les femmes. Moi, j'étais un vieillard. Ma principale concession à leur régime a été de me laisser pousser la barbe, ce qui, franchement, m'a libéré d'un rasage quotidien méticuleux.

— C'est officiel, Nabi, a soufflé Suleiman depuis son lit. Tu as cessé d'être beau. Tu ressembles à un prophète maintenant.

Dans la rue, les talibans passaient près de moi comme si j'étais une vache en train de paître. Je les y encourageais en affichant une expression un peu bovine afin d'éviter d'attirer inutilement l'attention. Je frémis à l'idée de ce qu'ils auraient fait de – et à – Nila. De temps à autre, quand je convoquais son souvenir et que je la revoyais rire lors d'une soirée, un verre de champagne à la main, avec ses bras nus et ses longues jambes fuselées, j'avais l'impression de l'avoir inventée. Comme si elle n'avait jamais vraiment existé. Comme si rien de tout ça n'avait été réel – pas seulement elle, mais moi aussi, et Pari, et le Suleiman jeune et en bonne santé d'antan, et même les années que nous avions passées tous ensemble dans la maison.

Puis, un matin de l'été 2000, je suis entré dans la chambre de Suleiman avec du thé et du pain frais sur un plateau. J'ai tout de suite compris que quelque chose s'était produit. Il respirait difficilement, l'affaissement des traits de son visage était soudain beaucoup plus prononcé et lorsqu'il a tenté de parler, il n'a produit que des sons rauques à peine audibles. J'ai posé mon plateau et me suis précipité vers lui.

— Je vais aller chercher un médecin, Suleiman, ai-je dit. Attendez-moi. On va vous remettre sur pied, comme on l'a toujours fait.

J'ai voulu partir aussitôt, mais il a violemment secoué la tête et m'a fait signe avec les doigts de sa main gauche.

Je me suis penché vers lui.

Il a tenté à plusieurs reprises de s'exprimer, sans que je parvienne à distinguer le sens de ses paroles.

— Je suis désolé, Suleiman. Laissez-moi aller chercher un médecin. Je n'en ai pas pour longtemps.

Il a de nouveau secoué la tête, lentement cette fois, et des larmes ont coulé de ses yeux atteints par la cataracte. Sa bouche s'est ouverte et refermée. Il a pointé du menton sa table de nuit, et quand je lui ai demandé s'il y avait là quelque chose dont il avait besoin, il a acquiescé, les yeux clos.

J'ai tiré le tiroir supérieur. Il ne contenait rien hormis ses cachets, ses lunettes de lecture, un vieux flacon d'eau de Cologne, un calepin et des crayons à la mine de charbon qu'il avait cessé d'utiliser des années plus tôt. Je m'apprêtais à l'interroger sur ce que j'étais censé trouver quand je l'ai aperçue, rangée sous le calepin. Une enveloppe avec mon nom griffonné au dos d'une écriture malhabile. Elle renfermait une feuille de papier sur laquelle il avait rédigé un unique paragraphe. Je l'ai lu.

J'ai contemplé ses tempes creusées, ses joues décharnées, ses yeux caves.

Il m'a de nouveau fait signe de me baisser. J'ai senti son souffle froid, rauque et irrégulier sur ma joue. J'ai entendu le bruit de sa langue qui remuait péniblement dans sa bouche sèche tandis qu'il s'efforçait de se reprendre. Sans que je sache comment, peut-être par la seule force de sa volonté – la toute dernière –, il a réussi à murmurer à mon oreille.

Ce qu'il m'a dit m'a fait blêmir.

— Non. S'il vous plaît, Suleiman, ai-je articulé à travers la boule qui s'était logée dans ma gorge.

Tu as promis.

— Pas tout de suite. Je vais vous soigner. Vous verrez. On surmontera ça, comme on l'a toujours fait.

Tu as promis.

Combien de temps suis-je resté là, près de lui ? Combien de temps ai-je tenté de négocier ? Je ne sais plus, monsieur Markos. Je me rappelle en revanche que j'ai fini par me lever et que j'ai contourné le lit pour m'allonger près de lui. Je l'ai roulé sur le côté, face à moi. Il était léger comme un rêve. J'ai déposé un baiser sur ses lèvres sèches et craquelées, puis j'ai appuyé un oreiller entre son visage et ma poitrine, j'ai passé la main derrière sa tête et je l'ai serré contre moi longuement, fermement.

Après ça, tout ce dont je me souviens, c'est la manière dont ses pupilles s'étaient dilatées.

Je me suis approché de la fenêtre et me suis assis, la tasse de thé de Suleiman toujours sur le plateau à mes pieds. C'était un matin ensoleillé. Les boutiques allaient bientôt ouvrir, si ce n'était pas déjà fait. Des petits garçons se rendaient à l'école. De la poussière flottait dans l'air. Un chien gambadait paresseusement dans la rue, escorté par un nuage noir de moustiques qui tournoyaient au-dessus de lui. J'ai regardé deux jeunes hommes passer en moto. Le passager, assis à califourchon sur le porte-bagage arrière, avait hissé un écran d'ordinateur sur une épaule et une pastèque sur l'autre.

J'ai appuyé le front contre le carreau chaud de la fenêtre.

Le message dans le tiroir de Suleiman était un testament par lequel il me léguait tout. La maison, son argent, ses affaires personnelles, et même la voiture, pourtant réduite à l'état d'épave depuis longtemps. Sa carcasse gisait toujours dans le jardin sur ses pneus dégonflés, tel un amas de métal rouillé.

Au début, je me suis senti littéralement perdu. J'avais pris soin de Suleiman durant plus d'un demi-siècle. Mon existence quotidienne avait été définie par ses besoins, sa compagnie. À présent, j'étais libre de faire ce que je voulais, mais cette liberté m'est apparue illusoire, car ce que je désirais le plus m'avait été retiré. Il faut se donner un but dans la vie et vivre en conséquence, dit-on. Sauf que, parfois, c'est seulement après avoir vécu que votre vie se révèle pourvue d'un but – et sans doute un but auquel vous n'aviez jamais pensé. Moi, j'avais atteint le mien et je me retrouvais désormais désœuvré et à la dérive.

Il m'était impossible de continuer à dormir dans la maison. C'était à peine si je supportais d'y rester. Suleiman disparu, elle me semblait bien trop grande pour moi. Et chaque pièce, chaque recoin m'évoquait de vieux souvenirs. Je suis donc retourné dans ma vieille cabane au fond du jardin. J'ai chargé quelques ouvriers de m'installer l'électricité afin que j'aie de la lumière pour lire et un ventilateur pour m'apporter un peu de fraîcheur en été. Quant à l'espace, il ne m'en fallait pas beaucoup. Mes biens se résumaient pour ainsi dire à un lit, quelques habits et la boîte contenant les dessins de Suleiman. Bien sûr, cela peut vous paraître bizarre, monsieur Markos. Légalement, la maison m'appartenait, avec tout ce qu'elle renfermait, mais je ne me sentais vraiment propriétaire d'aucun de ces biens, et je savais qu'il en serait toujours ainsi.

J'ai beaucoup lu. Je prenais des livres dans l'ancien bureau de Suleiman et rangeais chacun d'eux à sa place après l'avoir fini. J'ai planté des tomates, quelques pieds de menthe. Je me suis promené dans le quartier, mais souvent, mes genoux me faisaient souffrir avant que j'aie parcouru deux pâtés de maisons, si bien que j'étais contraint de rentrer. Parfois aussi, je sortais une chaise dans le jardin et je paressais là. Je n'étais pas comme Suleiman. La solitude ne me convenait pas.

Et puis un jour, en 2002, vous avez sonné au portail.

À ce moment-là, les talibans avaient été expulsés par l'Alliance du Nord et les Américains étaient arrivés en Afghanistan. Des milliers de travailleurs humanitaires affluaient à Kaboul des quatre coins du monde pour construire des hôpitaux et des écoles, réparer les routes et les canaux d'irrigation, apporter de la nourriture, des abris et des emplois.

Vous étiez accompagné d'un jeune Afghan du coin qui portait une veste violet vif et des lunettes de soleil. Il a demandé à parler au propriétaire de la maison et vous avez tous les deux échangé un bref regard quand j'ai dit que c'était moi.

— Non, Kaka. Le propriétaire, a-t-il insisté avec un sourire suffisant.

Je vous ai invités à entrer prendre un thé.

La conversation qui a suivi s'est déroulée dans la partie de la véranda qui avait survécu, devant des tasses de thé vert, et en farsi – comme vous le savez, monsieur Markos, j'ai appris à parler un peu anglais au cours des sept années qui se sont écoulées depuis, en grande partie grâce à vous et à votre générosité. Par l'intermédiaire de votre interprète, vous m'avez expliqué que vous veniez de Tinos, une île grecque. Vous étiez chirurgien, faisiez partie d'une équipe médicale venue à Kaboul opérer des enfants gravement blessés au visage, et vos collègues et vous aviez besoin d'une résidence – une *maison d'hôtes*, comme on appelle ça maintenant.

Vous avez voulu savoir combien j'exigerais pour vous héberger.

— Rien, ai-je dit.

Je me souviens encore de la manière dont vous avez cligné des yeux après que le jeune homme à la veste violette vous a traduit ma réponse. Vous avez répété votre question, en pensant peut-être que j'avais mal compris.

L'interprète s'est avancé sur le bord de sa chaise et s'est penché vers moi pour me parler d'un ton confidentiel. Il m'a demandé si j'avais perdu la tête, si j'avais la moindre idée de ce que votre équipe était prête à payer et du montant qu'atteignaient désormais les loyers à Kaboul. D'après lui, j'étais assis sur une mine d'or.

Je lui ai ordonné d'ôter ses lunettes de soleil quand il s'adressait à un ancien, puis de faire son travail, qui consistait à traduire, pas à donner des conseils. Je me suis ensuite tourné vers vous et vous ai exposé ma raison d'agir ainsi – la seule parmi beaucoup d'autres qui n'était pas d'ordre privé :

— Vous avez quitté votre pays, vos amis, votre famille, et vous êtes venu ici, dans cette ville désolée, pour aider ma patrie et mes concitoyens. Comment pourrais-je profiter de vous ?

Le jeune interprète, que je n'ai plus jamais revu à vos côtés, a levé les mains en l'air et ri avec consternation.

Ce pays a changé. Il n'a pas toujours été ainsi, monsieur Markos.

Parfois le soir, allongé seul chez moi dans le noir, je vois briller les lumières de la maison. Je vous observe, vous et vos amis – surtout cette brave Mlle Amra Ademovic, dont l'incroyable bonté m'inspire une admiration sans bornes –, pendant que vous mangez, fumez et buvez votre vin, installés sur la véranda ou dans le jardin. J'entends la musique aussi, et lorsqu'il vous arrive d'écouter du jazz, je pense à Nila.

Elle est morte aujourd'hui, je le sais. Je l'ai appris par Mlle Amra. Je lui avais parlé des Wahdati, du fait que Nila avait été une poétesse, et elle a trouvé sur internet une anthologie des meilleurs articles publiés par une revue française au cours de ces quatre dernières décennies. L'un d'eux, consacré à Nila, expliquait qu'elle était morte en 1974. J'ai songé à la futilité de toutes ces années pendant lesquelles j'avais espéré recevoir une lettre d'une femme qui n'était déjà plus. Je n'ai pas été tout à fait surpris d'apprendre qu'elle s'était suicidée. Je sais maintenant que certaines personnes sont malheureuses comme d'autres sont amoureuses : secrètement, intensément, irrémédiablement.

Permettez-moi d'en finir avec ce récit, monsieur Markos.

Ma fin est proche à présent. Elle ne saurait plus tarder, tant je m'affaiblis de jour en jour – Dieu soit loué. Je tenais à vous remercier, monsieur Markos, pour votre amitié, pour avoir pris le temps de me rendre visite chaque jour, de boire un thé avec moi et de me faire part des nouvelles concernant votre mère à Tinos et votre amie d'enfance, Thalia. Et pour votre compassion envers mon peuple et les services inestimables que vous rendez à ses enfants.

Merci également pour les travaux de réparation que vous effectuez ici. J'ai passé la plus grande partie de ma vie dans cette maison, elle est mon foyer et je suis certain que je pousserai bientôt mon dernier soupir sous son toit. Après avoir assisté consterné et attristé à son déclin, j'ai éprouvé une joie immense à la voir repeinte et à découvrir le mur d'enceinte réparé, les fenêtres remplacées et la véranda reconstruite – moi qui y ai vécu tant de moments heureux. Merci, mon ami, pour les arbres que vous avez plantés et les fleurs qui s'épanouissent une fois de plus dans le jardin. Si j'ai contribué de quelque manière que ce soit à l'aide que vous apportez aux habitants de cette ville, alors ce que vous avez gracieusement fait dans cette maison est une compensation plus que suffisante à mes yeux.

Mais, au risque de paraître insatiable, je me permets de solliciter deux faveurs, la première pour moi, et la seconde pour quelqu'un d'autre. Tout d'abord, j'aimerais que vous me fassiez enterrer dans le cimetière d'Ashuqan-Arefan, ici à Kaboul. Je suis sûr que vous le connaissez. Depuis l'entrée principale, dirigez-vous vers l'extrémité nord. En cherchant un peu, vous tomberez sur la tombe de Suleiman Wahdati. Procurez-moi un emplacement à proximité et faites-moi enterrer là. C'est tout ce que je demande en ce qui me concerne.

Ensuite, j'aimerais que vous essayiez de retrouver ma nièce Pari quand je serai mort. Si elle est toujours vivante, cela ne devrait pas être trop difficile – internet est un outil merveilleux. Comme vous pouvez le constater, j'ai joint à cette lettre mon testament, dans lequel je lui lègue la maison, l'argent et mes quelques affaires. Je vous prie de lui remettre les deux. Et, s'il vous plaît, dites-lui que j'ignore les multiples conséquences qu'a entraînées mon geste d'autrefois. Dites-lui

163

que je ne puise de réconfort que dans l'espoir. L'espoir que, peut-être, où qu'elle soit aujourd'hui, elle reçoit autant de paix, de grâce, d'amour et de bonheur que ce monde peut en donner.

Je vous remercie, monsieur Markos. Que Dieu vous protège.

Votre ami à jamais,

Nabi

5

Printemps 2003

L'INFIRMIÈRE, AMRA ADEMOVIC, A PRÉVENU IDRIS ET TIMUR.

— Si vous montrez réaction, même petite, elle sera fâchée, et moi je jette vous dehors, a-t-elle dit après les avoir entraînés à l'écart.

Ils se trouvent au bout d'un long couloir mal éclairé de l'aile réservée aux hommes à l'hôpital Wazir-Akbar-Khan. D'après Amra, le seul parent qu'ait encore la fille est son oncle, ou du moins est-ce le seul à lui avoir rendu visite, et il n'aurait pas été autorisé à venir la voir si elle avait été installée dans l'aile des femmes. Le personnel l'a donc mise ici, non pas dans une chambre – il aurait été indécent qu'elle en partage une avec des hommes qui n'étaient pas de sa famille –, mais au bout de ce couloir, dans ce no man et no woman's land.

— Et moi qui croyais que les talibans avaient quitté la ville, dit Timur.

— C'est fou, non ? répond Amra en laissant échapper un rire perplexe.

Depuis une semaine qu'il est de retour à Kaboul, Idris constate que ce ton à la fois exaspéré et amusé est très répandu parmi les humanitaires étrangers, qui doivent louvoyer entre les inconvénients et les particularités de la culture afghane. Ce droit à la moquerie joyeuse et cette libre condescendance le vexent un peu, mais le fait que les habitants de la ville ne semblent pas s'en rendre compte, ou bien le prennent comme une insulte, lorsqu'ils le font, l'incite à penser qu'il devrait probablement les imiter.

— Mais vous, on vous laisse aller et venir, fait remarquer Timur.

Amra hausse un sourcil.

— Moi, je ne compte pas. Pas afghane, alors pas vraie femme. Vous ne savez pas ça ?

Timur sourit sans se laisser démonter.

— Amra, dit-il. C'est un prénom polonais ?

— Bosniaque. (Pas de réaction.) Ici, c'est l'hôpital, pas le zoo. Vous promettez.

— Je promets.

Idris jette un coup d'œil à l'infirmière en craignant que ces taquineries quelque peu hardies et inutiles ne l'aient offensée, mais son cousin s'en tire apparemment à très bon compte. Il lui envie ce talent, tout en le lui reprochant. Timur lui est toujours apparu fruste, dépourvu d'imagination et de subtilité. Idris sait aussi qu'il trompe à la fois sa femme et le fisc. Il possède une société de courtage en prêt immobilier aux États-Unis et Idris est quasi certain qu'il trempe jusqu'au cou dans une histoire de fraude. Mais Timur est aussi extrêmement sociable et il parvient sans cesse à se faire pardonner ses fautes par sa bonne humeur, son côté résolument sympathique et son air faussement innocent, si séduisant, auxquels succombent tous les gens qu'il rencontre. Son physique ne gâche rien non plus – corps musclé, yeux verts et sourire encadré de fossettes. Timur, estime Idris, est un homme adulte qui jouit des privilèges d'un enfant.

— Bien, dit Amra. D'accord.

Elle tire un drap cloué au plafond en guise de rideau et les laisse passer.

La fille – Roshi, comme Amra l'a appelée, autrement dit Roshana – semble avoir neuf ans, peut-être dix. Elle est assise sur un lit au cadre métallique, le dos au mur et les genoux ramenés contre la poitrine. Idris baisse aussitôt les yeux en ravalant un cri d'exclamation avant qu'il puisse lui échapper. Mais, il fallait s'y attendre, Timur se révèle incapable d'une telle retenue.

— Oh ! Oh ! Oh ! répète-t-il d'une voix basse et peinée en faisant claquer sa langue.

Idris n'est pas surpris de voir des larmes théâtrales trembloter dans ses yeux.

La fille cille et pousse un grognement.

— OK, fini, on s'en va maintenant, dit sèchement Amra.

Dehors, sur les marches à moitié en ruine du perron, l'infirmière sort un paquet de Marlboro de la poche de poitrine de sa tenue bleu pâle. Timur, dont les larmes ont disparu aussi vite qu'elles se sont matérialisées, prend une cigarette et allume celle d'Amra et la sienne. Idris se sent nauséeux, pris de vertiges. La bouche sèche, il redoute de vomir et de se couvrir de ridicule, ce qui confirmerait l'opinion qu'Amra doit avoir de lui, d'eux – les riches exilés incrédules revenus au pays contempler bouche bée le carnage maintenant que les croque-mitaines sont partis.

Il s'attendait à ce que l'infirmière les sermonne tous les deux, ou au moins Timur, mais son comportement est plus aguicheur que sévère. Tel est l'effet de son cousin sur les femmes.

— Alors, lance-t-elle avec coquetterie. Que dites-vous, Timur ?

Aux États-Unis, Timur se fait appeler « Tim ». Il a changé son nom après le 11-Septembre et prétend qu'il a presque doublé son chiffre d'affaires depuis. Perdre ces deux lettres, a-t-il dit à Idris, a déjà fait plus pour sa carrière qu'un diplôme universitaire – diplôme qu'il ne possède pas de toute façon, puisqu'il n'est pas allé à la fac. C'est Idris, l'érudit de la famille Bashiri. Seulement, depuis qu'ils sont arrivés à Kaboul, Timur ne s'est présenté que sous son vrai nom. C'est une duperie qui ne fait de mal à personne, une duperie nécessaire même. Mais cela agace Idris.

— Désolé pour tout à l'heure, dit Timur.

— Peut-être je vais vous punir.

— Doucement, ma belle.

Amra se tourne vers Idris.

— Bon. Lui, c'est le cow-boy. Et vous, le silencieux, le sensible. Vous êtes… comment on appelle ça ? *Introverti*.

— Il est médecin, l'informe Timur.

— Ah ? C'est sûrement choquant pour vous alors. Cet hôpital.

— Qu'est-il arrivé à cette fille ? demande Idris. Roshi. Qui lui a fait ça ?

Amra se rembrunit, et lorsqu'elle lui répond, c'est avec une détermination toute maternelle.

— Je me bats pour elle. Je me bats contre gouvernement, contre bureaucratie à l'hôpital, contre neurochirurgien connard. Tout le temps, je me bats pour elle. Je n'arrête pas. Elle n'a personne.

— Je croyais qu'elle avait un oncle.

— Un connard, aussi, réplique Amra en tapotant sa cigarette. Alors, pourquoi vous venez ici, les garçons ?

Timur se lance dans un récit plus ou moins véridique. Il explique qu'Idris et lui sont cousins, que leur famille a fui après l'invasion des Soviétiques, qu'ils ont passé un an au Pakistan avant de s'installer en Californie au début des années 1980. C'est la première fois en vingt ans que tous deux rentrent au pays. Mais ensuite, il ajoute qu'ils sont là pour « se reconnecter », pour « s'instruire », pour pouvoir « témoigner » des conséquences de toutes ces années de guerre et de destruction. Ils veulent retourner aux États-Unis, dit-il, afin de sensibiliser les gens, de lever des fonds et de « donner quelque chose en retour de ce qu'ils ont reçu dans la vie ».

— On veut donner quelque chose en retour, répète-t-il en prononçant ces mots éculés avec tant de sérieux qu'Idris en est gêné.

Bien sûr, Timur n'avoue pas la vraie raison de leur voyage à Kaboul : réclamer la propriété qui a appartenu à leurs pères, celle où Idris et lui ont vécu jusqu'à quatorze ans. Sa valeur atteint des sommets depuis que des milliers d'humanitaires étrangers ont déferlé en ville en cherchant un endroit où loger. Ils sont passés la voir plus tôt ce jour-là et ont découvert qu'elle accueillait pour l'heure un groupe disparate et fatigué de soldats de l'Alliance du Nord. En partant, ils ont croisé un homme d'âge mûr qui habitait trois maisons plus loin de l'autre côté de la rue, un chirurgien esthétique grec du nom de Markos Varvaris. L'homme leur a offert à déjeuner et a proposé de leur faire visiter l'hôpital Wazir-Akbar-Khan, où l'ONG qui l'emploie possède un bureau. Il les a aussi conviés à une fête ce soir-là. Timur et Idris ont eu vent de l'existence de la fille seulement en arrivant à l'hôpital, lorsqu'ils ont surpris la conversation de deux aides-infirmiers qui parlaient d'elle sur les marches de l'entrée. « On devrait aller voir ça, vieux », a dit Timur en donnant un coup de coude à Idris.

L'air ennuyée par son histoire, Amra jette sa cigarette et resserre l'élastique qui maintient coiffés en chignon ses cheveux blonds bouclés.

— Bon. Je vous retrouve ce soir pendant la fête ?

C'était le père de Timur, l'oncle d'Idris, qui les avait envoyés à Kaboul. Mais la maison de la famille Bashiri avait changé de mains un certain nombre de fois en vingt années de guerre et faire reconnaître leurs droits sur elle prendrait du temps et de l'argent. Des milliers d'affaires de litiges immobiliers encombraient déjà les tribunaux du pays. Le père de Timur leur avait dit qu'ils devraient « manœuvrer » au sein de la bureaucratie afghane, notoirement lente et pesante – un euphémisme pour « chercher les bonnes personnes à qui graisser la patte ».

— C'est mon rayon, ça, avait déclaré Timur, comme s'il était nécessaire de le préciser.

Le père d'Idris était mort neuf ans plus tôt après un long combat contre le cancer. Il s'était éteint chez lui, entouré de sa femme, de ses deux filles et d'Idris. Ce jour-là, une foule entière avait envahi la maison. Oncles, tantes, cousins, amis et connaissances – tous avaient pris place sur les canapés et les chaises, et, quand il n'était plus resté un seul siège libre, par terre et dans l'escalier. Les femmes s'étaient rassemblées dans la salle à manger et la cuisine pour préparer des thermos de thé à la chaîne. Fils unique du défunt, Idris avait dû signer tous les papiers – ceux pour le médecin chargé de constater le décès et ceux pour les jeunes hommes affables de l'entreprise de pompes funèbres, venus chercher le corps avec un brancard.

Timur ne l'avait pas quitté un seul instant. Il l'avait aidé à répondre aux appels téléphoniques. Il avait salué les gens qui affluaient par vagues afin de présenter leurs condoléances. Il avait commandé du riz et de l'agneau à l'Abe's Kabob House, un restaurant afghan du coin tenu par son ami Abdullah, qu'il surnommait par plaisanterie « oncle Abe[1] ». Il avait garé les voitures des invités âgés lorsqu'il s'était mis à pleuvoir. Enfin, il avait appelé un de ses copains qui travaillait pour l'une des chaînes de télévision afghanes locales et fait en sorte qu'une annonce soit diffusée à l'antenne le soir même – contrairement à Idris, il comptait de nombreuses relations au sein de leur communauté et s'était même vanté devant lui d'avoir plus de trois cents contacts dans son téléphone portable.

Ce jour-là, au début de l'après-midi, il avait conduit Idris à la maison de pompes funèbres à Hayward. Il tombait des trombes d'eau et la circulation était ralentie sur la 680 en direction du nord.

— Ton père, il avait de la classe, vieux. Il faisait partie de la vieille école, avait-il dit en prenant la sortie Mission, sans cesser d'essuyer ses larmes avec sa main libre.

Idris avait acquiescé gravement. Depuis toujours, il était incapable de pleurer en présence d'autrui, y compris lors d'événements tels que des funérailles, où cela s'imposait. Il y voyait un handicap mineur comparable au daltonisme. Pourtant, il en voulait vaguement à Timur – de manière tout à fait irrationnelle, il le savait – de le reléguer ainsi au second plan par son empressement à s'occuper de tout et par ses sanglots dramatiques. Comme si c'était son père à *lui* qui était mort.

Ils avaient été conduits dans une pièce silencieuse à peine éclairée, aux meubles massifs et sombres. Là, un

---

1. Surnom d'Abraham Lincoln.

homme en veste noire, les cheveux séparés au milieu par une raie, les avait accueillis. Il sentait le café hors de prix. D'un ton très professionnel, il avait présenté ses condoléances à Idris et lui avait fait signer le formulaire d'autorisation d'inhumation. Puis il avait demandé combien de copies du certificat de décès la famille désirait. Une fois tous les papiers remplis, il lui avait remis avec diplomatie une brochure intitulée « tarifs généraux » en s'éclaircissant la gorge.

— Bien évidemment, ces prix ne s'appliquent pas si votre père était un fidèle de la mosquée afghane de Mission. Nous avons conclu un partenariat avec eux. Ils paieraient pour l'emplacement au cimetière et le service religieux. Tous vos frais seraient couverts.

— J'ignore complètement s'il était membre de cette mosquée ou pas, avait répondu Idris en étudiant la brochure.

Son père avait été un homme pieux, il le savait, mais en privé. Il s'était rarement rendu à la prière du vendredi.

— Voulez-vous que je vous laisse une minute ? Vous pourriez appeler la mosquée.

— Non, pas la peine, s'était interposé Timur. Il n'en était pas membre.

— Vous en êtes sûr ?

— Ouais, je me souviens d'une conversation.

— Très bien.

Dehors, les deux cousins avaient partagé une cigarette près du 4 × 4. Il ne pleuvait plus.

— C'est du vol, avait commenté Idris.

— Mais reconnais que la mort, c'est un bon business, avait répliqué Timur en crachant dans une flaque sombre. La demande ne faiblit jamais dans ce domaine. Merde, ça marche mieux que la vente de bagnoles.

À l'époque, il était copropriétaire d'une concession de voitures d'occasion. L'entreprise avait accumulé des pertes sévères jusqu'à ce qu'il la reprenne avec un de ses amis. En moins de deux ans, il en avait fait une affaire rentable. C'est un *self-made man*, aimait répéter le père d'Idris. Idris, pendant ce temps, gagnait un salaire de misère en bouclant sa deuxième année de spécialisation en médecine générale à l'université de Davis. Sa femme, Nahil, épousée un an plus tôt, travaillait quant à elle trente heures par semaine en tant que secrétaire dans un cabinet d'avocats et préparait en parallèle ses LSAT, un examen conditionnant l'admission en fac de droit.

— C'est un prêt, avait insisté Idris. On est bien d'accord, hein ? Je te rembourserai.

— Comme tu veux. Mais t'inquiète pas pour ça, vieux.

Ce n'était pas la première fois que Timur lui venait en aide – et ce ne serait pas la dernière. En cadeau de mariage, son cousin lui avait offert un Ford Explorer neuf. Il avait également cosigné le prêt contracté par Idris et Nahil pour acheter un petit appartement à Davis. Dans la famille, il était de loin l'oncle préféré de tous les enfants. Si un jour Idris avait un coup de fil à passer, un seul, ce serait quasi certainement à Timur.

Et pourtant.

Idris avait découvert que tout le monde autour de lui était au courant de la cosignature du prêt. Timur l'avait fait savoir. Et au mariage, ce dernier avait interrompu la musique pour faire une déclaration, avant que la clé de l'Explorer soit apportée à Idris et Nahil avec pompe – sur un plateau, rien de moins – devant un public attentif. Les flashs avaient crépité. C'était ce qu'Idris avait redouté : le côté tape-à-l'œil, la frime, une manière éhontée de se mettre en scène, les fanfaronnades. Il n'aimait pas penser ainsi à son cousin, qui était pour lui ce qui se rapprochait le plus d'un frère, mais il lui semblait que Timur était un homme qui rédigeait son propre dossier de presse, et sa générosité, soupçonnait-il, était un aspect calculé d'un personnage très complexe.

Idris et Nahil avaient eu une petite dispute à son sujet un soir, alors qu'ils changeaient les draps du lit.

Tout le monde a envie d'être aimé, avait-elle dit. *Pas toi ?*

D'accord, mais je ne suis pas prêt à payer pour ce privilège.

Elle lui avait reproché d'être injuste, et ingrat aussi, après tout ce que Timur avait fait pour eux.

Tu ne comprends pas, Nahil. Tout ce que je dis, c'est qu'il est grossier de placarder ses bonnes actions sur un tableau d'affichage. Il gagnerait à agir discrètement, dignement. Signer des chèques en public, ça ne correspond pas tout à fait à la définition de la gentillesse.

Mais ça s'en rapproche beaucoup, chéri, avait-elle rétorqué en faisant claquer le drap.

— Bon Dieu, je me souviens de cet endroit, dit Timur en levant les yeux vers la maison. Comment s'appelait le propriétaire, déjà ?

— Wahdati, je crois. J'ai oublié son prénom.

Idris repense à tous les moments où, enfants, Timur et lui ont joué dans cette rue, devant ce portail. Ce n'est qu'aujourd'hui, des décennies plus tard, qu'ils le franchissent pour la première fois.

— « Les voies du Seigneur… », marmonne Timur.

La maison, ordinaire, a été construite sur un étage. Aux États-Unis, elle attirerait à Idris les foudres de l'Association des propriétaires de son quartier à San Jose. Mais pour Kaboul, c'est une demeure somptueuse, avec de hauts murs, un portail métallique et une large allée. Pendant qu'un garde armé les conduit à l'intérieur, Idris constate que, à l'image de beaucoup de choses à Kaboul, la maison conserve une partie de sa splendeur passée malgré les dégâts qui lui ont été infligés – et ils sont nombreux : impacts de balles et fissures zigzagantes sur les murs noircis, briques apparentes sous les grosses portions manquantes de plâtre, buissons desséchés dans l'allée, arbres nus dans le jardin, gazon jauni. Plus de la moitié de la véranda qui domine l'arrière de la maison a disparu. Mais, à l'image de beaucoup de choses aussi à Kaboul, les signes d'une renaissance lente et hésitante sont visibles çà et là. Quelqu'un a commencé à repeindre la maison et planté des rosiers dans le jardin. La partie détruite du mur donnant à l'est a été remplacée, quoiqu'un peu maladroitement. Une échelle appuyée contre le côté rue de la maison donne à penser à Idris que le toit est en cours de réparation, et il en va de même pour la véranda.

Ils croisent Markos dans le vestibule. Les cheveux gris, le front dégarni et les yeux bleu clair, l'homme porte une tenue afghane grise et un *keffieh* à carreaux noirs et blancs enroulé avec élégance autour de son cou. Il les introduit dans une pièce bruyante et enfumée.

— J'ai du thé, du vin et de la bière. À moins que vous ne préfériez un remontant plus costaud ?

— Je suis preneur de tout ce que vous avez, dit Timur.

— Oh, vous me plaisez, vous. Là, près de la chaîne hi-fi. Vous ne risquez rien avec les glaçons, au fait. Ils sont préparés avec de l'eau en bouteille.

— Tant mieux.

Timur est dans son élément à des soirées comme celle-là et Idris ne peut s'empêcher d'admirer son aisance, son don pour les petites plaisanteries sarcastiques, son charme maîtrisé. Il le suit vers le bar, où son cousin prend une bouteille rouge pour leur servir à chacun un verre.

Une vingtaine d'invités ont pris place sur des coussins autour de la pièce. Le sol est recouvert d'un tapis afghan bordeaux. Le décor, discret, de bon goût, correspond à ce qu'Idris a fini par appeler « le chic des expat' ». Un CD de Nina Simone passe doucement. Tout le monde boit, fume – à quelques exceptions près – et parle de la nouvelle guerre en Iraq et de ses probables conséquences pour l'Afghanistan. Dans un coin, un téléviseur allumé sur CNN International, le son coupé, montre Bagdad de nuit. Filmée en plein durant l'opération « Choc et effroi », la ville s'illumine d'éclairs verts incessants.

Une vodka à la main, ils sont rejoints par Markos et deux jeunes Allemands à la mine sérieuse, employés du Programme alimentaire mondial. Comme tant d'humanitaires rencontrés à Kaboul, Idris les trouve vaguement intimidants, du genre à bien connaître la vie et à n'être jamais impressionnés.

— Jolie maison, commente-t-il à l'intention de Markos.

— Il faut dire ça au propriétaire.

Markos traverse la pièce et revient en compagnie d'un vieil homme maigre à l'épaisse chevelure poivre et sel coiffée en arrière, à la barbe soigneusement taillée et aux joues creuses de ceux qui ont perdu presque toutes leurs dents. Il porte un costume couleur olive élimé, beaucoup trop grand pour lui, qui était peut-être à la mode dans les années 1940. Markos le fixe avec une affection non dissimulée.

— Nabi *jan* ? s'exclame Timur.

Soudain, Idris se souvient.

Le vieil homme leur sourit timidement.

— Excusez-moi, nous nous sommes déjà rencontrés ?

— Je suis Timur Bashiri, dit Timur en farsi. Ma famille habitait autrefois dans cette rue.

— Oh, mon Dieu ! Timur *jan* ? Et vous, vous devez être Idris *jan* ?

Celui-ci hoche la tête en lui retournant son sourire.

Nabi les serre tous les deux contre lui. Il les embrasse sur la joue, l'air ravi, et les dévisage avec incrédulité. Idris le revoit promener son employeur, M. Wahdati, qu'il poussait dans un fauteuil roulant. Parfois, ils s'arrêtaient sur le trottoir et les regardaient jouer au foot avec les gamins du quartier, Timur et lui.

— Nabi *jan* vit ici depuis 1947, dit Markos, qui a passé un bras autour de ses épaules.

— C'est *vous* le propriétaire de cette maison maintenant ? demande Timur.

Nabi s'amuse de sa surprise.

— J'ai servi M. Wahdati de 1947 jusqu'à sa mort, en 2000. Il a eu la bonté de me léguer sa maison, oui.

— Il vous l'a *donnée* ? insiste Timur, incrédule.

— Oui.

— Vous deviez être un sacré cuisinier !

— Et vous, si je peux me permettre, vous m'avez laissé le souvenir d'un sacré garnement.

Timur se met à rire.

— Marcher droit, ça n'a jamais été mon truc, Nabi *jan*. Je laisse ça à mon cousin ici présent.

— Nila Wahdati, la femme du précédent propriétaire, était une poétesse, dit Markos à Idris en faisant
tourner son vin dans son verre. Elle a acquis une petite
notoriété, apparemment. Vous la connaissez ?

Idris secoue la tête.

— Tout ce que je sais, c'est qu'elle avait déjà quitté
le pays quand je suis né.

— Elle a vécu à Paris avec sa fille, intervient Tho-
mas, l'un des Allemands. Et elle est morte en 1974. Un
suicide, je crois. Elle avait des problèmes avec l'alcool
– enfin, c'est ce que j'ai lu. Quelqu'un m'a donné une
traduction allemande de l'un de ses premiers recueils, il
y a de ça un an ou deux. Je dois dire que je l'ai trouvé
très bon. Étonnamment sexuel, aussi, si je me souviens
bien.

Idris acquiesce, tout en se sentant de nouveau un peu
dépassé – cette fois parce qu'un étranger l'a instruit sur
une artiste de son pays. À quelques pas de lui, il entend
Timur engager une conversation animée avec Nabi sur
le montant des loyers à Kaboul. En farsi, bien sûr.

— Vous avez une idée des tarifs pour une maison
pareille, Nabi *jan* ? dit-il au vieil homme.

— Oui, répond Nabi, amusé. J'ai conscience des
prix du logement dans cette ville.

— Vous pourriez plumer ces types !

— Eh bien…

— Et vous les laissez vivre ici gratuitement ?

— Ils aident notre pays, Timur *jan*. Ils ont quitté
leurs maisons pour venir en Afghanistan. Je ne trouverais pas correct de les « plumer », comme vous dites.

Timur émet un grognement et vide son verre d'un
trait.

— Ma foi, soit vous détestez l'argent, mon ami, soit
vous valez beaucoup mieux que moi.

Amra entre dans la pièce, vêtue d'une tunique afghane bleu saphir et d'un jean délavé.

— Nabi *jan* ! s'exclame-t-elle, avant de l'embrasser sur la joue et de le prendre par le bras – ce qui semble le déstabiliser un peu. J'adore cet homme, ajoute-t-elle. Et j'adore le mettre dans l'embarras.

Elle lui répète ses paroles en farsi, à quoi il hoche la tête en riant et en rougissant légèrement.

— Et si vous essayiez plutôt de me mettre, *moi*, dans l'embarras ? dit Timur.

Amra lui donne une tape sur la poitrine.

— Celui-là, c'est un faiseur de problèmes.

Markos et elle s'embrassent à la mode afghane, trois fois sur la joue, puis elle fait de même avec les Allemands.

— Amra Ademovic, la présente Markos en enroulant un bras autour de sa taille. La travailleuse la plus acharnée de Kaboul. Mieux vaut éviter de la contrarier. Et sachez aussi qu'elle tient l'alcool comme personne. Vous roulerez sous la table avant elle.

— On va vérifier ça tout de suite, dit Timur en s'emparant d'un verre sur le bar derrière lui.

Le vieil homme, Nabi, en profite pour s'éclipser.

Durant une heure environ, Idris se mêle aux invités, ou du moins tente de le faire. À mesure que les bouteilles se vident, les conversations deviennent de plus en plus stridentes – en allemand, en français, et dans une langue qu'il suppose être du grec. Il boit une autre vodka, suivie d'une bière tiède, puis, face à un groupe de personnes, trouve le courage de glisser une blague qu'il a apprise en Californie sur le mollah Omar. Seulement elle ne se révèle pas si amusante une fois traduite en anglais, et il la raconte de façon trop nerveuse, si bien qu'elle tombe à plat. Il s'éloigne vers un autre groupe de convives et les écoute discuter d'un pub irlandais censé ouvrir bientôt à Kaboul. De l'avis général, l'affaire ne tiendra pas la route.

Durant un moment, il continue à aller et venir dans la pièce, sa bière chaude à la main. N'ayant jamais été à l'aise dans ce genre de soirée, il tente de s'occuper en examinant les lieux. Il y a des posters des bouddhas de Bamiyan et d'une partie de *buzkashi*[1], un autre d'un port dans une île grecque nommée Tinos, dont il n'a jamais entendu parler. Il repère aussi une photo encadrée dans l'entrée. En noir et blanc, un peu floue, elle semble avoir été prise avec un appareil artisanal. Une jeune fille aux longs cheveux bruns assise sur un rocher, face à l'océan, y tourne le dos à l'objectif. L'angle gauche inférieur du cliché donne l'impression d'avoir été brûlé.

Le dîner comprend du jarret d'agneau au romarin piqué de petites gousses d'ail ainsi que de la salade au fromage de chèvre et des pâtes au pesto. Idris se sert un peu de salade, qu'il finit par manger du bout des dents dans un coin de la pièce. Timur, lui, est assis avec deux jeunes Danoises séduisantes – comme un roi entouré de sa cour, songe Idris. Un éclat de rire retentit et l'une des femmes effleure le genou de son cousin.

Il sort sur la véranda avec son verre de vin et s'assoit sur un banc en bois. Il fait nuit à présent et l'endroit n'est éclairé que par deux ampoules suspendues au plafond. De là où il est, il aperçoit les contours d'une sorte de cabane au fond de la propriété et, à droite du jardin, une grosse, longue et vieille voiture, probablement américaine à en juger par ses courbes, et aux quatre

---

1. *Buzkashi* : jeu très populaire en Afghanistan, dans lequel des cavaliers se disputent une carcasse de chèvre décapitée.

pneus crevés, semble-t-il. Un modèle des années 1940, ou peut-être du début des années 1950, il n'arrive pas à bien distinguer. De toute façon, il n'a jamais été un grand amateur de voitures. Il est sûr que Timur saurait ça, lui. Il lui assénerait le modèle, l'année, la puissance du moteur et toutes les options. Un chien du quartier lâche une série d'aboiements. À l'intérieur de la maison, quelqu'un a mis un CD de Leonard Cohen.

— Silencieux et sensible.

Les pieds nus, Amra le rejoint sur le banc. Des glaçons tintent dans son verre.

— Votre cousin cow-boy, il est la vie de cette fête.

— Je n'en suis pas surpris.

— Il est très beau. Il est marié ?

— Et père de trois enfants.

— Dommage. Je me tiens bien, alors.

— Il serait certainement déçu d'entendre ça.

— J'ai des règles. Vous ne l'aimez pas beaucoup…

Idris lui répond en toute sincérité que Timur est presque un frère pour lui.

— Mais il vous fait de la honte.

En effet. C'est vrai, Timur lui a déjà fait honte. Son comportement est celui d'un Afghano-Américain éminemment abject. Débarqué dans cette ville ravagée par la guerre avec l'air d'y être chez lui, il tape les habitants dans le dos avec bonhomie, il leur donne du *mon frère, ma sœur, mon oncle*, il fait la charité avec ostentation aux mendiants en puisant dans ce qu'il appelle *sa bourse à bakchichs*, il plaisante avec des femmes âgées qu'il appelle *mère* et qu'il pousse à raconter leur histoire devant son caméscope, et il les écoute avec une mine désolée, en se prétendant l'un des leurs, comme s'il avait été là depuis le début, comme s'il n'avait pas soulevé des poids dans un club de gym de San Jose pour renforcer ses pectoraux et ses abdominaux au moment où ces gens se faisaient bombarder, assassiner ou violer. Tout cela est hypocrite et de mauvais goût, et Idris s'étonne que personne ne voie clair dans son jeu.

— Ce qu'il vous a raconté n'est pas la vérité, dit-il. Nous sommes venus ici faire valoir nos droits sur la maison qui appartenait à nos pères. C'est tout. Il n'y a pas d'autre raison.

Amra laisse échapper un petit ricanement.

— Je le sais. J'étais bernée, vous pensez ? J'ai eu affaire aux seigneurs de guerre et aux talibans de ce pays. J'ai tout vu. Rien ne peut me donner un choc. Aucune chose, aucune personne ne peut me berner.

— J'imagine bien.

— Vous êtes honnête, vous, au moins.

— Je considère juste que nous devons respecter les habitants de cette ville et tout ce qu'ils ont subi. Et par « nous », j'entends les gens tels que Timur et moi. Les chanceux. Ceux qui n'étaient pas là quand le pays était bombardé. Nous ne sommes pas comme les Afghans restés ici et nous ne devrions pas faire semblant de l'être. Les histoires qu'ils ont à raconter... nous ne sommes pas *en droit* de les écouter... mais je divague, là.

— Divague ?

— Je dis n'importe quoi.

— Non, je comprends. Pour vous, ces histoires, c'est un cadeau qu'ils vous font.

— Un cadeau, oui.

Ils sirotent encore quelques gorgées de vin et continuent à discuter un moment. C'est la première conversation sincère qu'Idris a depuis qu'il a atterri à Kaboul – une conversation dénuée des moqueries subtiles et des vagues reproches qu'il a perçus chez les locaux, les fonctionnaires, les employés des agences humanitaires.

En réponse à ses questions, Amra lui explique qu'elle a servi au Kosovo avec les Nations unies, au Rwanda après le génocide, en Colombie et au Burundi. Elle s'est aussi occupée d'enfants prostitués au Cambodge. Débarquée à Kaboul un an plus tôt, elle en est à sa troisième mission, cette fois avec une petite ONG pour laquelle, en plus de travailler à l'hôpital, elle tient un dispensaire mobile le lundi. Mariée deux fois, divorcée deux fois, pas d'enfant. Idris a du mal à deviner son âge, même s'il est probable qu'elle est plus jeune qu'elle n'en a l'air. L'éclat d'une beauté pâlissante et une sexualité brute de décoffrage transparaissent derrière ses dents jaunissantes et les poches de fatigue sous ses yeux. Dans quatre ans, cinq peut-être, estime-t-il, eux aussi auront disparu.

— Vous voulez savoir ce qui est arrivé à Roshi ? lance-t-elle soudain.

— Vous n'êtes pas obligée de me le dire.

— Vous pensez que je suis ivre ?

— Vous l'êtes ?

— Un petit peu. Mais vous êtes un type honnête, avoue-t-elle en lui donnant une tape sur l'épaule, doucement, presque par jeu. Vous demandez pour les bonnes raisons. Les autres Afghans comme vous, ceux qui viennent de l'Ouest, ce sont rien que... comment dites-vous déjà ? Des curieux ?

— Des voyeurs.

— Voilà.

— Ça s'apparente à de la pornographie.

— Mais peut-être vous êtes gentil, vous.

— Si vous me dites ce qui est arrivé à Roshi, je considérerai que vous me faites un cadeau.

Alors elle lui raconte.

Roshi habitait avec ses parents, ses deux sœurs et son petit frère dans un village situé à un tiers de la distance entre Kaboul et Bagram. Un vendredi du mois précédent, son oncle, le frère aîné de son père, était venu les voir. Cela faisait presque un an que les deux hommes avaient un différend au sujet de la propriété où Roshi vivait avec sa famille. L'oncle considérait qu'elle lui appartenait de droit, puisqu'il était l'aîné, mais leur père l'avait léguée à son cadet, qui se trouvait être son fils préféré. Le jour de sa visite, cependant, tout allait bien.

— Il veut terminer la dispute, il a dit.

En prévision de sa venue, la mère de Roshi avait tué deux poulets, fait cuire une grande casserole de riz aux raisins secs et acheté des grenades au marché. Quand l'oncle est arrivé, son frère et lui se sont embrassés et donné l'accolade. Le père de Roshi l'a même serré si fort qu'il l'a soulevé du tapis. La mère en a pleuré de soulagement. La famille s'est ensuite assise par terre. Tout le monde a mangé et s'est resservi une fois, et encore une fois. Les grenades ont suivi. Il y a eu aussi du thé vert et des petites sucreries au caramel. Après ça, l'oncle s'est excusé en demandant à utiliser les latrines.

À son retour, il avait une hache à la main.

— Comme celles pour couper les arbres, précise Amra.

Le premier à périr a été le père de Roshi.

— Elle a dit qu'il n'a même pas su ce qui se passait. Il n'a rien vu.

Un simple coup sur la nuque, par-derrière. Il a été quasiment décapité. Puis ç'a été le tour de la mère. Elle s'est débattue, mais plusieurs coups portés à la figure et à la poitrine l'ont réduite au silence. À ce moment-là, les enfants hurlaient et couraient en tous sens. L'oncle s'est lancé à leur poursuite. L'une des sœurs de Roshi n'a pas eu le temps d'atteindre le couloir – il l'a attrapée par les cheveux et l'a plaquée par terre. Son autre sœur, elle, y est parvenue, mais Roshi a entendu son oncle défoncer la porte de sa chambre. Des cris ont résonné. Puis le silence est retombé.

— Alors Roshi, elle décide de s'enfuir avec son petit frère. Ils courent vers le dehors. Ils courent vers la porte d'entrée, mais elle est fermée à clé. L'oncle, c'est lui qui a fait ça, bien sûr.

Paniqués, désespérés, ils ont rebroussé chemin vers le jardin, oubliant peut-être qu'il n'y avait pas de porte là, pas d'issue possible, et que les murs étaient trop hauts pour qu'ils les escaladent. Lorsque l'oncle est sorti de la maison, Roshi a vu son petit frère âgé de cinq ans se jeter dans le *tandoor* où seulement une heure plus tôt leur mère avait fait cuire le pain. Il criait dans les flammes quand elle-même a trébuché et chuté par terre. Elle s'est retournée sur le dos juste à temps pour apercevoir le ciel bleu et la hache qui s'abattait sur elle. Après, ç'a été le vide.

Amra s'interrompt. À l'intérieur de la maison, Leonard Cohen chante une version live de « Who by Fire ».

Même s'il pouvait parler, ce dont il est incapable pour l'instant, Idris ne saurait pas quoi dire. Peut-être aurait-il fait une remarque, prononcé quelques mots traduisant son indignation et son impuissance, si ce drame avait été l'œuvre des talibans, ou d'al-Qaida, ou d'un commandant moudjahid mégalomane. Mais on ne peut l'imputer ni à Hekmatyar, ni au mollah Omar, ni à Ben Laden, ni à Bush et à sa guerre contre la terreur. Le motif ordinaire et totalement trivial de ce massacre rend en quelque sorte ce dernier plus terrible encore, et bien plus démoralisant. Le mot *insensé* lui vient à l'esprit, avant qu'il le ravale. C'est ce que les gens disent toujours. Un acte de violence *insensé*. Un meurtre *insensé*. Comme s'il était possible de commettre un meurtre sensé.

Il revoit cette fille, Roshi, recroquevillée contre le mur sur son lit d'hôpital, les genoux serrés, l'air si jeune. La fente au sommet de son crâne rasé, la grosse masse de tissus cérébraux qui en suintait, plantée là sur sa tête comme le nœud d'un turban sikh.

— Elle vous a dit tout ça elle-même ? demande-t-il enfin.

Amra acquiesce péniblement.

— Elle se souvient très bien. Chaque détail. Elle peut vous raconter chaque détail. J'aimerais qu'elle oublie, à cause des mauvais rêves.

— Son frère, qu'est-il devenu ?

— Trop de brûlures.

— Et l'oncle ?

Amra hausse les épaules.

— On nous dit, soyez prudents. Dans mon boulot, on nous dit, soyez prudents, soyez professionnels. Ce n'est pas une bonne idée de s'attacher. Mais Roshi et moi...

La musique cesse brusquement. Encore une coupure de courant. Durant quelques minutes, tout est noir en dehors du clair de lune. Idris entend les gens se plaindre dans la maison. Des lampes torches halogènes s'allument très vite.

— Je me bats pour elle, conclut Amra, sans jamais lever les yeux. Je n'arrête pas.

Le lendemain, Timur part avec les Allemands à Istalif, une ville renommée pour ses poteries.

— Tu devrais venir, Idris.

— Je préfère rester ici et en profiter pour lire.

— Tu peux faire ça à San Jose, vieux.

— J'ai besoin de me reposer. Je crois que j'ai trop bu à la soirée d'hier.

Après que les Allemands sont passés chercher Timur, Idris reste allongé un moment sur son lit en contemplant une affiche publicitaire décolorée des années 1960 accrochée au mur, sur laquelle quatre touristes blonds tout sourire randonnent au bord du lac de Band-e-Amir – un souvenir de sa propre enfance, ici à Kaboul, du temps où les guerres n'avaient pas encore éclaté, où tout ne s'était pas écroulé. En début d'après-midi, il sort se promener. Il marque une pause en chemin dans un petit restaurant pour manger des brochettes de viande, mais il lui est difficile de savourer son repas face aux jeunes visages crasseux qui le regardent à travers la devanture. Cela le bouleverse. Il doit reconnaître que Timur est plus doué que lui pour gérer ce genre de situation. Son cousin transforme toujours ça en jeu. Tel un sergent recruteur, il siffle et oblige les petits mendiants à se mettre en rang. Il sort ensuite de sa bourse à bakchichs quelques billets qu'il distribue un par un en claquant les talons et en faisant le salut militaire. Aux anges, les gamins lui rendent son salut et l'appellent Kaka. Parfois, ils s'accrochent même à ses jambes.

Après le repas, Idris prend un taxi et demande à être conduit à l'hôpital.

— Mais emmenez-moi d'abord au bazar, dit-il au chauffeur.

Une boîte à la main, il longe le couloir aux murs couverts de graffitis, avisant au passage les bâches en plastique qui ont remplacé les portes des chambres, un vieillard qui se traîne pieds nus avec un pansement sur l'œil, des patients étendus dans des pièces étouffantes d'où les ampoules des lampes ont disparu. Partout flotte une odeur corporelle âcre. Au bout du couloir, il marque une pause devant le rideau avant de l'ouvrir. Son cœur se serre à la vue de la fillette assise au bord du lit. Agenouillée devant elle, Amra brosse ses petites dents.

Un homme émacié, la peau brûlée par le soleil, la barbe en bataille et les cheveux bruns coupés très courts, a pris place de l'autre côté du lit. Il se lève vivement à l'arrivée d'Idris et appuie une main sur sa poitrine en s'inclinant. Une fois de plus, Idris est frappé de voir avec quelle facilité les gens du coin reconnaissent en lui un Afghan occidentalisé, et quel privilège injustifié le parfum de l'argent et du pouvoir lui confère dans cette ville. L'homme se présente à lui comme étant l'oncle maternel de Roshi.

— Vous êtes revenu, dit Amra en plongeant la brosse à dents dans un bol d'eau.

— J'espère que ça ne vous dérange pas.

— Pourquoi pas.

Idris s'éclaircit la gorge.

— *Salaam*, Roshi.

La fille se tourne vers Amra pour quêter sa permission.

— *Salaam*, répond-elle ensuite d'une voix hésitante et fluette.

— Je t'ai apporté un cadeau.

Idris baisse la boîte devant elle et l'ouvre. Le regard de l'enfant s'anime lorsqu'il en sort une petite télé et un magnétoscope. Il lui montre ensuite les quatre films qu'il a achetés. La boutique d'où ils proviennent ne proposait pour ainsi dire que des longs-métrages indiens, des films d'action ou d'arts martiaux avec Jet Li et Jean-Claude Van Damme, sans oublier l'intégrale de Steven Seagal. Mais il a quand même réussi à dénicher *E.T.*, *Babe, le cochon devenu berger*, *Toy Story* et *Le Géant de fer* – qu'il a déjà tous visionnés chez lui avec ses fils.

Amra demande à Roshi lequel lui fait envie. La fillette choisit *Le Géant de fer*.

— Tu vas adorer, dit Idris.

Il a du mal à la fixer en face. Ses yeux ne cessent de glisser vers le chaos sur sa tête, la bosse luisante formée par le tissu cérébral, l'enchevêtrement des veines et des vaisseaux capillaires.

Il n'y a pas de prise électrique dans cette partie du couloir et il faut du temps à Amra pour trouver une rallonge, mais une fois le téléviseur branché et les premières images du film apparues à l'écran, les lèvres de la fillette s'étirent en un sourire – un sourire qui fait prendre conscience à Idris à quel point, même à trente-cinq ans, il ne connaît rien du monde, de sa sauvagerie, de sa cruauté, de sa brutalité sans limites.

Après qu'Amra s'est excusée pour aller s'occuper d'autres patients, il s'assoit à côté du lit et regarde la cassette vidéo avec Roshi.

L'oncle reste là, présence silencieuse et impénétrable. À la moitié du dessin animé, le courant saute. Roshi se met à pleurer, mais l'homme se penche vers elle depuis sa chaise et lui saisit durement la main en murmurant quelques mots secs en pachtou – langue qu'Idris ne comprend pas. La fillette cille et tente de se dégager. Idris contemple sa petite main perdue dans celle de son oncle, à la poigne ferme et aux jointures blanches.

— Je reviendrai demain, Roshi, annonce-t-il en enfilant son manteau. On pourra regarder une autre cassette, si tu veux. Ça te dit ?

Pour toute réponse, Roshi se blottit sous les couvertures. Idris fait face à son oncle et imagine ce que Timur infligerait à cet homme – Timur qui, contrairement à lui, est incapable de résister à une émotion facile. *Laisse-moi dix minutes seul avec lui*, exigerait-il.

L'oncle le suit jusque sur les marches à l'entrée de l'hôpital.

— C'est moi, la vraie victime, Sahib, déclare-t-il alors.

Sans doute a-t-il vu l'expression stupéfaite d'Idris parce qu'il se reprend aussitôt.

— Bien sûr, c'est elle la victime. Mais je veux dire que j'en suis une, moi aussi. C'est évident pour vous, ça, vous êtes afghan. Mais ces étrangers, ils ne comprennent rien.

— Il faut que j'y aille.

— Je ne suis qu'un *mazdoor*, un simple laboureur. Je gagne un dollar, deux au maximum les bons jours, Sahib. Et j'ai déjà cinq enfants, dont l'un est aveugle. Et maintenant ça…

Il soupire et continue :

— Parfois, je me dis – Dieu me pardonne – qu'Allah aurait dû laisser Roshi… enfin, vous voyez. Cela aurait peut-être mieux valu. Parce que, je vous le demande à vous, Sahib, quel garçon voudra bien d'elle maintenant ? Elle ne trouvera jamais de mari. Et dans ce cas, qui devra prendre soin d'elle ? Moi. Il faudra que je le fasse toute ma vie.

Sentant qu'il a été piégé, Idris sort son portefeuille.

— Tout ce que vous pourrez, Sahib. Pas pour moi, bien sûr. Pour Roshi.

Idris lui tend deux billets. L'oncle cligne des yeux et lève la tête vers lui.

— Deux…

Mais il se tait aussitôt, comme s'il craignait d'alerter Idris sur une erreur.

— Achetez-lui des chaussures décentes, lui ordonne celui-ci avant de descendre les marches.

— Allah vous bénisse, Sahib ! lui crie l'oncle. Vous êtes un homme bon. Vous êtes un homme bon et généreux.

Idris repasse le lendemain, et le surlendemain. Bientôt, cela devient une routine et il est présent tous les jours au chevet de Roshi. Il finit par connaître les aides-soignants par leur nom, de même que les infirmiers qui travaillent au rez-de-chaussée, le concierge, les gardes à l'air famélique et fatigué à l'entrée de l'hôpital. Il tient ses visites aussi secrètes que possible. Il n'a pas parlé de Roshi à Nahil au téléphone. Il ne confie pas non plus à Timur où il va, ni pourquoi il ne se joint pas à lui durant son voyage à Paghman et lors d'une réunion avec un fonctionnaire du ministère de l'Intérieur. Mais son cousin l'apprend tout de même.

— Tant mieux pour toi, commente-t-il. Tu fais une bonne action.

Il observe un silence.

— Sois prudent, c'est tout.

— Tu veux dire qu'il faut arrêter d'aller la voir ?

— On part dans une semaine, vieux. Il ne faudrait pas qu'elle s'attache trop à toi.

Idris hoche la tête. Il se demande si Timur n'est pas vaguement jaloux de sa relation avec Roshi, et si même il ne lui en veut pas de lui voler cette occasion en or de jouer les héros. Timur émergeant au ralenti d'un bâtiment en flammes, un bébé dans les bras. Timur acclamé par la foule.

Reste que son cousin a raison. Ils doivent rentrer chez eux dans une semaine et la fillette a commencé à l'appeler Kaka Idris. Pour peu qu'il arrive en retard, il la découvre agitée. Ces jours-là, elle noue les bras autour de sa taille, en proie à un soulagement qui se lit sur son visage. Elle n'attend rien avec autant d'impatience que ses visites, lui a-t-elle avoué. Parfois, elle serre sa main entre les siennes pendant qu'ils regardent une cassette vidéo. Et lorsqu'il n'est pas avec elle, lui-même pense souvent au léger duvet blond sur ses bras, à ses petits yeux noisette, à ses jolis pieds, à ses joues rondes, à la manière dont elle pose son menton sur ses mains pendant qu'il lui lit un des livres d'enfant qu'il a achetés dans une librairie près du lycée français. Il s'est laissé aller à imaginer brièvement comment ce serait de la ramener avec lui aux États-Unis, quelle place elle pourrait se faire entre ses garçons, Zabi et Lemar. Au cours de l'année passée, Nahil et lui ont déjà évoqué la possibilité de faire un troisième enfant.

— Et maintenant ? dit Amra la veille de son départ.

Un peu plus tôt, Roshi a donné à Idris un dessin réalisé au crayon sur une des feuilles de l'hôpital servant à noter la température des patients. Deux silhouettes figurées par de simples traits y regardent la télévision. Il a montré celle avec les cheveux longs. *C'est toi ?*

Et ça, c'est vous, Kaka Idris.

Tu avais les cheveux longs avant ?

Ma sœur les brossait tous les soirs. Elle savait comment s'y prendre pour que ça ne fasse pas mal.

Ça devait être une gentille sœur.

Quand mes cheveux repousseront, vous pourrez les coiffer, vous aussi.

Je crois que ça me plairait bien.

Ne partez pas, Kaka. Ne partez pas.

— C'est une brave petite, dit-il à Amra.

De fait, Roshi est bien élevée, et humble aussi. Non sans une pointe de culpabilité, il songe à ses propres fils Zabi et Lemar, là-bas à San Jose, qui ne se cachent pas depuis longtemps de détester leurs prénoms afghans et qui se comportent de plus en plus comme des petits tyrans, à l'image de ces enfants américains autoritaires que Nahil et lui s'étaient juré de ne jamais avoir.

— C'est une survivante, répond Amra.

— En effet.

L'infirmière s'appuie contre le mur. Deux aides-soignants passent vivement près d'eux en poussant un brancard. Un jeune garçon est étendu dessus, la tête enveloppée de bandages ensanglantés et la cuisse barrée d'une entaille ouverte.

— Les autres Afghans d'Amérique ou d'Europe, ils viennent et ils prennent des photos d'elle. Ils la filment. Ils font des promesses. Et après, ils rentrent chez eux et ils montrent ça à leur famille. Comme si elle est un animal de zoo. Je les laisse faire parce que je me dis que peut-être, ils l'aideront. Mais ils oublient. Ils ne donnent jamais de nouvelles. Alors je repose la question : et maintenant ?

— L'opération dont elle a besoin... J'aimerais la rendre possible.

Amra le regarde avec hésitation.

— Il y a un service de neurochirurgie dans mon groupe hospitalier. Je parlerai à ma chef. On s'arrangera pour faire venir Roshi en Californie et l'opérer.

— Oui, mais l'argent...

— On trouvera un financement. Au pire, je paierai.

— De votre portefeuille ?

— L'expression exacte est « de votre poche », la corrige-t-il, amusé. Mais oui, c'est bien l'idée.

— Il nous faudra l'autorisation de son oncle.

— À supposer qu'il revienne un jour.

L'homme n'est pas réapparu et ne s'est plus du tout manifesté depuis qu'Idris lui a donné les deux cents dollars.

Amra lui sourit. Il n'a jamais rien fait de tel auparavant. Il y a quelque chose d'excitant, d'enivrant, d'euphorisant même, à s'engager ainsi tête baissée pour quelqu'un, et cela l'emplit d'une telle énergie qu'il en a presque le souffle coupé. À sa grande surprise, des larmes lui picotent les yeux.

— *Hvala*, dit Amra. Merci.

Puis elle se dresse sur la pointe des pieds pour l'embrasser sur la joue.

— Je me suis tapé l'une des Hollandaises, dit Timur. Tu te souviens, les filles qui étaient à la soirée ?

Occupé à admirer la masse compacte des doux sommets bruns de l'Hindu Kush sous leurs pieds, Idris s'écarte du hublot pour se tourner vers son cousin.

— La brune, précise celui-ci. J'ai avalé la moitié d'une petite pilule bleue et je l'ai baisée jusqu'à la prière du matin.

— Putain, quand est-ce que tu comptes grandir ? réplique Idris, écœuré que Timur lui fasse encore part de ses écarts de conduite, de son infidélité, de ses frasques grotesques dignes des confréries étudiantes.

— Rappelle-toi, vieux, dit Timur avec un sourire suffisant. Ce qui se passe à Kaboul…

— S'il te plaît, ne finis pas cette phrase.

Son cousin éclate de rire.

Quelque part au fond de l'avion se déroule une petite fête. Quelqu'un chante en pachtou et tape sur une assiette en polystyrène comme sur un *tamboura*.

— Je n'arrive pas à croire qu'on soit tombés sur le vieux Nabi, marmonne Timur. C'est dingue.

Idris prend le somnifère qu'il gardait dans sa poche de poitrine et l'avale sans eau.

— Je reviendrai le mois prochain, poursuit Timur en croisant les bras et en fermant les yeux. Deux ou trois voyages supplémentaires seront probablement nécessaires après ça, mais ça devrait être bon pour nous.

— Tu fais confiance à ce type, Farooq ?

— Putain, non. C'est bien pour ça que je vais revenir.

Farooq est l'avocat engagé par Timur. Il s'est fait une spécialité d'aider les Afghans ayant vécu en exil à récupérer leurs propriétés perdues à Kaboul. Timur continue à parler de la paperasserie à remplir, du juge qui présidera la procédure – du moins l'espère-t-il – et qui n'est autre qu'un cousin au second degré de la femme de Farooq. Idris s'appuie une fois de plus contre le hublot et attend que son cachet fasse effet.

— Idris ?

— Quoi ?

— Ça craint, ce qu'on a vu là-bas, hein ?

Quelle perspicacité, vieux.

— Yep.

— Mille tragédies au kilomètre.

Idris ne tarde pas à sentir sa tête bourdonner. Sa vision devient floue. En même temps qu'il sombre dans le sommeil, il repense à ses adieux à Roshi, à ce moment où il a serré ses doigts en lui affirmant qu'ils se reverraient, et à elle qui sanglotait doucement contre lui, presque sans bruit.

Sur la route qui le mène de l'aéroport de San Francisco à chez lui, Idris se rappelle avec affection le trafic chaotique et démentiel de Kaboul. Il lui paraît étrange de rouler au volant de sa Lexus sur les voies bien ordonnées et dépourvues de nids-de-poule de la 101, de croiser des panneaux de signalisation toujours en état et des gens si polis qui mettent leur clignotant et respectent les priorités. Il sourit au souvenir de tous les chauffeurs de taxi adolescents et intrépides à qui Timur et lui ont confié leur vie à Kaboul.

À côté de lui, Nahil le bombarde de questions. La ville était-elle sûre ? Comment était la nourriture ? A-t-il été malade ? A-t-il rapporté des photos et des vidéos ? Il fait de son mieux. Pour elle, il tente de décrire les écoles détruites par les obus, les squatteurs dans les bâtiments sans toit, les mendiants, la boue, l'électricité capricieuse. Mais autant décrire une musique. Il ne peut donner vie à ces images. Les détails vifs et marquants, comme un appareil de musculation au milieu des ruines, une peinture représentant Schwarzenegger sur une fenêtre, lui échappent déjà, et son compte-rendu sonne à ses oreilles aussi commun et insipide qu'une banale dépêche journalistique.

Sur le siège arrière, les garçons se montrent conciliants et l'écoutent durant quelques instants – ou du moins font-ils semblant. Mais Idris sent leur ennui. Puis Zabi, celui qui a huit ans, demande à regarder un film. Lemar, son aîné de deux ans, s'efforce de rester encore un peu attentif, mais Idris entend bientôt le vrombissement d'une voiture de course s'élever de sa DS Nintendo.

— Qu'est-ce qui vous prend, les enfants ? les réprimande Nahil. Votre père rentre tout juste de Kaboul. Vous n'êtes pas curieux ? Vous n'avez aucune question à lui poser ?

— Ce n'est pas grave, la coupe Idris. Laisse.

Mais il est tout de même contrarié par leur manque d'intérêt et la joyeuse ignorance qu'ils manifestent vis-à-vis de la loterie génétique qui leur a accordé une vie privilégiée. Il perçoit un fossé soudain entre lui et sa famille, y compris Nahil, qui ne l'interroge pour ainsi dire que sur les restaurants qu'il a fréquentés durant son voyage et l'absence d'eau courante et d'installations sanitaires dans les maisons. Il porte désormais sur eux ce regard accusateur que devaient lui jeter les habitants de Kaboul à son arrivée en Afghanistan.

— Je meurs de faim.

— De quoi tu as envie ? demande Nahil. Tu veux manger japonais ? Italien ? Il y a un nouveau traiteur près d'Oakridge.

— Allons plutôt dans un resto afghan.

Ils se rendent à l'Abe's Kabob House, à l'est de San Jose, près du vieux marché aux puces de Berryessa. Le propriétaire, Abdullah, est un sexagénaire grisonnant à la moustache en guidon de vélo et aux mains fortes. Comme sa femme, il fait partie des patients d'Idris. Il les salue d'un geste de la main derrière sa caisse lorsque ce dernier entre avec Nahil et leurs enfants dans le restaurant. Abe's Kabob House est une petite entreprise familiale qui ne compte que huit tables protégées par des nappes en plastique souvent collantes. Les menus y sont plastifiés, les murs recouverts de posters de l'Afghanistan, et un antique distributeur de boissons surnommé le « marchandiseur » trône dans un coin. Abdullah accueille les clients, tient la caisse et fait le ménage. Sa femme, Sultana, travaille en coulisses. C'est elle la magicienne des lieux. Idris l'aperçoit dans sa cuisine, penchée sur quelque chose, les cheveux coincés sous un filet et les yeux plissés au-dessus de la vapeur.

Abdullah a raconté à Idris qu'ils s'étaient mariés au Pakistan à la fin des années 1970, après la prise du pouvoir par les communistes en Afghanistan. Ils avaient obtenu l'asile aux États-Unis en 1982, l'année de naissance de leur fille Pari.

C'est justement elle qui prend leurs commandes aujourd'hui. Avenante et courtoise, Pari a le teint clair de sa mère et des yeux qui laissent transparaître la même force de caractère. Elle a aussi un corps étrangement disproportionné, mince et gracile au-dessus de la taille, mais alourdi en dessous par de larges hanches, des cuisses épaisses et de grosses chevilles. Elle porte ce jour-là l'une de ses jupes amples habituelles.

Idris et Nahil choisissent de l'agneau accompagné de riz brun et de *bolanis*[1], et les garçons des *chapli kabobs*, le plat le plus proche d'un hamburger qu'ils puissent trouver sur la carte. Pendant qu'ils attendent d'être servis, Zabi apprend à Idris que son équipe de foot a atteint la finale du championnat. Il occupe le poste d'ailier droit et le match doit avoir lieu le dimanche suivant. Lemar annonce quant à lui qu'il doit participer à un récital de guitare le samedi.

— Qu'est-ce que tu vas jouer ? demande mollement Idris, qui ressent de plus en plus les effets du décalage horaire.

— « Paint It Black ».

— Super.

— Je ne suis pas sûre que tu te sois assez entraîné, fait prudemment remarquer Nahil.

Lemar laisse tomber la serviette en papier qu'il s'amusait à rouler.

---

1. *Bolani* : petite galette farcie aux légumes.

— Maman ! Tu rigoles ? Tu vois pas tout ce que je me coltine tous les jours ? J'ai trop de trucs à faire !

Au milieu du repas, Abdullah s'approche d'eux en s'essuyant les mains sur le tablier noué autour de sa taille. Il leur demande si les plats leur conviennent, s'il peut leur apporter quoi que ce soit.

Idris l'informe que Timur et lui rentrent tout juste de Kaboul.

— Timur *jan* ? Que mijote-t-il, celui-là ?

— Rien de bon, comme d'habitude.

Abdullah sourit à ces mots. Idris sait quelle affection il porte à son cousin.

— Et comment vont les affaires ?

— Docteur Bashiri, soupire Abdullah. Si un jour je souhaitais jeter un mauvais sort à quelqu'un, je dirais « que Dieu te donne un restaurant ».

Ce qui les fait tous rire.

Plus tard, au moment de quitter le restaurant et de remonter dans le 4 × 4, Lemar se tourne vers son père.

— Papa, est-ce qu'il nourrit tous les gens gratuitement ?

— Bien sûr que non.

— Alors pourquoi il n'a pas voulu de ton argent ?

— Parce que nous sommes afghans, et aussi parce que je suis son médecin.

Ce n'est qu'en partie vrai. La principale raison, soupçonne Idris, tient à son lien de parenté avec Timur et à l'argent que celui-ci a prêté à Abdullah des années plus tôt pour ouvrir son restaurant.

De retour chez lui, Idris est d'abord surpris de découvrir que la moquette a été arrachée dans l'entrée et le salon et que les clous et le bois de l'escalier sont désormais à nu. Puis il se souvient. Ils ont décidé de refaire leur intérieur et de poser du parquet

– de larges lames de cerisier couleur « bouilloire cuivrée », comme l'a spécifié le vendeur de la société
spécialisée en revêtements de sol. Les portes des
meubles de la cuisine ont également été poncées et un
trou béant apparaît là où se trouvait leur vieux micro-
ondes. Nahil lui dit qu'elle travaillera à mi-temps le
lundi suivant afin de pouvoir être là le matin avec les
menuisiers et Jason.

— Jason ?

Cela lui revient ensuite. Jason Speer, le type chargé
d'installer le home cinéma.

— Il doit passer prendre des mesures, explique
Nahil. Il nous a déjà obtenu des caissons de basses et le
projecteur à un prix réduit. Trois de ses gars viendront
mercredi pour commencer à travailler.

Idris hoche la tête. Le home cinéma, c'était son idée,
il en a toujours rêvé. Mais maintenant, cela le gêne. Il
se sent déconnecté de tout ça – Jason Speer, les nouveaux meubles de cuisine et le plancher « bouilloire
cuivrée », les baskets montantes à 160 dollars de ses
enfants, le dessus-de-lit en chenille dans sa chambre,
l'énergie avec laquelle Nahil et lui ont cherché à acqué-
rir toutes ces choses. Ainsi matérialisées, ses ambitions
le frappent par leur frivolité. Elles lui rappellent les
disparités brutales entre sa vie et ce qu'il a découvert
à Kaboul.

— Qu'y a-t-il, chéri ?

— C'est le décalage horaire. J'ai besoin de faire une
sieste.

Le samedi, il réussit à rester éveillé jusqu'à la fin du
récital de guitare, et le dimanche durant une bonne
partie du match de Zabi. Mais il doit s'éclipser vers le
parking après le début de la seconde mi-temps afin de
dormir une demi-heure. À son grand soulagement, son

fils ne remarque rien. Le dimanche soir, quelques voisins viennent dîner. Ils se passent les photos de son
voyage et regardent poliment pendant une heure les
images qu'il a tournées à Kaboul et que Nahil a tenu
à leur montrer – contre la volonté d'Idris. Au cours du
dîner, ils l'interrogent sur son séjour, lui demandent
son avis sur la situation en Afghanistan. Il sirote son
mojito en leur répondant succinctement.

— Je n'arrive pas à imaginer comment c'est de vivre
là-bas, dit Cynthia – une prof de Pilates du club de gym
que fréquente Nahil.

— Kaboul, c'est... c'est mille tragédies au kilomètre,
lâche-t-il.

— Ç'a dû être le choc des cultures, pour toi.

— En effet.

Il ne leur avoue pas que c'est en rentrant chez lui
qu'il a véritablement éprouvé ce choc.

Pour finir, la conversation dévie vers une récente
série de vols de courrier qui a frappé le quartier.

Ce soir-là, allongé dans son lit, il se confie à sa femme :

— Tu crois qu'on est obligés d'avoir tout ça ?

— « Tout ça » ?

Dans le miroir, Idris voit Nahil se brosser les dents
devant le lavabo.

— Tout ça. Toutes ces choses.

— Non, elles ne sont pas *indispensables*, si c'est ce
que tu veux dire.

Elle crache dans le lavabo, fait quelques gargarismes.

— Tu ne trouves pas que c'est trop ?

— On a travaillé dur, Idris. Tu te rappelles les
MCAT[1], les LSAT, tes années de médecine, mes études

---

1. MCAT (Medical College Admission Test) : test d'admission en faculté de
médecine.

de droit, ta spécialisation ? Personne ne nous a fait de cadeau. On n'a à s'excuser de rien.

— Pour le prix de ce home cinéma, on aurait pu faire construire une école en Afghanistan.

Elle le rejoint dans la chambre et s'assoit sur le lit pour ôter ses lentilles. Elle a un profil magnifique et Idris adore ses pommettes marquées, son cou fin et la manière dont son front plonge brusquement jusqu'à la naissance de son nez.

— Alors fais-le, dit-elle en se tournant vers lui et en clignant des yeux pour chasser les gouttes de collyre. Je ne vois pas ce qui t'en empêche.

Quelques années plus tôt, Idris a découvert que Nahil aidait un petit Colombien prénommé Miguel. Elle ne lui en avait jamais parlé, et, parce que c'était elle qui s'occupait du courrier et de leurs finances, il n'en avait rien su pendant longtemps, jusqu'à ce qu'il la voie un jour lire une lettre de l'enfant. Celle-ci avait été traduite de l'espagnol par une religieuse, qui y avait joint une photo d'un grand garçon maigre comme un écha-las devant une cabane en paille, un ballon de foot dans les bras et rien derrière lui hormis des vaches squelet-tiques et de collines. Nahil avait commencé à le parrai-ner durant ses études de droit et cela faisait onze ans que ses chèques croisaient tranquillement le chemin des photos de Miguel et de ses lettres dans lesquelles il la remerciait par religieuse interposée.

— Qu'est-ce qui t'arrive ? demande Nahil en ôtant ses bagues. C'est le syndrome de culpabilité des survi-vants ?

— Je vois juste les choses un peu différemment maintenant.

— Bien. Mets ça à profit, alors. Mais arrête de te regarder le nombril.

Le décalage horaire le prive de sommeil cette nuit-là. Il lit un moment, suit en partie la rediffusion d'un épisode d'*À la Maison-Blanche* au rez-de-chaussée et finit devant l'ordinateur dans la chambre d'amis que Nahil a transformée en bureau. Il a reçu un mail d'Amra. Elle espère qu'il est rentré chez lui sans encombre et que sa famille se porte bien. Il pleut « avec colère » à Kaboul, écrit-elle, et les rues sont si détrempées que les gens ont de la boue jusqu'aux chevilles. Ces averses ont provoqué des inondations, au point que deux cents familles environ ont dû être évacuées par hélicoptère à Shomali, au nord de Kaboul. Les mesures de sécurité ont été renforcées, en raison du soutien apporté par le gouvernement afghan à la guerre de Bush en Irak et des représailles attendues de la part d'al-Qaida. Elle conclut par cette phrase : *Avez-vous pu parler à votre chef ?*

Sous ce message figure un court paragraphe de Roshi, que l'infirmière a traduit pour lui :

Salaam, Kaka Idris
Inch'Allah, vous êtes bien arrivé en Amérique. Je suis sûre que votre famille est très heureuse de vous retrouver. Chaque jour, je pense à vous. Chaque jour, je regarde les films que vous m'avez achetés. Je les aime tous. Je suis triste parce que vous n'êtes plus là pour les regarder avec moi. Je me sens bien et Amra jan prend soin de moi. S'il vous plaît, dites salaam à votre famille de ma part. Inch'Allah, nous nous reverrons bientôt en Californie.
Respectueusement,

Roshana.

Il répond à Amra, la remercie et se dit désolé d'apprendre qu'il y a eu des inondations. Il espère que la pluie cessera. Puis, après lui avoir assuré qu'il touchera un mot de Roshi à sa chef dans le courant de la semaine, il ajoute ces mots :

Salaam, *Roshi* jan
Merci pour ton gentil message. J'ai été très heureux d'avoir de tes nouvelles. Moi aussi, je pense beaucoup à toi. J'ai parlé de toi à ma famille et tout le monde est très impatient de te rencontrer, en particulier mes fils, Zabi jan *et Lemar* jan, *qui me posent beaucoup de questions à ton sujet. Nous attendons tous ton arrivée avec impatience.*
Je t'embrasse bien fort,

Kaka Idris.

Puis il se déconnecte d'internet et retourne se coucher.

Le lundi, il est accueilli dans son cabinet par toute une série de messages téléphoniques. Des demandes de renouvellement d'ordonnances débordent d'une corbeille en plastique, attendant son approbation. Il doit passer en revue plus de cent soixante mails et sa boîte vocale est saturée. En consultant son planning sur son ordinateur, il découvre avec consternation que des rendez-vous supplémentaires – des *rajouts*, comme les appellent les médecins – ont été insérés toute la semaine dans ses heures de consultation. Pire, il verra cet après-midi la redoutable Mme Rasmussen, une femme particulièrement désagréable et belliqueuse qui présente depuis des années de vagues symptômes ne réagissant à aucun traitement. La perspective d'être confronté à ses besoins revêches le font soudain transpirer. Et pour couronner le tout, l'un des messages vocaux, laissé par sa chef, Joan Schaeffer, l'informe qu'un patient à qui il avait diagnostiqué une pneumonie juste avant de partir à Kaboul s'est révélé atteint d'insuffisance cardiaque congestive. Son cas sera utilisé la semaine suivante pour la « Peer Review », une vidéoconférence mensuelle suivie par tous les services hospitaliers durant laquelle les erreurs commises par des médecins – dont le nom n'est pas cité – servent à illustrer des points d'apprentissage. Mais cet anonymat est limité, Idris le sait. La moitié au moins des personnes présentes dans la salle de projection de son hôpital reconnaîtront le coupable.

Il sent pointer un mal de tête.

Il accumule un retard désastreux dans son planning ce matin-là. Un patient asthmatique surgit sans rendez-vous, qui a besoin d'une prise en charge respiratoire et d'une étroite surveillance de son débit expiratoire de pointe et de sa saturation en oxygène. Un cadre d'âge mûr qu'il n'a pas vu depuis trois ans se présente ensuite avec un infarctus du myocarde antérieur en voie de constitution. L'heure du déjeuner est déjà à moitié écoulée lorsque Idris peut enfin s'accorder une pause. Dans la salle de conférences où mangent les médecins, il avale à la va-vite quelques bouchées d'un sandwich sec à la dinde tout en essayant de rattraper le retard pris dans ses notes. Il répond aussi aux questions de ses collègues par quelques mots hachés – toujours les mêmes : Kaboul est-elle une ville dangereuse ? Que pensent les Afghans de la présence américaine ? Mais son esprit reste concentré sur Mme Rasmussen, les messages auxquels il doit donner suite, les renouvellements d'ordonnances qu'il doit valider, les trois rajouts dont il a écopé cet après-midi-là, la « Peer Review » à venir, les artisans qui s'affairent chez lui avec leurs scies, leurs perceuses et leurs marteaux. Parler de l'Afghanistan dans ces conditions, c'est comme évoquer un film éprouvant qu'il aurait vu récemment et dont les effets s'estomperaient peu à peu, et il est étonné de constater combien ce changement a été rapide et subtil.

La semaine se révèle l'une des plus dures de sa carrière. Bien qu'il en ait eu l'intention, il ne trouve pas le temps de discuter du cas de Roshi avec Joan Schaeffer. D'une humeur massacrante, il se montre brusque avec ses fils, énervé par les allées et venues des artisans et leur bruit. Son rythme de sommeil reste décalé. À cela s'ajoutent deux mails d'Amra, dans lesquels elle continue à lui transmettre des nouvelles de la vie à Kaboul. L'hôpital Rabia-Balkhi, réservé aux femmes, vient de rouvrir. Contre l'avis des partisans d'une ligne islamique dure, le gouvernement de Karzai va autoriser les chaînes du câble à diffuser leurs programmes à la télévision. Dans un post-scriptum à la fin de son second message, Amra l'informe que Roshi s'est renfermée sur elle-même depuis son départ et lui redemande s'il a parlé d'elle à sa supérieure. Idris s'écarte du clavier. Il y revient plus tard, honteux de son agacement, et aussi de la brève tentation qu'il a eue de lui répondre en lettres majuscules : JE LE FERAI EN TEMPS VOULU.

— J'espère que tout s'est bien passé pour vous.

Assise à son bureau, les mains nouées sur ses jambes, Joan Schaeffer le fixe par-dessus ses petites lunettes de lecture perchées sur le bout de son nez. C'est une femme débordant d'une énergie joyeuse, au visage plein et aux cheveux blancs rêches.

— Entendons-nous bien : le but n'était pas de vous remettre en cause.

— Bien sûr. Je comprends.

— Et ne vous en faites pas. Cela pourrait arriver à n'importe lequel d'entre nous. Il est parfois difficile de distinguer une insuffisance cardiaque congestive d'une pneumonie sur une radio.

— Merci, Joan.

Idris se lève pour quitter son bureau, mais s'arrête à la porte.

— Au fait, il y a un sujet dont je voulais discuter avec vous…

— Oui, bien sûr. Rasseyez-vous.

Il obtempère et commence à lui parler de Roshi. Il lui décrit sa blessure, le manque de moyens de l'hôpital Wazir-Akbar-Khan. Il lui confie l'engagement qu'il a pris envers Amra et la fillette. En même temps qu'il prononce ces mots à voix haute, il sent sa promesse peser sur lui comme cela n'avait pas été le cas à Kaboul, quand Amra l'avait embrassé sur la joue, et il est troublé de faire le rapprochement avec les remords que peut susciter un achat inconsidéré.

— Mon Dieu, Idris, dit Joan en secouant la tête. J'admire votre démarche. Mais quelle horrible histoire. Cette pauvre enfant. C'est inconcevable.

— Je sais.

Il lui demande si l'hôpital serait disposé à couvrir les frais de son opération.

— Ou de *ses* opérations. À mon avis, il en faudra plus d'une.

— J'aimerais bien, soupire Joan. Mais franchement, je doute que le comité de direction accepte, Idris. J'en doute fort. Vous savez que nous sommes dans le rouge depuis cinq ans. Et cela soulèverait des problèmes juridiques aussi. Des problèmes compliqués.

Elle attend qu'il réagisse, déjà préparée peut-être à ce qu'il proteste, mais il n'en fait rien.

— Je comprends, dit-il.

— Vous devriez pouvoir trouver une association humanitaire qui s'occupe de cas comme celui-là, non ? Cela supposerait un peu de travail, mais…

— Je vais me renseigner. Merci, Joan.

Et il se lève, surpris de se sentir plus léger, presque soulagé par sa réponse.

Un mois de plus s'écoule avant que le home cinéma soit installé, mais c'est une merveille. Le projecteur fixé au plafond diffuse une image nette et les mouvements sur l'écran géant de 120 pouces sont étonnamment fluides. Le son surround 7.1, les égaliseurs graphiques et les caissons de basses répartis aux quatre coins de la pièce ont incroyablement amélioré l'acoustique. Un soir, Idris et Nahil regardent *Pirates des Caraïbes* avec leurs fils. Enchantés par cette technologie, les garçons ont pris place chacun à côté de leur père et piochent dans le grand seau de pop-corn posé sur ses genoux. Ils s'endorment devant la longue scène de bataille finale.

— Je vais les coucher, dit Idris à Nahil.

Il les soulève l'un après l'autre. Zabi et Lemar grandissent et leurs corps si minces s'allongent à une vitesse alarmante. En les bordant dans leur lit, il prend conscience du crève-cœur qui le guette avec eux. D'ici quelques années, il aura été remplacé. Ses fils s'enticheront d'autres choses, d'autres personnes, et Nahil et lui ne seront plus pour eux qu'une source d'embarras. Il repense avec nostalgie à l'époque où ils étaient petits, sans défense et si totalement dépendants de lui. Il se rappelle la terreur de Zabi devant les bouches d'égout et les grands cercles maladroits qu'il décrivait pour les éviter. Et ce jour où, pendant qu'ils regardaient un vieux film, Lemar lui a demandé s'il était déjà né quand le monde était en noir et blanc. Tout en souriant à ce souvenir, il embrasse ses fils sur les joues.

Puis il s'assoit dans le noir en observant Lemar dans son sommeil. Il a porté un jugement hâtif sur ses garçons, et surtout injuste – cela lui saute aux yeux désormais. Et il a été tout aussi sévère envers lui-même. Il n'est pas un criminel. Tout ce qu'il possède, il l'a gagné. Dans les années 1990, pendant que la moitié des types qu'il connaissait sortaient en boîte et couraient après les filles, il s'est plongé dans ses études et a traîné dans des couloirs d'hôpital à deux heures du matin, oubliant les loisirs, le confort, le repos. Il a donné ses jeunes années à la médecine. Il a payé son écot. Pourquoi devrait-il se sentir coupable ? Cette famille est la sienne. Cette vie est la sienne.

Au cours du mois passé, Roshi est devenue abstraite pour lui, comme un personnage dans une pièce de théâtre. Leur lien s'est délité. L'intimité inattendue, si vive et si pressante qui lui était tombée dessus dans cet hôpital s'est totalement émoussée. L'expérience a perdu toute sa force. Il voit la détermination farouche qui l'a saisi pour ce qu'elle était vraiment. Une illusion. Un mirage. Il s'est retrouvé sous l'emprise de quelque chose qui ressemblait à une drogue. La distance entre lui et cette fillette lui apparaît immense à présent. Infinie, insurmontable. De même que sa promesse lui semble imprudente, malencontreuse, comme une appréciation gravement erronée de ses propres capacités, de sa volonté et de son caractère. Il vaut mieux l'oublier. Il n'est pas capable de la tenir, c'est aussi simple que ça. Au cours des deux dernières semaines, il a reçu trois nouveaux mails d'Amra. Il a lu le premier et n'y a pas répondu. Il a effacé les deux autres sans même y jeter un œil.

*

La queue dans la librairie comprend environ douze ou treize personnes et s'étire de l'estrade de fortune jusqu'au stand des magazines. Une grande femme au large visage tend de petits Post-it jaunes aux gens afin qu'ils écrivent leur nom et le message personnel qu'ils souhaitent voir figurer dans la dédicace. Au début de la file, une vendeuse les aide à ouvrir le livre à la page de titre.

Idris est tout près, un exemplaire à la main.

— Vous l'avez lu ? demande la femme qui le précède, une quinquagénaire aux cheveux blonds coupés court, en se tournant vers lui.

— Non.

— Il sera au programme de la prochaine réunion de mon club de lecture, le mois prochain. C'est à mon tour de choisir.

— Ah.

Elle fronce les sourcils et presse une main contre sa poitrine.

— J'espère que les gens le liront. C'est un récit tellement émouvant. Tellement exaltant. Je parie qu'ils en feront un film.

Idris ne lui a pas menti. Il n'a pas commencé le livre et doute de s'y plonger un jour. Il ne se sent pas le courage de se retrouver dans ces pages. Mais d'autres le feront à sa place. Et là, il sera démasqué. Les gens sauront. Nahil, ses fils, ses collègues. Il a la nausée rien que d'y penser.

Il ouvre l'ouvrage et passe sur les remerciements et la biographie du coauteur, celui qui a véritablement écrit l'histoire, pour contempler une fois de plus la photo sur le rabat de la jaquette. Aucun signe de la blessure. Si elle a une cicatrice, et elle en a forcément une, elle est dissimulée sous ses longs cheveux bruns ondulés. Roshi porte un chemisier brodé de petites perles dorées, un collier avec un pendentif au nom d'Allah et des boucles d'oreilles en lapis-lazuli. Appuyée contre un arbre, elle fixe droit l'objectif en souriant. Il revoit les silhouettes qu'elle avait dessinées pour lui. *Ne partez pas, Kaka. Ne partez pas.* Il ne décèle plus aucune trace chez cette jeune fille de la petite créature tremblante qu'il a découverte derrière un rideau six ans plus tôt.

Il parcourt l'hommage rendu au début du livre.

Aux deux anges de ma vie : ma mère Amra et mon Kaka Timur. Vous êtes mes sauveurs. Je vous dois tout.

La file avance. La femme aux cheveux blonds coupés court se fait dédicacer son exemplaire, puis s'écarte sur le côté. Le cœur battant, Idris fait un pas vers l'estrade. Roshi lève les yeux. Elle porte un châle afghan sur un chemisier à manches longues couleur citrouille et de petites boucles d'oreilles ovales en argent. Ses yeux sont plus sombres que dans son souvenir, et son corps a gagné des courbes féminines. Elle le regarde sans ciller. Bien que rien chez elle ne trahisse qu'elle l'a reconnu, bien que son sourire soit poli, il y a quelque chose d'amusé et de distant dans son expression, quelque chose de taquin, de rusé, et d'absolument pas intimidé. Idris se sent oppressé. Tous les mots qu'il avait préparés – et même écrits, et répétés dans sa tête en venant ici – se tarissent brusquement. Il ne réussit pas à en prononcer un seul et demeure planté là, l'air un peu ridicule.

La vendeuse toussote.

— Monsieur, si vous voulez bien me donner votre livre, je l'ouvrirai à la page de titre et Roshi vous le signera.

Le livre. Idris baisse les yeux et le découvre serré fermement entre ses mains. Il n'est pas venu ici pour ça, bien sûr. Ce serait odieux – odieux et grotesque –, après tout ce qui s'est passé. Pourtant, il se voit le tendre à la vendeuse qui tourne les pages d'un geste expert jusqu'à celle désirée. Roshi griffonne ensuite une dédicace sous le titre. Il ne lui reste plus que quelques secondes pour s'adresser à elle. Pas dans le but d'atténuer l'indéfendable, non, mais parce qu'il estime qu'il lui doit bien ça. Seulement, lorsque l'employée de la librairie lui rend son exemplaire, il ne peut articuler le moindre son. À cet instant, il souhaiterait avoir ne serait-ce qu'une once du courage de Timur. Il regarde de nouveau Roshi. Elle s'est déjà tournée vers la personne suivante.

— Je..., commence-t-il.

— Il faut avancer, monsieur, s'interpose la vendeuse.

Tête baissée, il s'en va.

Il s'est garé dans le parking derrière la librairie et le chemin jusqu'à sa voiture lui paraît le plus long de toute sa vie. Il ouvre la portière, marque une pause. De ses mains qui n'ont pas cessé de trembler, il rouvre le livre. Les mots griffonnés ne sont pas une signature. Elle lui a écrit deux phrases en anglais.

Il ferme l'ouvrage, et les yeux aussi. Il devrait être soulagé, suppose-t-il. Mais une partie de lui aspire à autre chose. Peut-être que si elle lui avait fait une grimace, ou adressé une remarque infantile, pleine de dégoût et de haine, peut-être que si elle avait laissé exploser sa rancœur, cela aurait été mieux. À la place, elle l'a congédié proprement, diplomatiquement. Avec ce message : *Ne vous inquiétez pas. Vous n'êtes pas dedans.* Un geste gentil. Ou plutôt, pour être plus précis, un geste charitable. Oui, il devrait être soulagé.

Mais cela le blesse. Il sent le coup qu'elle lui a porté, comme une hache abattue sur la nuque.

Il y a un banc à proximité, sous un orme. Il s'en approche, pose le livre dessus, puis va s'asseoir au volant de sa voiture. Un moment s'écoule avant qu'il se sente capable de tourner la clé de contact et de partir.

6

Février 1974

Note de l'éditeur
Parallaxe 84 (HIVER 1974), p. 5

Chers lecteurs,

Il y a cinq ans, lorsque nous avons commencé à publier des numéros trimestriels comportant des interviews de poètes peu connus, il nous était impossible d'anticiper le succès qu'ils allaient rencontrer. Beaucoup d'entre vous ont demandé à ce que l'expérience soit prolongée et, de fait, vos lettres enthousiastes ont ouvert la voie à une tradition devenue annuelle pour *Parallaxe*. Ces entretiens, qui comptent aussi maintenant parmi les sujets préférés de nos rédacteurs, ont conduit à la découverte – ou à la redécouverte – de quelques poètes talentueux et à une appréciation de leur œuvre qui se faisait attendre depuis longtemps.

Mais, hélas, une ombre flotte sur le présent numéro. L'auteur que nous vous présentons ce trimestre, Nila Wahdati, était une poétesse afghane interviewée par Étienne Boustouler l'hiver dernier à Courbevoie, près de Paris.

Mme Wahdati, vous en conviendrez sans aucun doute, lui avait accordé un entretien éloquent et d'une franchise étonnante, comme rarement nous en avons publié. C'est avec une grande tristesse que nous avons appris sa mort prématurée, peu de temps après cette rencontre. Elle sera regrettée parmi la communauté des poètes. Elle laisse derrière elle une fille.

C'est troublant, ce timing. La porte de l'ascenseur s'ouvre en tintant au moment exact – mais *vraiment* exact – où le téléphone se met à sonner. Pari l'entend parce qu'il vient de l'appartement de Julien, celui situé juste à l'entrée de l'étroit couloir mal éclairé, donc le plus proche de l'ascenseur. D'instinct, elle sait qui appelle. Et à voir la tête de Julien, lui aussi.

— Tant pis, dit-il en s'avançant dans la cabine.

Derrière lui se tient la femme distante au teint rougeaud de l'étage du dessus. Elle fixe Pari avec impatience. Julien la surnomme « la Chèvre », en raison des poils qui lui font comme un bouc sur le menton.

— Allons-y, Pari, insiste-t-il. On est déjà en retard.

Il a réservé une table à 19 heures dans un nouveau restaurant du XVIe arrondissement qui fait parler de lui pour *son poulet braisé**, sa *sole cardinale** et son foie de veau au vinaigre de Xérès. Ils doivent dîner avec Christian et Aurélie, de vieux amis de fac de Julien – de l'époque où il était étudiant, pas professeur – et se sont donné rendez-vous à 18 h 30 afin de prendre l'apéro. Sauf qu'il est déjà 18 h 15 et qu'il leur faut encore aller en métro jusqu'à la station La Muette, puis parcourir à pied six pâtés de maisons avant d'arriver au restaurant.

Le téléphone continue à sonner.

La femme au bouc toussote.

— Pari ? dit Julien d'un ton plus ferme.

— C'est probablement maman.

— Oui, j'en ai bien conscience.

De façon irrationnelle, Pari songe que sa mère, avec son flair imbattable pour les scènes dramatiques, a choisi ce moment précis dans le seul but de l'acculer à faire ce choix : monter dans l'ascenseur avec Julien ou répondre à son appel.

— C'est peut-être important…

Julien soupire.

Tandis que les portes de l'ascenseur se referment derrière lui, il s'appuie contre le mur du couloir et plonge les mains dans les poches de son imperméable, ce qui lui donne l'air de sortir d'un film policier de Melville.

— Je n'en ai que pour une minute, s'excuse Pari.

Il lui jette un regard sceptique.

L'appartement de Julien est petit. En six enjambées, elle traverse l'entrée et la cuisine et se retrouve assise au bord du lit, la main tendue vers le téléphone posé sur la seule table de nuit qu'ils ont la place d'accueillir. D'ici cependant, la vue est spectaculaire. Il pleut ce soir-là, mais par beau temps, Pari contemple presque entièrement tout l'Est parisien depuis la fenêtre.

— *Oui, allô** ? dit-elle dans le combiné.

— *Bonsoir**, répond une voix d'homme. Vous êtes Mlle Pari Wahdati ?

— Qui est à l'appareil ?

— Vous êtes la fille de Mme Nila Wahdati ?

— Oui.

— Je suis le Dr Delaunay. Je vous appelle au sujet de votre mère.

Pari ferme les yeux. Un bref éclair de culpabilité la traverse, supplanté ensuite par une peur familière. Elle a déjà répondu à ce genre d'appels, bien trop souvent pour en garder le compte, depuis qu'elle est adolescente – et même avant ça. Un jour, à l'école primaire, son professeur a interrompu le contrôle de géographie qu'elle était en train de passer et l'a accompagnée dans le couloir pour lui expliquer à voix basse ce qui s'était produit. Elle a l'habitude de ces coups de fil, mais leur répétition ne l'a pas rendue insouciante. *Cette fois, ça y est,* se dit-elle systématiquement. Et, systématiquement aussi, elle raccroche et fonce rejoindre sa mère. Avec son jargon d'économiste, Julien lui a affirmé que cette demande d'attention cesserait peut-être si elle-même supprimait l'offre.

— Elle a eu un accident, dit le Dr Delaunay.

Pari va se poster près de la fenêtre en l'écoutant. Elle roule et déroule le cordon du téléphone autour de son doigt pendant qu'il lui raconte le séjour de sa mère à l'hôpital, l'entaille au front, les points de suture, le rappel préventif du vaccin antitétanique, les soins désinfectants, le traitement antibiotique topique, les pansements. La mémoire de Pari la ramène en arrière, jusqu'à ce jour où, à dix ans, de retour de l'école, elle avait trouvé vingt-cinq francs et un mot rédigé à la main sur la table de la cuisine. *Je suis partie en Alsace avec Marc. Tu te souviens de lui. Rentrerai dans deux ou trois jours. Sois sage. (Ne veille pas trop tard le soir !) Je t'aime. Maman.* Elle était restée debout dans la cuisine, tremblante, les yeux emplis de larmes, en se répétant que deux jours, ce n'était pas si terrible, ce n'était pas si long.

Le médecin lui pose une question.

— Pardon ?

— Je disais : viendrez-vous la chercher, mademoiselle ? La blessure n'est pas grave, vous comprenez, mais il vaudrait peut-être mieux qu'elle ne rentre pas

218

chez elle toute seule. Sinon, nous pouvons lui appeler un taxi.

— Non. Inutile. Je devrais être là d'ici une demi-heure.

Elle se rassoit sur le lit. Julien sera contrarié, probablement gêné aussi devant Christian et Aurélie, dont l'opinion semble compter beaucoup pour lui. Pari n'a pas envie de ressortir dans le couloir et de lui faire face. Pas plus qu'elle n'a envie d'aller à Courbevoie et de faire face à sa mère. Ce qu'elle voudrait, c'est s'allonger, écouter le vent projeter des trombes d'eau contre la fenêtre jusqu'à ce qu'elle s'endorme.

Elle allume une cigarette.

— Tu ne viens plus, c'est ça ? demande Julien en entrant dans la pièce.

Elle ne répond pas.

Extrait de « L'Oiseau chanteur afghan », une interview de Nila Wahdati par Étienne Boustouler, *Parallaxe* 84 (HIVER 1974), p. 33

EB : Si j'ai bien compris, vous êtes à moitié afghane et à moitié française ?

NW : Ma mère était française, oui. Elle habitait Paris.

EB : Mais elle a rencontré votre père à Kaboul. Vous êtes née là-bas.

NW : Oui. Ils ont fait connaissance en 1927. Lors d'un dîner officiel au Palais royal. Ma mère accompagnait son père – mon grand-père, donc –, qui avait été envoyé à Kaboul pour conseiller le roi Amanullah sur ses réformes.

Vous avez entendu parler de lui ? Le roi Amanullah ?

Nous sommes assis dans le salon du petit appartement que Nila Wahdati occupe au 29ᵉ étage d'un immeuble résidentiel de Courbevoie, juste au nord-ouest de Paris. La pièce est de dimensions réduites, mal éclairée et chichement meublée : un canapé jaune safran, une table basse, deux grandes étagères remplies de livres. Elle tourne le dos à la fenêtre, qu'elle a ouverte pour dissiper la fumée des cigarettes qu'elle allume l'une après l'autre.

Nila Wahdati se déclare âgée de quarante-quatre ans. C'est une femme très séduisante, qui n'est peut-être plus au faîte de sa beauté, mais qui ne s'en est pas encore beaucoup éloignée. Des pommettes royales, une belle peau, la taille fine. Des yeux intelligents, aguicheurs, dont le regard pénétrant vous donne l'impression d'être à la fois jaugé, testé, charmé, manipulé, et qui restent à mon avis une redoutable arme de séduction. Sans maquillage en dehors de son rouge à lèvres, qui a un peu bavé, elle porte un bandana remonté au-dessus du front, un chemisier violet délavé, un jean, mais n'a ni chaussettes ni chaussures. Bien qu'il ne soit que 11 heures du matin, elle a déjà entamé une bouteille de chardonnay qui n'a pas été mise au frais – après m'en avoir offert chaleureusement un verre, que j'ai préféré refuser.

NW : C'est le meilleur roi qu'ils aient jamais eu.

Je trouve la remarque intéressante en raison du pronom qu'elle a choisi.

EB : « Ils » ? Vous ne vous considérez pas comme afghane ?

NW : Disons que j'ai divorcé de ma moitié la plus pénible.

EB : Je suis curieux de savoir pourquoi.

NW : S'il avait réussi – je veux parler du roi Amanullah –, je vous aurais peut-être répondu différemment.

Je lui demande de s'expliquer.

NW : Voyez-vous, il s'est réveillé un matin et il a annoncé son projet de remodeler le pays, à grands coups de pied si nécessaire, pour en faire une nation nouvelle, plus éclairée. Par Dieu ! a-t-il dit. Fini, le port du voile, pour commencer. Vous imaginez, monsieur Boustouler, une femme arrêtée en Afghanistan pour avoir porté une burqa ! Et quand sa femme, la reine Soraya, est apparue à visage découvert en public ? *Oh là là**. Les poumons des mollahs se sont tellement gonflés d'indignation qu'ils auraient pu faire voler un millier de dirigeables *Hindenburg*. Finie aussi, la polygamie ! a-t-il dit. Et tout ça, voyez-vous, dans un pays où les rois avaient des légions de concubines et ne posaient jamais les yeux sur la plupart des enfants qu'ils avaient si frivolement engendrés. À partir de maintenant, a-t-il ordonné, aucun homme ne pourra contraindre une Afghane à se marier. Finies, les dots, braves femmes d'Afghanistan, et finis, les mariages imposés aux petites filles. Et ce n'est pas tout : vous irez à l'école.

EB : C'était un visionnaire, alors.

NW : Ou un idiot. J'ai toujours trouvé la frontière entre les deux dangereusement étroite.

EB : Qu'est-il devenu ?

NW : La réponse est aussi frustrante que prévisible, monsieur Boustouler. Le djihad, bien sûr.

Le djihad a été déclaré contre lui par les mollahs et les chefs tribaux. Imaginez un millier de poings brandis vers le ciel ! Le roi avait fait bouger la terre, mais il était entouré par un océan de dévots fanatiques, et vous savez bien ce qui se passe quand le plancher océanique tremble, monsieur Boustouler. Un tsunami de rebelles barbus s'est abattu sur le pauvre roi et l'a emporté, tout gesticulant, impuissant, avant de le recracher sur les rives de l'Inde, puis de l'Italie et, pour finir, en Suisse, où il est sorti en rampant de cette fange pour mourir en exil, vieux et sans illusion.

EB : Et le pays qui a émergé ensuite ? Je suppose qu'il ne vous convenait pas ?

NW : L'inverse est tout aussi vrai.

EB : Raison pour laquelle vous êtes partie en France en 1955.

NW : Je suis partie parce que je voulais épargner à ma fille une certaine existence.

EB : Quel genre d'existence ?

NW : Je ne voulais pas qu'elle devienne contre sa volonté et contre les lois de la nature une de ces femmes zélées et tristes qui s'acharnent à mener une vie de servitude silencieuse, toujours apeurées à l'idée de montrer, de dire ou de faire ce qu'il ne faut pas. Des femmes devant lesquelles certains s'extasient en Occident – ici en France, par exemple. Des femmes transformées en héroïnes à cause de leur dur quotidien, et admirées de loin par ceux qui ne supporteraient pas d'échanger une seule journée leur place contre la leur. Des femmes dont les désirs sont étouffés, qui doivent renoncer à leurs rêves, et qui pourtant – et c'est là le pire, monsieur

222

Boustouler –, vous sourient et font semblant de
ne se poser aucune question lorsque vous les
rencontrez. Comme si leur sort était enviable.
Mais si vous les regardez attentivement, vous
voyez leur impuissance, leur désespoir, et combien tout cela dément leur prétendue bonne
humeur. C'est assez pathétique, monsieur Boustouler. Je ne voulais pas de ça pour ma fille.

EB : Je suppose qu'elle le comprend ?

Elle allume une nouvelle cigarette.

NW : Ma foi, les enfants ne sont jamais tout
à fait à la hauteur de nos espérances, monsieur
Boustouler.

Aux urgences, une infirmière irascible ordonne à
Pari d'attendre à l'accueil, près d'un petit chariot rempli de tablettes et de feuilles couvertes de graphiques.
Pari s'étonne que l'on puisse sacrifier volontairement
sa jeunesse pour se former à une profession qui vous
fait atterrir dans un endroit pareil. C'est quelque chose
qui la dépasse totalement. Les hôpitaux la rebutent.
Elle déteste la vue des gens lorsqu'ils sont au plus
mal, l'odeur nauséabonde de ces lieux, les brancards
grinçants, les couloirs aux teintes tristes, les appels
incessants lancés aux médecins.

Le Dr Delaunay s'avère plus jeune qu'elle ne s'y
attendait. Il a le nez fin, la bouche étroite et des cheveux
blonds très bouclés. Il l'entraîne hors des urgences et
franchit avec elle des portes battantes afin de rejoindre
le hall principal.

— Quand votre mère est arrivée, lui apprend-il d'un
ton confidentiel, elle était ivre… Vous ne semblez pas
surprise ?

— Je ne le suis pas.

— Une partie du personnel non plus. Il paraît qu'elle a plus ou moins un compte ouvert ici. Pour ma part, je suis nouveau, si bien que je n'avais jamais eu le plaisir de la rencontrer.

— C'était grave ?

— Elle s'est montrée désagréable. Et je dois dire qu'elle versait un peu dans le mélodrame.

Ils échangent un bref sourire.

— Elle va s'en remettre ?

— Oui, à court terme, répond le Dr Delaunay. Mais je lui recommande avec insistance de boire moins. Elle a eu de la chance cette fois-ci, mais qui sait si la prochaine…

Pari acquiesce.

— Où est-elle ?

Il la reconduit aux urgences et passe l'angle d'un couloir avec elle.

— Le lit numéro 3. Je reviens tout de suite avec les formulaires d'autorisation de sortie.

Pari le remercie et se dirige vers le lit de sa mère.

— *Salut, maman**.

Nila lui sourit avec lassitude. Elle a les cheveux emmêlés, le front enveloppé de bandages et le bras gauche relié à une poche à perfusion d'où un fluide incolore s'écoule goutte à goutte dans ses veines. Non contente d'avoir mis des chaussettes dépareillées, elle a enfilé sa chemise d'hôpital à l'envers et ne l'a pas fermée correctement. Entrouverte sur le devant, celle-ci laisse voir une partie de la cicatrice épaisse, sombre et verticale de sa césarienne. Lorsque Pari lui a demandé quelques années plus tôt pourquoi elle ne dessinait pas une ligne horizontale, comme chez les autres femmes, sa mère a expliqué que les médecins lui avaient donné une vague raison technique à l'époque dont elle ne se souvenait plus. *Le plus important*, a-t-elle dit, *c'est qu'ils ont réussi à te sortir de mon ventre.*

— J'ai gâché ta soirée, marmonne-t-elle.

— Les accidents, ça arrive. Je vais te ramener chez toi.

— Je pourrais dormir une semaine.

Ses yeux se ferment, bien qu'elle continue à parler d'une voix traînante et heurtée.

— J'étais juste assise devant la télé. J'ai eu faim. Je suis allée dans la cuisine me chercher du pain et de la confiture. J'ai glissé. Je ne suis pas sûre de savoir comment, ni sur quoi, mais je me suis cogné la tête contre la barre du four. Je crois que j'ai perdu connaissance pendant une minute ou deux. Assieds-toi, Pari. Tu m'indisposes en restant debout devant moi.

Pari obéit.

— Le Dr Delaunay a dit que tu avais bu.

Sa mère soulève à moitié une de ses paupières. Sa propension à fréquenter les médecins n'est surpassée que par le dégoût qu'ils lui inspirent.

— Ce gamin ? Il t'a dit ça ? *Le petit salaud**. Parce qu'il s'y connaît, peut-être ? Son haleine sent encore le lait maternel.

— Il faut toujours que tu tournes ça à la plaisanterie. Dès que j'aborde le sujet, c'est pareil.

— Je suis fatiguée, Pari. Tu me feras la morale une autre fois. La flagellation ne mène à rien.

Et elle s'endort là. Qui plus est en ronflant d'une manière qui n'a rien d'attrayant, comme toujours après ses cuites.

Assise sur le tabouret à côté du lit, Pari attend le Dr Delaunay en se représentant Julien installé à une table sous un éclairage tamisé, un menu à la main, en train d'expliquer la situation à Christian et Aurélie devant de grands verres de bordeaux. Il a proposé de l'accompagner à l'hôpital, mais d'un ton détaché, juste pour la forme. Venir ici aurait été une mauvaise idée, de toute façon. Dire que le Dr Delaunay croyait avoir assisté à une scène mélodramatique un peu plus tôt... Mais bon, même s'il ne pouvait pas venir avec elle, Pari aurait aimé qu'il n'aille pas non plus à ce dîner sans elle. Elle est encore un peu surprise qu'il l'ait fait. Il aurait pu se justifier auprès de ses amis. Ils auraient pu choisir un autre soir, modifier la réservation. Mais Julien était sorti. Ce n'était pas seulement indélicat. Non, il y avait quelque chose de méchant dans son geste, quelque chose de délibéré, de cinglant. Pari le savait déjà capable d'un tel comportement, mais ces derniers temps, elle se demande s'il n'y prend pas aussi plaisir.

C'était dans un service d'urgence assez semblable à celui-ci que sa mère avait rencontré Julien pour la première fois – dix ans plus tôt, en 1963, quand elle-même avait quatorze ans. Il avait conduit là un de ses collègues, qui souffrait d'une migraine. Nila, elle, y avait emmené Pari, victime d'une mauvaise entorse à la cheville pendant son cours de gym à l'école – pour une fois, c'était elle la patiente. Elle attendait, allongée sur un brancard, quand Julien avait poussé sa chaise près d'elles et engagé la conversation avec Nila. Pari ne se rappelle pas ce qu'ils s'étaient dit, en dehors de cette remarque de Julien : « Paris, comme la ville ? » et de la réplique familière de sa mère : « Non, sans le *s*. Ça veut dire "fée" en farsi. »

Elles avaient dîné avec lui la même semaine, un soir de pluie, dans un petit bistro près du boulevard Saint-Germain. Au moment de se préparer, Nila avait longuement joué et surjoué les indécises, jusqu'à ce qu'elle opte pour une robe bleu pastel à la taille marquée, des gants du soir et des talons aiguilles. Et même alors, elle avait pivoté vers sa fille dans l'ascenseur en lui demandant : « Ça ne fait pas trop Jackie Kennedy, n'est-ce pas ? Qu'en penses-tu ? »

Avant le repas, ils avaient fumé tous les trois, et, pour Nila et Julien, bu une bière dans des chopes glacées géantes. Une fois passée cette première tournée, Julien en avait commandé une deuxième, puis une troisième. En chemise blanche, cravate et blazer à carreaux, il affichait les manières courtoises et contrôlées d'un homme bien élevé. Il souriait naturellement, riait sans effort. Tout juste avait-il quelques cheveux gris au niveau des tempes, ce dont Pari ne s'était pas rendu compte aux urgences en raison du mauvais éclairage. Il devait avoir à peu près le même âge que sa mère. Très au fait de l'actualité, il avait évoqué durant un certain temps le veto opposé par de Gaulle à l'entrée de l'Angleterre dans le Marché commun, en réussissant presque, chose étonnante pour Pari, à rendre le sujet intéressant. Suite à une question de Nila, il leur avait appris qu'il enseignait depuis peu l'économie à la Sorbonne.

— Professeur ? Comme c'est glamour !

— Oh, pas vraiment. Vous devriez venir assister à un cours. Vous changeriez vite d'avis.

— Pourquoi pas.

Pari sentait que sa mère était déjà un peu ivre.

— Je me glisserai peut-être dans une de vos classes, un jour. Pour vous épier en pleine action.

— « En pleine action » ? Vous n'avez pas déjà oublié que j'enseigne l'économie, Nila ? Si vous venez, vous découvrirez que mes étudiants me prennent pour un demeuré.

— Oh, j'en doute.

Pari aussi en doutait. Une bonne partie des étudiantes de Julien devaient avoir envie de coucher avec

227

lui. Durant tout le dîner, elle l'avait observé en veillant à ne pas être prise sur le fait. Il possédait un visage comme on en voit dans les films noirs, un visage destiné à être photographié en noir et blanc, balafré par les ombres parallèles d'un store vénitien, la fumée d'une cigarette tournoyant à proximité. Une mèche de cheveux en forme de parenthèse était retombée sur son front de façon infiniment gracieuse – trop, peut-être. À supposer qu'elle se soit retrouvée là par hasard, Pari avait noté que Julien ne s'était jamais donné la peine de la repousser.

Il avait interrogé sa mère sur la petite librairie qu'elle possédait et dirigeait. Elle était située de l'autre côté de la Seine, après le pont d'Arcole.

— Vous avez des livres sur le jazz ?

— *Bah oui**.

Il pleuvait de plus en plus fort et le bistro devenait bruyant. Pendant que le serveur leur apportait des gougères au fromage et des brochettes de jambon, Julien et Nila avaient entamé une discussion sur Bud Powell, Sonny Stitt, Dizzy Gillespie et – le préféré de Julien – Charlie Parker. Nila, elle, préférait le style propre à la côte Ouest, celui de Chet Baker et de Miles Davis, et avait-il écouté *Kind of Blue* ? Pari avait été surprise de la découvrir passionnée à ce point par le jazz et aussi calée sur autant de musiciens. Elle en avait conçu – et ce n'était pas la première fois – une admiration enfantine à son égard, tout en ayant le sentiment déstabilisant de ne pas connaître réellement sa propre mère. Ce qui ne l'avait pas surprise en revanche, c'était la manière dont elle avait séduit Julien, totalement et sans effort. Elle était dans son élément dans ce restaurant. Elle n'avait jamais eu de mal à attirer l'attention des hommes. Elle les engloutissait.

Pari l'avait regardée murmurer gaiement, rire aux plaisanteries de Julien, incliner la tête et jouer d'un air absent avec une mèche de ses cheveux. Une fois de plus, elle s'était émerveillée de voir combien sa mère était jeune – vingt années seulement les séparaient – et belle aussi, avec ses longs cheveux bruns, sa poitrine pleine, ses yeux saisissants, son visage dont l'éclat intimidant évoquait de nobles figures classiques. Et elle s'était étonnée encore de lui ressembler si peu, elle qui avait des yeux clairs et sérieux, un long nez, les dents de devant écartées et de petits seins. Sa beauté, si jamais elle pouvait se prévaloir d'en avoir une quelconque, était d'un genre plus modeste et prosaïque. Côtoyer sa mère lui rappelait toujours que son physique à elle était fait d'une étoffe plus commune. Parfois, c'était Nila en personne qui s'en chargeait, même si elle avançait toujours masquée derrière un compliment comme derrière un cheval de Troie.

Tu as de la chance, Pari, lui assenait-elle. *Tu n'auras pas besoin de travailler aussi dur que moi pour que les hommes te prennent au sérieux. Ils feront attention à toi. Trop de beauté, ça corrompt tout.* Puis elle éclatait de rire. *Oh, écoute-moi. Je ne prétends pas parler en connaissance de cause. Bien sûr que non. C'est juste une observation.*

Tu dis que je ne suis pas belle.

Je dis qu'il est préférable de ne pas l'être. Et puis, tu es jolie, c'est bien assez. Je t'assure, ma chérie. C'est même mieux.

Pari estimait ne pas ressembler beaucoup à son père non plus. Il avait été un homme grand, à la mine sérieuse, au front haut, au menton étroit et aux lèvres fines. Elle conservait dans sa chambre quelques photos de lui datant de son enfance à Kaboul. Il était tombé malade en 1955, date à laquelle sa mère et elle avaient emménagé à Paris, et était mort peu après. Parfois, elle se surprenait à contempler l'une de ces photos, en particulier un portrait en noir et blanc d'elle et lui debout devant une vieille voiture américaine. Appuyé contre l'aile, il la portait dans ses bras et tous deux souriaient. Pari se souvenait de s'être assise un jour avec lui pendant qu'il peignait des girafes et des macaques sur la porte d'une armoire. Il l'avait laissée colorier l'un des singes en lui tenant la main et en guidant patiemment ses coups de pinceau.

Voir le visage de son père sur ces photos réveillait une vieille sensation en elle, une impression qu'elle nourrissait depuis toujours. Celle que sa vie était marquée par l'absence de quelque chose ou de quelqu'un d'essentiel. Parfois, cela restait vague, à la manière d'un message qui aurait effectué des détours insondables sur de vastes distances, un faible signal radio éloigné, stridulé. Et parfois aussi, elle lui semblait si évidente, cette absence, si intime et si proche d'elle que son cœur faisait un bond. Comme en Provence, deux ans plus tôt, quand elle avait vu un chêne massif devant une ferme. Et cette autre fois, au jardin des Tuileries, où elle avait observé une jeune mère tirer son fils dans un petit chariot rouge. Pari ne comprenait pas. Elle avait lu une histoire un jour sur un Turc d'âge mûr qui était soudain tombé dans une profonde dépression lorsque son frère jumeau, dont il ignorait l'existence, avait succombé à une attaque cardiaque lors d'une excursion en canoë dans la forêt amazonienne. Cette histoire transcrivait ce qu'elle éprouvait mieux que quiconque ne l'avait jamais fait.

Elle en avait parlé un jour à sa mère.

Il n'y a aucun mystère là-dedans, mon amour*, avait-elle répondu. *Ton père te manque. Il a disparu de ta vie.*

C'est normal que tu ressentes ça. Il ne faut pas chercher plus loin. Viens là. Viens faire un bisou à maman.

Cette réponse, bien que parfaitement logique, lui paraissait insatisfaisante. Certes, Pari pensait que ce vide en elle aurait été en partie comblé si son père avait été encore vivant, encore là avec elle. Mais elle se rappelait avoir eu ce sentiment même étant petite, quand elle vivait avec ses deux parents dans leur grande maison de Kaboul.

Peu après la fin du repas, sa mère s'était excusée pour aller aux toilettes et Pari était restée seule quelques minutes avec Julien. Ils avaient discuté d'un film qu'elle avait vu la semaine précédente, dans lequel Jeanne Moreau incarnait une joueuse, et aussi de son école et de ses goûts musicaux. Pendant qu'elle parlait, Julien avait appuyé les coudes sur la table et s'était penché un peu vers elle, attentif, souriant et fronçant les sourcils à la fois, sans jamais la quitter des yeux. C'était du cinéma, avait-elle songé. Il faisait semblant, voilà tout. Ce n'était rien qu'un petit numéro raffiné qu'il répétait devant les femmes, quelque chose qu'il avait choisi de faire comme ça, sous l'impulsion du moment, pour s'amuser à ses dépens. Et pourtant, devant son regard fixe, elle avait senti son pouls s'accélérer malgré elle et son ventre se nouer. Et elle s'était surprise à adopter un ton faussement sophistiqué et ridicule, très éloigné de celui qui était le sien d'habitude. Elle en avait conscience, mais ne parvenait pas à s'arrêter.

Il lui avait révélé qu'il avait été marié, très brièvement.

— Vraiment ?

— Il y a quelques années. Quand j'avais trente ans. Je vivais à Lyon à l'époque.

Il avait épousé une femme plus âgée, mais leur couple n'avait pas duré tant elle s'était montrée possessive. Il n'avait pas évoqué cet épisode de sa vie lorsque Nila était à table avec eux.

— Notre relation était avant tout physique. *C'était purement sexuel**. Elle voulait me posséder.

En même temps qu'il prononçait ces mots, il l'avait observée avec un petit sourire subversif, en jaugeant prudemment sa réaction. Pari avait allumé une cigarette et tenté de la jouer très cool, à la Bardot, comme si c'était le genre de confidence que les hommes lui faisaient en permanence. Mais elle tremblait intérieurement. Elle savait qu'une petite trahison venait d'être commise à leur table. Un acte un peu illicite, pas tout à fait inoffensif mais indéniablement excitant. Lorsque sa mère les avait rejoints, les cheveux recoiffés et les lèvres remaquillées, le charme de l'instant avait été rompu et Pari lui en avait brièvement voulu de s'immiscer ainsi entre eux – ce qu'elle s'était aussitôt reproché.

Elle avait revu Julien une semaine plus tard environ – un matin, alors qu'elle portait un bol de café à sa mère dans sa chambre. Assis sur le bord du lit, il remettait sa montre. Elle n'avait pas été prévenue qu'il passerait la nuit là, et en l'apercevant depuis le couloir à travers l'interstice de la porte, elle était restée figée, son bol à la main, sa bouche lui donnant l'impression d'avoir avalé une motte de boue sèche. Elle avait contemplé la peau parfaite de son dos, le petit renflement de son ventre, la zone sombre entre ses jambes partiellement recouvertes par les draps froissés. Il avait attaché sa montre et allumé une cigarette prise sur la table de chevet, avant de poser les yeux sur elle avec désinvolture en lui adressant un sourire pincé, comme

232

s'il avait su depuis le début qu'elle était là. Puis Nila avait dit quelque chose dans la douche et Pari avait fait demi-tour. C'était un miracle qu'elle ne se soit pas brûlée avec le café.

Nila et Julien étaient restés amants durant six mois. Ils allaient souvent au cinéma, au musée et dans des petites galeries d'art exposant les œuvres d'obscurs peintres fauchés aux noms à consonance étrangère. Un week-end, ils étaient partis à la plage à Arcachon, près de Bordeaux, et étaient revenus tout bronzés avec une caisse de vin rouge. Julien emmenait Nila à des événements organisés par son université et Nila l'invitait à des lectures d'auteurs dans sa librairie. Pari les suivait au début – Julien le lui avait demandé, ce qui avait semblé faire plaisir à Nila –, mais elle avait vite trouvé des prétextes pour rester à la maison. Elle n'avait pas envie, elle ne pouvait pas. C'était insupportable. Elle était trop fatiguée, prétendait-elle. Ou elle ne se sentait pas bien. Ou elle devait aller étudier chez Colette, son amie depuis l'école primaire – une fille filiforme à l'air fragile, aux longs cheveux mous et au nez busqué, qui aimait choquer les gens par ses commentaires scandaleux.

— Je parie qu'il est déçu que tu ne viennes pas avec eux, lui avait-elle fait remarquer un jour.

— Eh bien, si c'est le cas, il ne le montre pas.

— Normal. Que dirait ta mère ?

— À quel sujet ? avait demandé Pari, qui voulait entendre la réponse de son amie, même si elle la connaissait déjà.

— « À quel sujet » ? avait répliqué Colette d'un ton sournois et excité. Que dirait-elle si elle découvrait qu'il sort avec elle uniquement pour t'avoir, toi ? Qu'il te veut, toi.

— C'est dégoûtant.

— Ou peut-être qu'il vous veut toutes les deux. Peut-être qu'il aime les parties à plusieurs. Dans ce cas, je te prierais peut-être de me recommander à lui.

— Tu es répugnante, Colette.

Parfois, quand sa mère et Julien étaient de sortie, Pari se déshabillait dans le couloir et s'examinait dans un miroir. Son corps laissait à désirer. Il était trop grand à son goût, trop mal fichu, trop... utilitaire. Elle n'avait hérité d'aucune des courbes ensorcelantes de sa mère. Il lui arrivait de marcher ainsi, tout nue, jusqu'à la chambre de celle-ci et de s'allonger sur le lit où Julien et elle avaient fait l'amour. Étendue là, les yeux fermés, le cœur battant, elle s'abandonnait totalement à l'insouciance tandis que quelque chose de semblable à un bourdonnement se répandait dans sa poitrine, son ventre, et plus bas encore.

La relation avait pris fin, bien sûr. Nila et Julien avaient rompu. Pari avait été soulagée, même si elle s'y attendait. Les hommes décevaient toujours sa mère au bout du compte. À chaque fois, ils échouaient lamentablement à se hisser à la hauteur de l'image idéale qu'elle se faisait d'eux. L'exubérance et la passion des débuts conduisaient à terme à des accusations et des paroles haineuses, des crises de rage et de larmes, des jets d'ustensiles de cuisine et des effondrements. Le Drame avec un grand D. Nila était incapable de commencer ou de clore une relation sans excès.

Suivait une période prévisible durant laquelle elle se découvrait un goût soudain pour la solitude. Elle restait au lit, un vieux manteau d'hiver enfilé par-dessus son pyjama, en faisant peser sur l'appartement sa présence lasse, malheureuse et revêche. Pari savait qu'il valait mieux la laisser tranquille dans ces moments-là. Ses ten-

234

tatives pour la consoler et lui tenir compagnie n'étaient jamais bien accueillies. Cette humeur maussade durait des semaines – et dans le cas de Julien, cela avait été beaucoup plus.

— *Ah, merde** ! lâche Nila à cet instant.

Elle est assise sur son lit, toujours vêtue de sa chemise d'hôpital, pendant qu'une infirmière lui ôte son intraveineuse. Le Dr Delaunay a donné à Pari le formulaire d'autorisation de sortie.

— Quoi ?

— Ça vient juste de me revenir. J'ai une interview dans quelques jours.

— Une interview ?

— Un portrait pour une revue de poésie.

— C'est génial, maman !

— L'article sera accompagné d'une photo, réplique Nila en montrant les points de suture sur son front.

— Je suis sûre que tu trouveras un moyen élégant de cacher ça.

Nila soupire en détournant le regard. Lorsque l'infirmière lui retire l'aiguille du bras, elle grimace et lui décoche une remarque acerbe imméritée.

Extrait de « L'Oiseau chanteur afghan », une interview de Nila Wahdati par Étienne Boustouler, *Parallaxe 84* (HIVER 1974), p. 36

J'examine de nouveau l'appartement et suis attiré par une photo encadrée sur l'une des étagères. Elle représente une petite fille accroupie au milieu de buissons sauvages sur lesquels elle cueille des baies quelconques avec la plus grande concentration. Elle porte un manteau jaune vif boutonné jusqu'au cou qui contraste avec le ciel gris sombre. À l'arrière-plan se dresse une ferme en pierre aux volets fermés et aux bardeaux abîmés. Je l'interroge sur cette photo.

NW : Ma fille, Pari. Comme la ville, mais sans *s*. Cela veut dire « bonne fée ». La photo a été prise en Normandie pendant un voyage que nous avons fait toutes les deux. En 1957, je crois. Elle devait avoir huit ans.

EB : Elle vit à Paris ?

NW : Elle étudie les mathématiques à la Sorbonne.

EB : Vous devez être fière d'elle.

Elle sourit et hausse les épaules.

EB : Je suis un peu étonné par son choix de carrière, elle dont la mère a consacré sa vie à la littérature.

NW : Je ne sais pas de qui elle tient ça. Toutes ces formules et ces théories incompréhensibles… Enfin, je suppose qu'elles ne le sont pas pour elle. Moi, je suis à peine capable de faire une multiplication.

EB : C'est peut-être sa manière de se rebeller. Vous en connaissez un rayon dans ce domaine, il me semble.

NW : Oui, mais j'ai fait ça correctement. J'ai bu, j'ai fumé, j'ai pris des amants. Qui peut bien se rebeller en faisant des maths ?

Et elle éclate de rire.

NW : Du reste, elle ne pourrait être qu'une rebelle sans cause, comme on dit. Je lui ai donné toute la liberté dont on peut rêver. Elle n'a besoin de rien, ma fille. Elle ne manque de rien. Elle vit avec quelqu'un. Un type un peu plus âgé qu'elle. Absolument charmant, très cultivé, amusant. Narcissique au possible, bien sûr. Avec un ego gros comme la Pologne.

EB : Vous désapprouvez cette relation ?

NW : La question n'est pas de savoir si je l'approuve ou pas. Nous sommes en France, monsieur Boustouler, pas en Afghanistan. Les jeunes ne sont pas constamment obligés d'avoir l'aval de leurs parents.

EB : Votre fille n'a gardé aucun lien avec l'Afghanistan ?

NW : Elle en est partie à l'âge de six ans. Elle ne se souvient pas très bien de sa vie là-bas.

EB : Contrairement à vous, n'est-ce pas ?

Je lui demande de me parler de ses jeunes années.

Elle s'excuse, quitte la pièce un moment et revient avec une vieille photo froissée en noir et blanc. Un homme à lunettes, à la carrure imposante, à la mine sévère, aux cheveux brillants et séparés en deux par une raie impeccable, lit un livre assis à un bureau. Son costume aux revers en pointe est complété par un gilet croisé, une chemise blanche à col haut et un nœud papillon.

NW : Mon père quand il avait vingt-neuf ans. L'année de ma naissance.

EB : Il a l'air très distingué.

NW : Il faisait partie de l'aristocratie pachtoune de Kaboul. Très instruit, parfaitement bien élevé, sociable comme il faut. Un grand conteur, aussi. Du moins en public.

EB : Et en privé ?

NW : Devinez, monsieur Boustouler.

Je saisis la photo et l'étudie de nouveau.

EB : Je dirais qu'il était distant. Grave. Insondable. Intraitable.

NW : J'insiste vraiment pour que vous preniez un verre avec moi. Je trouve détestable – non, odieux, même – de boire seule.

Elle me sert un verre de chardonnay. Par politesse, j'avale une gorgée.

NW : Il avait les mains froides, mon père. Quel que soit le temps. Et il portait toujours un costume, là encore quel que soit le temps. Coupé sur mesure, avec des plis bien marqués. Et un chapeau mou. Et des derbys bicolores à petits trous, forcément. Il était séduisant, je suppose, mais son charme avait un aspect solennel. Et aussi, ce que je n'ai compris que beaucoup plus tard, un aspect artificiel, un peu ridicule et faussement européen – renforcé par des parties hebdomadaires de boulingrin et de polo et par une épouse française convoitée, tout ça avec la bénédiction du jeune roi progressiste.

Elle triture l'un de ses ongles sans rien dire durant un moment. Je retourne la cassette de mon magnétophone.

NW : Mon père avait sa propre chambre et ma mère et moi dormions dans une autre. Presque tous les jours, il allait déjeuner avec des ministres et des conseillers du roi. Ou sinon, il sortait faire du cheval, jouer au polo ou chasser. Il adorait chasser.

EB : Vous ne le voyiez donc pas beaucoup. C'était une figure absente.

NW : Pas tout à fait. Il mettait un point d'honneur à passer quelques minutes avec moi tous les deux ou trois jours. Il entrait dans ma chambre et s'asseyait sur mon lit, ce qui était le signal pour que je grimpe sur ses genoux. Il me faisait sautiller pendant quelques instants, sans qu'aucun de nous deux ne dise grand-chose, et pour finir il me lançait : « Que fait-on maintenant, Nila ? » Parfois, il me laissait prendre le mouchoir dans sa poche de poitrine pour que je le replie. Moi, évidemment, je le roulais en boule et le rangeais sans ménagement à sa place. Il feignait alors la surprise, ce que je trouvais très comique. On recommençait, encore et encore, jusqu'à ce qu'il se lasse de ce jeu, c'est-à-dire assez rapidement. À ce moment-là, il me caressait les cheveux de ses mains froides en disant : « Papa doit y aller maintenant, ma biche. File. »

Nila rapporte la photo dans la pièce d'à côté et, en me rejoignant, sort un paquet de cigarettes d'un tiroir et en allume une nouvelle.

NW : « Ma biche ». C'était le surnom qu'il me donnait. Je l'adorais. Je sautillais souvent dans le jardin – on en avait un très grand – en chantonnant : « Je suis la biche de papa ! Je suis la biche de papa ! » Ce n'est que bien plus tard que j'ai saisi à quel point ce surnom était sinistre.

EB : Pardon ?

Elle sourit.

NW : Mon père tuait des cerfs à la chasse, monsieur Boustouler.

Elles auraient pu parcourir à pied la distance entre l'hôpital et l'appartement de Nila, mais la pluie a redoublé d'intensité. Dans le taxi, Nila se recroqueville sur le siège arrière, enveloppée dans l'imperméable de Pari, et regarde sans un mot par la vitre. L'espace d'un instant, elle paraît vieille à sa fille, bien plus vieille que ses quarante-quatre ans. Vieille, et fragile, et maigre.

Cela fait un moment que Pari n'est pas allée chez elle. En entrant, elle trouve le plan de travail de la cuisine encombré de verres à vin sales, de sachets de chips ouverts, de pâtes non cuites et d'assiettes dans lesquelles des morceaux de nourriture non identifiables se sont fossilisés. Un sac en papier débordant de bouteilles de vin vides repose sur la table, où il semble tout près de se renverser. Pari aperçoit des journaux par terre, dont l'un a absorbé le sang répandu par la blessure de sa mère plus tôt dans la journée, et au-dessus, une chaussette en laine rose. Cela l'effraie de voir l'appartement dans un tel état – et cela l'emplit de culpabilité aussi. Ce qui, connaissant sa mère, est peut-être l'effet voulu. Puis elle se déteste d'avoir osé supposer ça. C'est le genre de chose que penserait Julien. *Elle veut que tu aies mauvaise conscience.* Il le lui a répété plusieurs fois au cours de l'année écoulée. *Elle veut que tu aies mauvaise conscience.* Au début, Pari s'est sentie soulagée, comprise. Elle lui a été reconnaissante de mettre des mots sur ce qu'elle ne pouvait, ou ne voulait pas articuler. Elle a cru avoir trouvé un allié. Mais ces derniers temps, elle s'interroge. Elle capte dans ses propos une pointe de méchanceté. Une absence troublante de gentillesse.

Le sol de la chambre est jonché d'habits, de disques, de livres et de journaux. Sur le rebord de la fenêtre, des mégots flottent dans un verre à moitié rempli d'une eau devenue toute jaune. Pari repousse les livres et les vieux magazines qui encombrent le lit et aide sa mère à se glisser sous les couvertures.

Nila lève les yeux vers elle, le dos d'une main appuyée contre le pansement de son front. Cette pose lui donne l'air d'une actrice de film muet sur le point de s'évanouir.

— Ça va aller, maman ?

— Je ne crois pas.

Sa réponse ne sonne pas comme une demande suppliante d'attention. Elle a dit ça d'une voix monocorde et blasée, en conférant à ses mots une tonalité fatiguée, sincère et sans appel.

— Tu me fais peur, maman.

— Tu repars tout de suite ?

— Tu veux que je reste ?

— Oui.

— Alors je reste.

— Éteins la lumière.

— Maman ?

— Oui.

— Tu prends tes médicaments ou pas ? J'ai l'impression que tu as arrêté et ça m'inquiète.

— Ne recommence pas à me faire la morale. Éteins la lumière.

Pari obéit et s'assoit sur le bord du lit en regardant sa mère s'endormir. Puis elle va dans la cuisine s'attaquer au vaste chantier qui l'y attend. Munie d'une paire de gants, elle lave les verres qui empestent le vieux lait aigre, les bols incrustés de céréales séchées, les assiettes dont les restes de nourriture sont parsemés de taches de moisissure vertes et duveteuses. Elle se rappelle lorsqu'elle a fait la vaisselle chez Julien, le matin qui a suivi leur première nuit ensemble. Il avait préparé une omelette. Comme elle avait savouré cet acte domestique tout simple, nettoyer des plats dans son évier, pendant que le tourne-disque diffusait une chanson de Jane Birkin...

Elle avait renoué avec lui l'année précédente, en 1973, pour la première fois en presque dix ans, après être tombée sur lui durant une manifestation étudiante contre la chasse au phoque devant l'ambassade du Canada. Elle ne voulait pas y aller, d'autant qu'il lui restait un devoir à terminer sur les fonctions méromorphes, mais Colette avait insisté. Elles vivaient ensemble à l'époque – une situation qui se révélait de plus en plus déplaisante pour l'une et l'autre. Son amie fumait de l'herbe, portait des bandeaux et d'amples tuniques magenta brodées d'oiseaux et de pâquerettes, et elle ramenait à la maison des garçons débraillés aux cheveux longs qui prenaient sa nourriture à Pari et jouaient mal de la guitare. Très souvent, elle descendait dans la rue pour dénoncer haut et fort les actes de cruauté envers les animaux, le racisme, l'esclavage, les essais nucléaires dans le Pacifique. Il régnait toujours un sentiment d'urgence dans leur appartement, où des gens que Pari ne connaissait pas entraient et sortaient sans cesse comme dans un moulin. Et lorsqu'elles étaient seules, elle percevait une tension nouvelle entre elles, un dédain de la part de Colette, une désapprobation muette.

— Ils mentent, disait son amie avec animation. Ils prétendent que leurs méthodes sont humaines. Humaines ! Tu as vu ce qu'ils utilisent pour leur défoncer le crâne ? Ces *hakapiks* ? Une fois sur deux, les pauvres bêtes ne sont même pas encore mortes que ces salauds leur plantent ces crochets dans le corps pour les hisser sur le bateau. Ils les écorchent vifs, Pari. Ils les écorchent *vifs* !

La manière dont Colette prononçait ces mots, dont elle les soulignait, donnait à Pari envie de s'excuser. De quoi, elle n'en était pas tout à fait sûre, mais elle savait que depuis quelque temps cela l'oppressait de côtoyer

242

Colette et de subir ses reproches et ses nombreux cris d'orfraie.

Seules une trentaine de personnes étaient venues ce jour-là. Le bruit avait couru selon lequel Brigitte Bardot ferait une apparition, mais cela n'avait rien été de plus qu'une rumeur, finalement. Déçue par le peu d'affluence, Colette avait eu une vive dispute avec un jeune homme à lunettes maigre et pâle nommé Éric – l'organisateur de la manifestation, d'après ce que Pari avait pu comprendre. Pauvre Éric. Elle avait eu pitié de lui. Toujours furieuse, Colette avait pris la tête du cortège et Pari avait suivi à l'arrière, à côté d'une fille toute plate qui braillait des slogans avec une sorte de fièvre nerveuse. Les yeux rivés sur le trottoir, elle avait tenté de son mieux de ne pas se faire remarquer.

À l'angle d'une rue, un homme lui avait tapoté l'épaule.

— On dirait que tu meurs d'envie d'être secourue.

Il portait une veste en tweed avec un pull, un jean et une écharpe en laine. Les cheveux plus longs, il avait un peu vieilli, mais avec élégance, d'une façon que certaines femmes de son âge auraient pu trouver injuste, et même exaspérante : toujours mince et en forme, des pattes-d'oie au coin des yeux, quelques cheveux gris en plus sur les tempes, et des traits qui accusaient à peine une pointe de lassitude.

— C'est le cas, avait-elle répondu.

Ils s'étaient embrassés sur la joue, et lorsqu'il lui avait demandé si elle accepterait de prendre un café avec lui, elle avait dit oui.

— Ta copine a l'air en colère. Du genre prête à tuer quelqu'un.

Pari avait jeté un coup d'œil derrière elle. À côté d'Éric, son amie déclamait ses slogans en levant le poing, mais aussi, chose absurde, en les foudroyant tous les deux du regard. Elle avait réprimé un éclat de rire – cela aurait eu sinon des conséquences irréparables – et, avec un petit haussement d'épaules en guise d'excuse, elle était partie.

Ils étaient allés s'asseoir dans un bistro, à une table près de la vitre. Julien avait commandé du café et deux millefeuilles en s'adressant au serveur avec cette autorité si naturelle que Pari n'avait pas oubliée. Cela avait fait voler dans son ventre les mêmes papillons que lorsqu'elle était ado et qu'il passait chercher sa mère à la maison. Elle s'était soudain sentie gênée, consciente de ses ongles rongés, de son visage non maquillé, de ses cheveux qui pendouillaient en boucles molles, et elle avait regretté de ne pas les avoir séchés après sa douche – mais elle était en retard et Colette faisait alors les cent pas comme un animal en cage.

— Je ne t'avais pas rangée dans la catégorie des filles indignées, avait-il dit en lui allumant sa cigarette.

— Je ne le suis pas. Je suis venue plus par culpabilité que par conviction.

— Par culpabilité ? Vis-à-vis de la chasse au phoque ?

— Vis-à-vis de Colette.

— Ah. Oui. Tu sais, je crois qu'elle m'effraie un peu.

— Nous tous aussi.

Cela les avait fait rire. Julien avait tendu la main par-dessus la table pour effleurer son foulard, puis l'avait laissée retomber.

— Il serait banal de dire que tu as beaucoup grandi, alors je ne le ferai pas. Mais tu es absolument ravissante, Pari.

— Quoi, dans ma tenue d'inspecteur Clouseau ? avait-elle répliqué en pinçant le revers de son imperméable.

Colette lui avait dit que c'était stupide, cette manie qu'elle avait de se déprécier pour tenter de masquer sa nervosité face aux hommes qui l'attiraient. Surtout quand ils la complimentaient. Ce n'était pas la première fois, et ce ne serait pas la dernière, loin de là, mais à cet instant, elle avait envié à sa mère son assurance innée.

— Bientôt, tu vas dire que je me montre à la hauteur de mon prénom.

— *Ah, non**. S'il te plaît. Ce serait trop facile. Complimenter une femme, c'est tout un art, tu sais.

— Mais je suis certaine que tu le maîtrises. Non ?

Le serveur était ensuite arrivé avec leurs pâtisseries et leurs cafés et Pari s'était concentrée sur ses mains pendant qu'il disposait les tasses et les assiettes sur la table. Ses paumes à elle étaient moites. Elle n'avait eu que quatre amants dans sa vie – un nombre modeste, elle le savait, si elle se comparait à sa mère au même âge, ou ne serait-ce qu'à Colette. Elle était trop attentive, trop raisonnable, trop prête à faire des compromis, trop souple, et dans l'ensemble beaucoup plus fiable et moins épuisante que sa mère ou son amie. Mais ce n'étaient pas des qualités qui faisaient que les hommes se bousculaient à ses pieds. Et elle n'avait aimé aucun de ses compagnons, bien qu'elle eût menti à l'un d'eux en affirmant le contraire. Au lit, clouée sous leur corps, c'était des images de Julien qui lui venaient à l'esprit, Julien et son beau visage qui semblait briller d'une aura particulière.

En mangeant, il lui avait parlé de sa vie professionnelle. Il avait quitté l'enseignement pour travailler durant quelques années sur la viabilité de la dette au

FMI. L'aspect le plus agréable de son poste, selon lui, avait résidé dans les voyages qu'il devait faire.

— Où ça ?

— En Jordanie, en Irak. Après, je me suis accordé deux ans environ pour écrire un livre sur l'économie informelle.

— Tu as été publié ?

— Il paraît, avait-il répondu en souriant. Je bosse maintenant pour une boîte de consulting privée à Paris.

— Moi aussi, j'ai envie de voyager. Colette n'arrête pas de me dire qu'on devrait aller en Afghanistan.

— Je crois deviner pourquoi elle, elle en a envie.

— J'y songe, en tout cas. Je veux dire, à retourner là-bas. Je me fiche du haschich, mais j'aimerais vraiment visiter le pays, voir où je suis née. Peut-être retrouver l'ancienne maison où j'ai vécu avec mes parents.

— J'ignorais que tu éprouvais ce besoin.

— Je suis curieuse. C'est vrai, je me souviens de si peu de choses.

— Il me semble que tu as parlé un jour d'un cuisinier qui était employé par ta famille.

Pari avait été flattée qu'il se rappelle un détail mentionné tant d'années auparavant. Cela signifiait qu'il avait pensé à elle dans l'intervalle. Elle avait dû rester présente dans son esprit.

— Oui. Il s'appelait Nabi. C'était notre chauffeur, aussi. Il conduisait la voiture de mon père, une grosse voiture américaine bleue au toit ocre. Je revois encore la tête d'aigle sur le capot.

Plus tard, il l'avait interrogée sur ses études, son choix de se concentrer sur les variables complexes, et il l'avait écoutée avec plus d'attention que Nila ne l'avait jamais fait – Nila, qu'un tel sujet ennuyait et qui paraissait ne pas comprendre que Pari puisse se passionner pour ça. Incapable même de feindre l'intérêt, elle lui lançait des plaisanteries légères qui, en apparence, donnaient l'impression de moquer sa propre ignorance. *Oh là là**, disait-elle en souriant. *Ma tête ! Ma tête ! J'ai le tournis. Faisons un marché, Pari. Je vais préparer du thé et pendant ce temps-là, toi, tu redescendras sur terre, d'accord ?* Et elle riait. Pari se pliait à ses désirs, mais ces propos lui faisaient l'effet d'une petite pique, d'une sorte de réprimande indirecte, comme si sa mère avait voulu suggérer qu'elle jugeait son savoir ésotérique et ses études frivoles. *Frivoles.* Ce qui ne manquait pas de sel venant d'une poétesse, songeait Pari – mais ça, elle ne le lui dirait jamais.

Puis Julien lui avait demandé ce qui lui plaisait dans les mathématiques.

— Leur côté réconfortant.

— « Intimidant » m'aurait semblé un adjectif plus approprié.

— Il l'est aussi.

Ainsi qu'elle le lui avait expliqué, la permanence des vérités mathématiques, leur absence d'arbitraire et d'ambiguïté lui procuraient un certain réconfort. Tout comme la certitude que les réponses, même si elles étaient parfois élusives, pouvaient être trouvées. Qu'elles étaient là, qu'elles attendaient, séparées de vous par seulement quelques signes gribouillés à la craie.

— Tout le contraire de la vie, en somme, avait-il noté. Parce que là, en revanche, la réponse à une question est soit négative, soit très compliquée.

— C'est si facile de lire en moi ? avait-elle dit, amusée, avant de se cacher derrière sa serviette. Tu dois me prendre pour une idiote.

— Pas du tout, avait-il protesté en lui arrachant la serviette. Pas du tout.

— Je suis comme tes étudiants. Je dois te faire penser à eux.

Il avait continué à l'interroger, non sans dévoiler au passage une bonne connaissance de la théorie analytique des nombres et au moins quelques notions concernant Carl Gauss et Bernhard Riemann. Ils avaient discuté ainsi jusqu'à la tombée de la nuit, buvant du café, puis de la bière, puis du vin. Et lorsqu'il n'avait plus été possible de reculer, Julien s'était penché vers elle en adoptant un ton poli et respectueux :

— Comment va Nila ?

Pari avait gonflé les joues et soupiré lentement. Il avait hoché la tête d'un air entendu.

— Elle risque de perdre sa librairie.

— J'en suis navré.

— Cela fait des années que les affaires vont de plus en plus mal. Elle devra peut-être mettre la clé sous la porte. Elle ne l'avouera jamais, mais ce serait un coup dur pour elle. Un coup très dur.

— Elle écrit ?

— Pas ces derniers temps.

Au grand soulagement de Pari, Julien était vite passé à un autre sujet. Elle n'avait pas envie de parler de Nila, de son alcoolisme, du combat permanent qu'il fallait mener pour l'obliger à prendre ses médicaments. Elle se rappelait tous ces moments gênants chaque fois qu'elle s'était retrouvée seule avec Julien et qu'il l'avait regardée chercher quelque chose à dire pendant que sa mère s'habillait. Celle-ci avait bien dû le sentir. Était-ce pour cette raison qu'elle avait rompu avec lui ? Si oui, Pari la soupçonnait d'avoir agi davantage comme une amoureuse jalouse que comme une mère protectrice.

Quelques semaines plus tard, Julien lui avait demandé d'emménager avec lui dans son petit appartement de la rive gauche, situé dans le VIIe arrondissement. Elle avait accepté. À ce stade, l'hostilité ombrageuse de Colette rendait l'atmosphère entre elles insupportable.

Pari se souvient de son premier dimanche chez lui. Ils étaient installés sur son canapé, l'un contre l'autre, elle plongée dans une agréable torpeur, lui occupé à boire du thé tout en lisant un article d'opinion à la dernière page du journal, ses longues jambes appuyées sur la table basse. Le tourne-disque passait une chanson de Jacques Brel. De temps à autre, Pari bougeait la tête contre le torse de son amant, qui se penchait alors afin d'embrasser sa paupière, son oreille ou son nez.

— Il faut qu'on parle à ma mère.

Elle l'avait senti se raidir. Il avait replié le journal et ôté ses lunettes pour les poser sur le bras du canapé.

— Il faut qu'elle le sache, Julien.

— Oui, sans doute.

— Comment ça, « sans doute » ?

— Non, tu as raison, bien sûr. Tu devrais l'appeler. Mais fais attention. Ne lui demande ni sa permission ni sa bénédiction, parce que tu n'auras aucune des deux. Mets-la simplement au courant. Et fais-lui bien comprendre qu'il ne s'agit pas d'une négociation.

— C'est facile à dire pour toi.

— Peut-être. Souviens-toi juste que Nila est rancunière. Désolé, mais c'est pour ça qu'on s'est séparés. Elle est étonnamment rancunière. Je sais donc que ça ne sera pas facile.

Pari avait soupiré et fermé les yeux. Cette perspective lui donnait mal au ventre.

— Ne sois pas faible, avait-il insisté.

Elle avait téléphoné à sa mère le lendemain. Nila était déjà informée.

— Qui te l'a dit ?

— Colette.

Évidemment, avait songé Pari.

— J'allais le faire.

— Je sais. On ne peut pas cacher un truc pareil.

— Tu es en colère ?

— Est-ce que ça changerait quelque chose ?

Pari se tenait près de la fenêtre. De son doigt, elle suivait distraitement le rebord bleu du vieux cendrier de Julien. Elle avait fermé les yeux.

— Non, maman. Ça ne changerait rien.

— Ma foi, j'aimerais pouvoir dire que cette remarque-là ne me blesse pas.

— Ce n'était pas mon intention.

— Je considère ça comme hautement discutable.

— Pourquoi voudrais-je te faire du mal, maman ?

Nila avait éclaté de rire. Un rire creux et dissonant.

— Parfois, quand je te regarde, je ne me retrouve pas en toi. Pas du tout. Je suppose que ça n'a rien de surprenant, du reste. Je ne sais pas quel genre de personne tu es, Pari. Je ne sais pas qui tu es, ce dont tu es capable dans ton sang. Tu es une étrangère pour moi.

— Je ne comprends pas ce que tu veux dire.

Mais sa mère avait déjà raccroché.

**Extrait de « L'Oiseau chanteur afghan »,
une interview de Nila Wahdati
par Étienne Boustouler,
Parallaxe 84 (HIVER 1974), p. 38**

EB : C'est ici que vous avez appris le français ?
NW : Ma mère me l'a appris à Kaboul quand j'étais petite. Elle ne me parlait qu'en français

et me donnait des leçons tous les jours. Ç'a été très dur pour moi quand elle est partie.

EB : Elle est retournée en France ?

NW : Oui. Mes parents ont divorcé en 1939, quand j'avais dix ans. J'étais la fille unique de mon père, il était donc hors de question de me laisser quitter le pays avec elle. Je suis restée et elle est allée vivre à Paris chez sa sœur, Agnès. Mon père a tenté d'atténuer cette perte en engageant un précepteur, en m'occupant avec des cours d'art et d'équitation. Mais rien ne remplace une mère.

EB : Qu'est-elle devenue ?

NW : Oh, elle est morte. Quand les nazis sont entrés dans Paris. Contrairement à sa sœur, elle n'a pas été tuée par eux. Elle a succombé à une pneumonie. Mon père ne me l'a dit qu'après la libération de Paris par les Alliés, mais je le savais déjà. Je le savais.

EB : Cela a dû être difficile.

NW : J'étais effondrée. J'adorais ma mère. J'avais prévu de la rejoindre en France après la guerre.

EB : J'en déduis que vous ne vous entendiez pas bien avec votre père ?

NW : Il y avait des tensions entre nous. Nous nous disputions, et souvent, ce qui était nouveau pour lui. Il n'avait pas l'habitude qu'on lui réponde, surtout quand la personne en face de lui était une femme. On s'affrontait sur ce que je portais, où j'allais, ce que je disais, comment je le disais, à qui je le disais. Je me montrais de plus en plus intrépide et aventureuse, et lui austère et froid. Nous étions devenus des adversaires naturels.

Elle rit et resserre le bandana noué derrière sa tête.

NW : Et puis j'ai commencé à tomber amoureuse. Souvent, désespérément, et, à la grande horreur de mon père, à tort et à travers. Un fonctionnaire de bas étage qui gérait des affaires pour lui. Le fils d'un majordome. Rien que des passions téméraires, rebelles, toutes vouées à l'échec dès le départ. J'arrangeais des rendez-vous secrets et quittais la maison en douce. Bien sûr, quelqu'un informait mon père qu'on m'avait vue traîner dans les rues. On lui racontait que je cavalais – c'était toujours ce mot-là qui revenait : je « cavalais ». Ou bien je me « donnais en spectacle ». Mon père était obligé d'envoyer des gens à ma recherche. Après ça, il m'enfermait. Des jours entiers. *Tu m'humilies*, me disait-il derrière la porte. *Pourquoi ? Que vais-je faire de toi ?* Parfois, il répondait à cette question avec sa ceinture ou son poing. Il me pourchassait dans la pièce. Je suppose qu'il s'imaginait pouvoir me soumettre par la terreur. J'ai beaucoup écrit à cette époque, de longs poèmes scandaleux, dégoulinant de passion adolescente. Assez mélodramatiques et très affectés, aussi, j'en ai peur. Sur des oiseaux en cage et des amants enchaînés, ce genre de chose. Je n'en suis pas fière.

Je sens que la fausse modestie n'est pas son style et je ne peux qu'en déduire qu'il s'agit là d'un jugement honnête sur ses premiers écrits. Si tel est le cas, il m'apparaît cruellement sévère. Ses poèmes datant de cette période sont en fait stupéfiants, même une fois traduits – et encore plus si on prend en compte son âge à ce moment-là. Touchants, très imagés, emplis d'émotion, de perspicacité et de grâce révélatrice, ils traitent superbement de la solitude et d'une tristesse irrépressible, tout en retraçant les déceptions et les hauts et les bas d'un amour jeune saisi dans toute sa splendeur, avec ses promesses et ses pièges. Il s'en dégage souvent un sentiment de claustrophobie transcendante, comme devant un horizon qui se rétrécit, et on y perçoit toujours une lutte contre la tyrannie des circonstances – en général dépeintes sous la forme d'une figure masculine sinistre jamais nommée qui se tient toute proche, menaçante. Une allusion à peine voilée à son père, sans doute. Je m'en ouvre à elle.

EB : Et dans ces poèmes, vous rompez avec le rythme, les rimes et le mètre qui, je crois, font partie intégrante de la poésie farsie classique. Vous utilisez des images spontanées. Vous soulignez des petits détails au hasard. C'était révolutionnaire, il me semble. Peut-on affirmer que si vous étiez née dans un pays plus riche – l'Iran par exemple –, vous seriez certainement connue aujourd'hui comme une pionnière de la littérature ?

Elle sourit d'un air désabusé.

NW : J'imagine que oui.

EB : Je reste assez frappé par ce que vous avez dit tout à l'heure. Sur le fait que vous n'étiez pas fière de ces poèmes. Y a-t-il une seule de vos œuvres dont vous soyez satisfaite ?

NW : C'est une question délicate, ça. Je suppose que je répondrais par l'affirmative, si seulement j'arrivais à les séparer du processus de création en lui-même.

EB : Vous voulez dire, si vous arriviez à séparer la fin et les moyens ?

NW : Je vois le processus créatif comme une entreprise malhonnête nécessaire. Grattez la surface d'un beau texte, monsieur Boustouler, et vous découvrirez toutes sortes d'actes déshonorants. Créer implique de saccager la vie d'autres individus, de les transformer en participants involontaires et récalcitrants. Vous volez leurs désirs, leurs rêves, vous mettez dans votre poche leurs défauts, leurs souffrances. Vous prenez ce qui ne vous appartient pas. Le tout en connaissance de cause.

EB : Et vous étiez douée pour ça.

NW : Je ne l'ai pas fait pour poursuivre un quelconque idéal artistique, mais parce que je n'avais pas le choix. La compulsion était bien trop forte. Si je n'y avais pas succombé, je serais devenue folle. Vous me demandez si je suis fière de moi. Personnellement, j'ai du mal à me vanter de quelque chose obtenu par des moyens que je sais moralement douteux. Je laisse aux autres la décision de chanter mes louanges ou pas.

Elle vide son verre de vin et le remplit avec ce qui reste dans la bouteille.

NW : Ce que je peux vous dire, cependant, c'est que personne ne le faisait à Kaboul. Je n'étais pas considérée là-bas comme une pionnière dans quelque domaine que ce soit, si ce n'est celui du mauvais goût, de la débauche et de l'immoralité. Et le premier à le penser était mon propre père. Pour lui, mes écrits reflétaient les divagations d'une *putain*. C'est précisément le mot qu'il a employé. Il disait que j'avais sali à jamais le nom de sa famille. Il n'arrêtait pas de me demander pourquoi je trouvais si dur d'être quelqu'un de respectable.

EB : Comment réagissiez-vous ?

NW : Je lui répondais que je me moquais de sa conception de la respectabilité. Que je n'avais aucune envie de me glisser moi-même une laisse autour du cou.

EB : J'imagine que cela l'énervait encore plus.

NW : Naturellement.

J'hésite avant de lui faire la remarque suivante :

EB : Mais je comprends sa colère.

Elle hausse un sourcil.

EB : C'était un patriarche, n'est-ce pas ? Et vous vous opposiez frontalement à tout ce qu'il connaissait, à tout ce qui lui était cher. À travers votre vie et vos poèmes, vous revendiquiez en quelque sorte de nouvelles frontières pour les femmes, le droit pour elles de décider de leur propre statut, celui de parvenir à une individualité légitime. Vous remettiez en cause le monopole que des hommes comme lui détenaient depuis toujours. Vous disiez ce qui ne pouvait pas être dit. Vous meniez une petite révolution à vous toute seule, en somme.

NW : Et moi qui ai cru durant tout ce temps que j'écrivais sur le sexe.

EB : Mais ça en fait partie, non ?

Je feuillette mes notes et lui cite quelques-uns de ses poèmes ouvertement érotiques – « Épines », « S'il n'y avait l'attente », « L'oreiller ». Je lui avoue aussi qu'ils ne figurent pas parmi mes préférés, qu'ils manquent de nuance et d'ambiguïté.

Qu'ils donnent l'impression d'avoir été composés dans le seul but de choquer et de scandaliser. Je les perçois comme un réquisitoire furieux et polémique contre les rôles assignés aux hommes et aux femmes en Afghanistan.

NW : Mais *j'étais* furieuse. J'étais furieuse contre l'idée selon laquelle il fallait me protéger contre le sexe. Contre mon propre corps. Tout ça parce que j'étais une femme. Et les femmes, figurez-vous, sont affectivement, moralement et intellectuellement immatures. Elles ne savent pas se contrôler. Elles sont vulnérables face à la tentation physique. Ce sont des êtres hyper-sexuels qu'il convient de museler pour ne pas qu'elles sautent au lit avec tous les Ahmad et les Mahmoud qui passent.

EB : Mais... pardonnez-moi de vous dire ça... n'est-ce pas précisément ce que vous faisiez ?

NW : Seulement pour protester contre cette image de la femme.

Elle éclate d'un rire délicieux, plein d'espièglerie et d'intelligence maligne. Puis elle me demande si je veux manger. Sa fille lui a récemment rempli son frigo, m'explique-t-elle, avant de me préparer un excellent sandwich au jambon fumé. Elle n'en fait qu'un cependant. Pour sa part, elle débouche une nouvelle bouteille de vin et allume une autre cigarette.

NW : Monsieur Boustouler, dans l'intérêt de cet entretien, ne trouvez-vous pas que nous devrions rester en bons termes ?

Je réponds que oui.

NW : Alors accordez-moi deux faveurs. Mangez votre sandwich et arrêtez de fixer mon verre.

Inutile de dire que cette injonction a douché par avance toute envie que j'aurais pu avoir de l'interroger sur sa consommation d'alcool.

EB : Que s'est-il passé ensuite ?

NW : Je suis tombée malade en 1948, peu avant mes dix-neuf ans. C'était grave, mais je ne m'étendrai pas davantage sur le sujet. Mon père m'a emmenée à Delhi pour me faire soigner et il est resté six semaines avec moi pendant que les médecins me soignaient. On m'a dit que j'aurais pu en mourir. Peut-être aurais-je dû. La mort marque parfois un vrai tournant dans la carrière des jeunes poètes. À mon retour, j'étais fragile et renfermée. Écrire était devenu le cadet de mes soucis. Je n'avais plus goût à rien, ni à la nourriture, ni aux conversations, ni aux distractions. Je détestais avoir de la visite. Tout ce que je voulais, c'était tirer les rideaux et dormir toute la journée. Ce que je faisais la plupart du temps. Pour finir, je me suis extirpée de mon lit et j'ai lentement retrouvé les rituels du quotidien – j'entends par là les gestes essentiels qu'une personne doit accomplir pour être opérationnelle et à peu près civilisée. Mais je me sentais diminuée. Comme si j'avais perdu une partie vitale de moi-même en Inde.

EB : Votre père s'inquiétait-il ?

NW : Bien au contraire. Cela l'encourageait. Il pensait qu'en ayant frôlé ainsi la mort, je cesserais de me montrer immature et capricieuse. Il ne comprenait pas que j'étais perdue. J'ai lu que lorsqu'une avalanche vous ensevelit et que vous êtes étendu sous toute cette neige, vous n'arrivez plus à déterminer si vous êtes tourné vers le haut ou le bas. Vous voulez creuser pour sortir de là, mais si vous le faites dans la mauvaise direction, vous vous rapprochez encore plus de votre mort. Pour moi, c'était pareil. J'étais désorientée, suspendue en plein désarroi, privée de ma boussole. Déprimée au-delà de toute expression. Dans un tel état, vous êtes vulnérable. C'est probablement pour ça que j'ai dit oui l'année suivante, en 1949, quand Suleiman Wahdati a demandé ma main à mon père.

EB : Vous aviez vingt ans.

NW : Mais pas lui.

Elle me propose un autre sandwich, que je refuse, et un café, que j'accepte cette fois. Tout en mettant de l'eau à bouillir, elle me demande si je suis marié. Je lui réponds que je ne le suis pas et que je doute de l'être un jour. Elle me jette un coup d'œil par-dessus son épaule, et son regard s'attarde sur moi. Puis elle sourit.

NW : Ah. D'habitude, je vois ces choses-là.

EB : Surprise !

NW : C'est peut-être mon traumatisme.

Elle montre son bandana.

NW : Je ne le porte pas pour me faire remarquer. Je suis tombée il y a quelques jours et je me suis ouvert le front. Mais quand même, j'aurais dû deviner. Pour vous, je veux dire. Je sais par expérience que les hommes qui comprennent les femmes aussi bien que vous semblez le faire ont rarement envie de se frotter à elles.

Elle me tend un café, allume une cigarette et se rassoit.

NW : J'ai une théorie concernant le mariage, monsieur Boustouler. Dans la très grande majorité des cas, on devine en moins de deux semaines si ça va marcher ou pas. C'est étonnant de voir combien de gens restent prisonniers des années durant, des décennies même, d'un aveuglement réciproque et de faux espoirs alors qu'ils ont eu leur réponse au cours de ces deux premières semaines. Moi, ça ne m'a même pas pris aussi longtemps. Mon mari était un homme bien. Mais il était beaucoup trop sérieux, distant et inintéressant. Sans compter qu'il était amoureux de son chauffeur.

EB : Ah. Ç'a dû être choc.

NW : Ma foi, cela corsait la situation.

Elle sourit un peu tristement.

NW : J'étais avant tout désolée pour lui. Il n'aurait pas pu choisir une pire époque ou un pire endroit pour naître tel qu'il était. Il est mort d'une crise cardiaque quand notre fille avait six ans. À ce moment-là, j'aurais pu rester à Kaboul. J'avais la maison, la fortune de mon mari. Il y avait aussi un jardinier et le chauffeur dont je vous ai parlé. J'aurais mené une vie confortable. Mais j'ai fait mes valises et je suis partie en France avec Pari.

EB : Dans son intérêt à elle, comme vous l'avez déjà dit.

NW : Tout ce que j'ai fait, monsieur Boustouler, je l'ai fait pour ma fille. Non qu'elle comprenne, ou qu'elle apprécie ce geste à sa juste valeur. Elle fait parfois preuve d'un manque de considération qui me sidère. Elle n'imagine pas la vie qu'elle aurait dû endurer si je n'avais pas été là…

EB : Votre fille est-elle une déception pour vous ?

NW : Monsieur Boustouler, je suis arrivée à la conclusion qu'elle est ma punition.

Un jour, en 1975, Pari découvre un petit paquet sur son lit en rentrant chez elle. Cela fait un an qu'elle est allée chercher sa mère aux urgences et neuf mois qu'elle a quitté Julien. Elle vit à présent avec une élève infirmière du nom de Zahia, une jeune Algérienne aux cheveux bruns bouclés et aux yeux verts. C'est une fille compétente, d'un tempérament joyeux et serein, avec qui la cohabitation ne pose aucun problème. Seule ombre au tableau : Zahia est maintenant fiancée à son petit ami, Sami, et se prépare à emménager avec lui à la fin du semestre.

Une feuille de papier pliée accompagne le colis. *Ceci a été livré pour toi. Je passerai la nuit chez Sami. À demain. Je t'embrasse. Zahia.*

Pari ouvre le paquet. À l'intérieur se trouvent un magazine et un autre message, griffonné celui-là d'une écriture familière à la grâce quasi féminine. *Cette revue a été envoyée à Nila, puis au couple qui occupe l'ancien appartement de Colette, avant qu'on ne me la fasse parvenir. Tu devrais faire suivre ton courrier. Lis ce texte à tes risques et périls. Aucun de nous deux n'y apparaît à son avantage, j'en ai peur. Julien.*

Pari laisse tomber le magazine sur le lit et va se préparer une salade d'épinards avec du couscous. Après avoir enfilé son pyjama, elle mange devant son petit téléviseur noir et blanc de location et regarde distraitement des images de réfugiés du Sud-Vietnam arrivant par avion sur l'île de Guam. Elle pense à Colette, lorsqu'elle manifestait contre la guerre menée là-bas par les États-Unis. Colette qui avait déposé une couronne de dahlias et de marguerites sur la stèle de sa mère, qui l'avait serrée dans ses bras et embrassée, et qui avait récité avec talent l'un des poèmes de Nila sur une estrade.

Julien n'était pas venu à la cérémonie. Il avait appelé et expliqué sans grande conviction qu'il n'aimait pas les enterrements, qu'il les trouvait déprimants.

Comme tout le monde, non ? avait dit Pari.

Je crois qu'il vaut mieux que je me tienne à l'écart.

Fais comme tu veux, avait-elle répondu, tout en songeant : Mais ton absence ne t'absoudra pas. Pas plus que ma présence ne m'absoudra, moi. De notre inconséquence. De notre légèreté. Mon Dieu. Elle avait raccroché en sachant que sa liaison passagère avec Julien avait été le coup de grâce pour sa mère. Et que toute sa vie, sa culpabilité et ses terribles remords ressurgiraient parfois brutalement, la faisant souffrir jusque dans sa moelle. Elle se débattrait avec eux jusqu'à la fin de ses jours. Ils seraient comme un robinet qui goutte au fond de son esprit.

Elle prend un bain après le dîner et révise quelques notes en prévision d'un examen à venir. Puis elle regarde encore un peu la télévision, lave et essuie la vaisselle, balaie le sol de la cuisine. Mais ça ne sert à rien. Elle n'arrive pas à se distraire. La revue est toujours sur son lit, d'où elle semble l'appeler en bourdonnant tout bas.

Plus tard, elle enfile un imperméable par-dessus son pyjama et sort marcher le long du boulevard de la Chapelle, à quelques rues au sud de son appartement. Il fait froid et des gouttes de pluie battent le trottoir et la devanture des boutiques, mais l'appartement ne peut contenir son agitation pour l'instant. Elle a besoin de sentir l'air frais, l'humidité ambiante, et d'avoir de l'espace autour d'elle.

Lorsqu'elle était jeune, elle s'en souvient, elle ne cessait de poser des questions. *Est-ce que j'ai des cousins à Kaboul, maman ? Est-ce que j'ai des tantes et des oncles ? Et des grands-parents ? Est-ce que j'ai un grand-père et une grand-mère ? Pourquoi ne viennent-ils jamais nous rendre visite ? On peut leur écrire une lettre ? S'il te plaît, on peut aller les voir ?*

La plupart de ses interrogations tournaient autour de son père. *Quelle était sa couleur préférée, maman ? Dis, maman, c'était un bon nageur ? Est-ce qu'il connaissait plein d'histoires drôles ?* Elle se rappelle un jour où il lui avait couru après dans une pièce et où il l'avait fait rouler sur un tapis en lui chatouillant la plante des pieds et le ventre. Elle a toujours en mémoire l'odeur de son savon à la lavande, son front haut et ses longs doigts. Ses boutons de manchettes en lapis-lazuli, le pli de son pantalon. Et elle revoit encore les moutons de poussière qui s'étaient envolés du tapis.

Ce qui avait toujours manqué, c'était la colle pour relier entre eux ces souvenirs morcelés et disparates, pour les transformer en une sorte de récit cohérent. Mais sa mère ne lui confiait jamais grand-chose. Elle gardait pour elle les détails de son passé et de leur vie ensemble à Kaboul. Elle tenait sa fille à distance de leur histoire commune, si bien que, pour finir, Pari avait arrêté de chercher des réponses auprès d'elle.

Et voilà qu'aujourd'hui, elle découvre que sa mère s'est épanchée auprès de ce journaliste, Étienne Boustouler, comme jamais elle ne l'a fait avec elle.

Ou pas ?

Pari a lu l'interview trois fois, mais elle ne sait pas quoi en penser, ni ce qu'elle doit croire. Tant d'éléments lui paraissent faux. Certains passages lui ont fait l'effet d'une parodie. D'un mélodrame épouvantable où les beautés emprisonnées se mêlaient aux idylles condamnées et à une oppression omniprésente, le tout raconté avec trop de verve, sans aucune pause.

Elle avance à grands pas vers Pigalle, à l'ouest, les mains dans les poches de son imperméable. Le ciel s'assombrit rapidement et la pluie qui cingle son visage tombe de plus en plus dru, fouettant les fenêtres des immeubles et barbouillant la lumière des phares. Elle n'a pas le souvenir d'avoir jamais rencontré son grand-père maternel. Elle n'a vu de lui que cette photo où il lit à son bureau, mais elle doute qu'il ait été le sombre personnage à moustache dont sa mère a brossé le portrait. De fait, il lui semble voir clair à travers ce récit. Elle a sa propre idée. Dans sa version à elle, c'est un homme empli d'une légitime inquiétude vis-à-vis de sa fille – laquelle, profondément malheureuse et portée à l'autodestruction, ne peut s'empêcher de tout gâcher dans sa vie. Un homme en butte à des humiliations et des attaques répétées contre sa dignité et qui, malgré ça, reste présent auprès de son enfant, qui l'emmène en Inde lorsqu'elle tombe malade et qui la veille durant six semaines. Et à ce propos, de quoi a-t-elle vraiment souffert ? Que lui a-t-on fait en Inde ? Pari repense à la cicatrice verticale de sa mère sur l'abdomen. Zahia lui a certifié que celles des césariennes étaient toujours horizontales.

Et il y a ces affirmations sur son mari, le père de Pari. S'agit-il d'une calomnie ? A-t-il vraiment aimé Nabi, le chauffeur ? Et dans ce cas, quelle raison pouvait-elle avoir de le révéler après tout ce temps, si ce n'est le désir de désorienter, d'humilier, et peut-être même de blesser quelqu'un ? Mais qui ?

En ce qui la concerne, Pari n'est pas surprise par le traitement peu flatteur que sa mère lui a réservé – c'est normal, après sa relation avec Julien –, pas plus qu'elle ne l'est par son récit expurgé et aseptisé de son expérience de la maternité.

263

Mensonges que tout ça ?

Et pourtant...

Sa mère était une poétesse talentueuse. Pari a lu toutes ses œuvres en français et tous les poèmes qu'elle a traduits du farsi. La force et la beauté de son style sont indéniables. Mais si le compte rendu qu'elle a fait de sa vie dans l'interview était un mensonge, d'où lui venaient les images qu'elle utilisait dans ses œuvres ? Où se trouvait la source de ces mots tantôt honnêtes, charmants, tantôt brutaux et tristes ? N'était-elle qu'une habile mystificatrice ? Une magicienne dotée d'un stylo en guise de baguette magique, capable d'émouvoir un public en faisait surgir des émotions qu'elle-même n'avait jamais éprouvées ? Était-ce seulement possible ?

Pari l'ignore complètement. Et peut-être était-ce ça, le véritable but de sa mère : faire trembler le sol sous ses pieds. La déstabiliser volontairement et semer la pagaille dans son esprit, la transformer en étrangère à ses propres yeux, l'amener à douter de tout ce qu'elle a cru savoir sur sa vie, faire en sorte qu'elle se sente aussi perdue que si elle avait erré dans un désert en pleine nuit, cernée par l'obscurité et l'inconnu, en quête d'une vérité insaisissable semblable à une toute petite lueur qui aurait trembloté au loin, sans cesse mouvante, sans cesse plus distante.

Pourrait-il s'agir d'un châtiment ? Une vengeance de sa mère pour la punir non seulement de sa liaison avec Julien, mais aussi de la déception qu'elle a toujours été à ses yeux ? Sans doute comptait-elle sur sa fille pour tirer un trait sur son alcoolisme, sur les hommes, sur ces années gâchées à tenter désespérément d'être heureuse. Toutes ces impasses dans lesquelles elle s'était engagée, avant de rebrousser chemin. Toutes ces déconvenues qui la laissaient encore plus défaite, désemparée, et qui rendaient le bonheur encore plus illusoire. *Qu'est-ce que j'étais pour toi, maman ? Qu'étais-je censée être au moment où je grandissais dans ton ventre – en supposant que j'aie bien été conçue là ? Une graine d'espoir ? Un billet acheté pour te sortir des ténèbres ? Un pansement sur le trou que tu portais dans ton cœur ? Si oui, je n'étais pas assez. Loin de là. Je n'apaisais pas ta douleur, je n'étais qu'une impasse de plus, un fardeau supplémentaire, et tu as dû le sentir assez vite. Tu as dû t'en rendre compte. Mais que voulais-tu y faire ? Tu ne pouvais pas me vendre chez un prêteur sur gages.*

Peut-être cette interview était-elle le dernier pied de nez de sa mère.

Pari va s'abriter de la pluie sous l'auvent d'une brasserie située à quelques rues de l'hôpital où Zahia suit une partie de sa formation. Tout en allumant une cigarette, elle se fait la réflexion qu'elle devrait appeler Colette. Elles ne se sont parlé qu'une fois ou deux depuis l'enterrement. Dire que lorsqu'elles étaient jeunes, elles passaient des heures ensemble à mâchonner des chewing-gums jusqu'à ce qu'elles en aient mal aux mâchoires, ou à se brosser les cheveux et à les attacher, assises devant le miroir de la coiffeuse de Nila... Puis elle avise une vieille femme qui longe péniblement le trottoir de l'autre côté de la rue, la tête enveloppée d'un bonnet de pluie en plastique, tenant en laisse un petit terrier couleur fauve. Une fois de plus, un nuage s'échappe du brouillard collectif de ses souvenirs et prend lentement la forme d'un chien. Pas un roquet comme celui-là, mais un gros chien maigre, sale, au pelage épais, à la queue et aux oreilles sectionnées. Pari ignore s'il s'agit d'un souvenir, ou d'un fantôme de souvenir, ou de rien du tout. Elle a demandé un jour à sa mère s'ils avaient jamais possédé un chien à Kaboul.

Je te l'ai déjà dit, je n'aime pas ces animaux, avait-elle répondu. *Ils n'ont aucune fierté personnelle. Tu as beau leur filer des coups de pied, ils continuent à t'aimer. C'est déprimant.*

Et puis il y a cette autre remarque qu'elle lui a faite : *Je ne me retrouve pas en toi. Je ne sais pas qui tu es.*

Pari jette sa cigarette et décide de passer un coup de fil à Colette pour lui proposer d'aller boire un thé quelque part. Pour prendre de ses nouvelles. Découvrir qui elle fréquente. Faire du lèche-vitrine avec elle, comme autrefois.

Et pour voir si sa vieille amie est toujours disposée à faire ce voyage en Afghanistan.

Pari rencontre bien Colette. Elles se donnent rendez-vous dans un bar populaire de style marocain où un joueur d'*oud* se produit sur une petite scène, au milieu des tentures violettes et des coussins orange éparpillés partout. Son amie n'est pas venue seule. Elle a emmené un jeune homme avec elle – un certain Éric Lacombe, professeur de théâtre dans un lycée du XVIIIe arrondissement. Ainsi qu'il le rappelle à Pari, il l'a déjà vue quelques années plus tôt, lors d'une manifestation contre la chasse au phoque. Elle met un moment à le resituer, mais cela lui revient : c'était à lui que Colette avait reproché le faible nombre de participants en lui martelant la poitrine. Ils s'assoient par terre, sur les coussins moelleux, et commandent des boissons. Pari a d'abord l'impression que Colette et Éric sont en couple, mais à force d'entendre son amie lui vanter les qualités du jeune homme, elle finit par comprendre qu'il a été entraîné là pour elle. La gêne qui l'aurait normalement envahie dans une situation pareille se trouve toutefois reflétée – et atténuée – par celle d'Éric. Elle s'en amuse, et juge même attachante sa façon de rougir et de secouer la tête pour s'excuser et traduire son propre embarras. Devant du pain et de la tapenade, elle lui jette des coups d'œil en coin. On ne peut pas le qualifier de beau. Il a de longs cheveux mous attachés sur la nuque, de petites mains, un teint pâle, un nez trop étroit, un front trop proéminent et un menton pour ainsi dire inexistant. Mais ses yeux brillent lorsqu'il s'égaie, et il a la manie de ponctuer chacune de ses phrases d'un sourire plein d'attente, semblable à un joyeux point d'interrogation. Et si son visage ne captive pas Pari autant que celui de Julien, il est empreint d'une bien plus grande douceur et se révèle un ambassadeur de la prévenance, de la patience tranquille et de l'intégrité morale qu'elle ne tardera pas à découvrir en lui.

Ils se marient par une froide journée du printemps 1977, quelques mois après l'investiture de Jimmy Carter. Contre le souhait de ses parents, Éric insiste pour qu'ils se contentent d'une petite cérémonie civile, sans autre témoin que Colette. Selon lui, un mariage traditionnel est un luxe qu'ils ne peuvent pas se permettre. Son père, un riche banquier, offre de payer les frais – Éric est son fils unique, après tout. Il le propose d'abord comme un cadeau, puis comme un prêt, mais Éric refuse. Même s'il ne le dit pas, Pari sait qu'il cherche à lui éviter la gêne d'une cérémonie où elle serait toute seule, sans famille à ses côtés, sans personne pour la conduire à l'autel ou verser une larme de joie pour elle.

Lorsqu'elle l'informe de son projet d'aller en Afghanistan, il fait preuve d'une compréhension dont Julien n'aurait sans doute jamais été capable. Et il exprime ce qu'elle ne s'est jamais ouvertement avoué à elle-même :

— Tu penses que tu as été adoptée.

— Tu viendras avec moi ?

Ils décident de faire le voyage cet été-là, une fois que l'année scolaire sera terminée pour lui et qu'elle-même pourra se ménager une petite pause dans la préparation de sa thèse. Éric s'inscrit avec elle à des cours de farsi donnés par un professeur trouvé grâce à la mère d'un de ses élèves. Durant cette période, il arrive souvent à Pari de le surprendre sur le canapé, des écouteurs sur les oreilles et un magnétophone sur le ventre, les yeux fermés pour mieux se concentrer en même temps qu'il marmonne en farsi des « merci », des « bonjour » et des « comment allez-vous ? », avec un fort accent.

Quelques semaines avant l'été, juste au moment où Éric commence à se renseigner sur les billets d'avion et les possibilités de logement, Pari découvre qu'elle est enceinte.

— On peut toujours partir, dit Éric. On *devrait,* même.

C'est elle qui s'y oppose en faisant valoir l'état de leur studio, le chauffage défectueux, la plomberie défaillante, l'absence d'air conditionné et leurs meubles de récupération.

— Ce serait irresponsable. On ne peut pas élever un bébé dans un endroit pareil, conclut-elle.

Éric prend un deuxième emploi en tant que professeur de piano – carrière qu'il avait brièvement envisagée avant d'opter pour le théâtre –, et le temps que naisse Isabelle, la douce Isabelle au teint clair et aux yeux de la couleur du sucre caramélisé, ils ont emménagé dans un petit trois-pièces à proximité du jardin du Luxembourg, cette fois avec l'aide du père d'Éric, qu'ils ont acceptée à condition de pouvoir le rembourser.

Pari s'accorde trois mois de congé afin de passer ses journées avec sa fille. Elle se sent toute légère en sa présence, et comme enveloppée de lumière chaque fois qu'Isabelle tourne les yeux vers elle. Quant à Éric, son premier geste en rentrant du lycée, le soir, est de poser son manteau et sa sacoche dans l'entrée et de se laisser tomber sur le canapé en tendant les bras vers elle.

— Donne-la-moi, Pari. Donne-la-moi.

Et tandis qu'il fait sautiller Isabelle sur lui, Pari l'informe de toutes les petites nouvelles du jour – la quantité de lait que leur fille a bue, le nombre de ses siestes, les nouveaux sons qu'elle émet, ce qu'elles ont regardé ensemble à la télévision, les jeux auxquels elles ont joué. Éric ne se lasse jamais de ces détails.

Ils ont reporté à plus tard leur voyage en Afghanistan. À vrai dire, Pari n'éprouve plus le besoin douloureux de partir à la recherche de ses racines. La raison en est Éric et sa compagnie apaisante et réconfortante. Et aussi Isabelle, qui a rendu le sol plus ferme sous ses pieds – même s'il reste parsemé de trous et de pièges. Toutes ses questions demeurées en suspens, toutes ces choses que sa mère a refusé de lui dire – elles sont toujours là. Simplement, elle n'est plus aussi avide de réponses.

De même, l'impression qu'elle a toujours eue de souffrir de l'absence de quelque chose ou de quelqu'un de vital s'est atténuée. Elle lui revient de temps à autre, parfois avec une force qui la prend par surprise, mais moins souvent qu'autrefois. Pari ne s'est jamais sentie si comblée, si joyeusement ancrée quelque part.

En 1981, alors qu'Isabelle a trois ans et qu'elle-même est enceinte de quelques mois de son fils Alain, elle se rend à Munich pour une conférence. Elle doit y présenter un article qu'elle a corédigé sur l'utilisation des formes modulaires pour résoudre des problèmes posés par d'autres domaines que la théorie des nombres, notamment la topologie et la physique théorique. Après son exposé – qui reçoit un bon accueil –, elle sort dans un bar bruyant avec quelques universitaires afin d'y boire des bières et manger des bretzels et de la *Weisswurst*. Il n'est pas minuit lorsqu'elle rentre à l'hôtel, mais elle se couche sans se changer ni se laver la figure. Le téléphone la réveille à 2 h 30. C'est Éric, qui l'appelle de Paris.

— Il y a un souci avec Isabelle.

Leur fille a de la fièvre. Ses gencives ont brusquement gonflé et sont devenues toutes rouges. Elles saignent beaucoup dès qu'on les effleure.

— C'est à peine si je vois ses dents, Pari. Je ne sais pas quoi faire. J'ai lu quelque part qu'il pourrait s'agir de…

Elle voudrait qu'il arrête, qu'il se taise. Elle voudrait lui dire qu'elle ne supporte pas d'écouter ça, mais il est trop tard. Elle entend les mots « leucémie infantile », à moins que ce ne soit « lymphome » – mais quelle différence, de toute façon ? Assise sur le bord de son lit, telle une statue de pierre, elle sent son cœur cogner et sa peau se couvrir de sueur. Elle est furieuse contre Éric, coupable de planter une peur aussi horrible dans son esprit au beau milieu de la nuit, alors qu'elle est à sept cents kilomètres de sa fille et totalement impuissante. Elle est furieuse contre elle-même et sa propre stupidité. Contre sa décision de s'exposer volontairement à une vie d'angoisses. Elle a fait preuve d'une totale inconscience. D'une folie sans bornes. D'une foi incroyablement ridicule et infondée dans l'idée que, envers et contre tout, un monde qu'on ne contrôle pas ne vous prendra pas la seule chose que vous ne supporteriez pas de perdre. Cette conviction qu'il ne vous détruira pas. *Je n'ai pas le courage d'endurer ça.* Ces mots, elle va jusqu'à les murmurer. *Je n'ai pas le courage d'endurer ça.* À cet instant, elle ne peut envisager un choix plus téméraire et irrationnel que celui de devenir parent.

Et une partie d'elle – *Aidez-moi, mon Dieu*, supplie-t-elle, *pardonnez-moi cette pensée* – en veut aussi à Isabelle de lui infliger ça, de la faire souffrir autant.

— Éric. Éric ! *Écoute-moi**. Je vais te rappeler. Il faut que je raccroche.

Elle vide son sac à main sur le lit et cherche dans son petit carnet d'adresses marron le numéro de Colette. Son amie s'est mariée avec un étudiant en médecine, Didier, et s'est installée avec lui à Lyon, où elle a ouvert une agence de voyages. C'est son mari qui répond.

— Tu sais que je me spécialise en psychiatrie, Pari, n'est-ce pas ?

— Je sais. Je sais. J'ai juste pensé que…

Il lui pose quelques questions. Isabelle a-t-elle perdu du poids ? A-t-elle des suées nocturnes, des bleus inhabituels ? Est-elle fatiguée ? Fait-elle des poussées de fièvre chroniques ?

Au bout du compte, il lui dit que le mieux serait de consulter un pédiatre le lendemain matin. Mais que si ses souvenirs de sa formation générale sont bons, cela ressemble fort à une gingivo-stomatite aiguë.

Pari serre si fort le combiné qu'elle en a mal au poignet.

— S'il te plaît, articule-t-elle patiemment. Didier.

— Ah, désolé. En clair, ça m'évoque les premières manifestations d'un bouton de fièvre.

— Un bouton de fièvre.

Puis il ajoute les plus beaux mots que Pari ait jamais entendus de sa vie :

— Elle devrait s'en remettre.

271

Pari n'a rencontré Didier que deux fois, l'une avant et l'autre après son mariage avec Colette, mais à cet instant, elle l'aime sincèrement. Et elle le lui dit, tout en pleurant au téléphone. À plusieurs reprises, elle lui répète qu'elle l'aime. Il éclate de rire et lui souhaite une bonne nuit. Elle rappelle ensuite Éric pour lui demander d'emmener Isabelle voir le Dr Perrin le lendemain matin. Après cela, les oreilles bourdonnantes, elle reste étendue dans son lit en regardant la lumière de la rue filtrer à travers les volets en bois vert terne. Elle repense au jour où elle a été hospitalisée à cause d'une pneumonie, à huit ans. Sa mère avait refusé de rentrer à la maison et insisté à la place pour dormir sur la chaise à côté de son lit. Pari ressent soudain un lien tardif, nouveau et inattendu avec elle. Nila lui a souvent manqué au cours de ces dernières années. Lors de son mariage, bien sûr. À la naissance d'Isabelle. Et à une foule d'autres moments. Mais jamais autant que durant cette terrible et merveilleuse nuit dans sa chambre d'hôtel à Munich.

De retour à Paris, elle tente de persuader Éric de ne pas avoir d'autres enfants après la naissance de leur deuxième. Ils ne feraient que risquer encore plus d'avoir le cœur brisé.

En 1985, alors qu'Isabelle a sept ans, Alain, quatre, et le petit Thierry, deux, elle accepte un poste dans une grande fac parisienne. Durant quelque temps, elle subit les basses manœuvres et les mesquineries universitaires habituelles – peu étonnantes dans la mesure où, à trente-six ans, elle est le plus jeune professeur et l'une des deux seules femmes de son département. Elle surmonte cette épreuve comme jamais sa mère, imagine-t-elle, n'aurait pu ou voulu le faire. Elle refuse de s'abaisser à la flatterie et ne passe de pommade à personne. Elle évite de se quereller ou de se plaindre. Il y aura toujours des collègues sceptiques à son égard. Mais le temps que chute le mur de Berlin, les barrières de sa vie professionnelle ont fait de même et elle a lentement remporté les suffrages de ses collègues par son comportement réfléchi et sa sociabilité désarmante. Elle noue des amitiés dans son département – et dans d'autres aussi –, se rend à des événements organisés par l'université, à des levées de fonds, et à l'occasion à des cocktails et des dîners. Éric l'accompagne à ces soirées où, par plaisanterie, il insiste pour s'affubler toujours de la même cravate en laine et de la même veste en velours avec des pièces aux coudes. Ainsi vêtu, il déambule au milieu de la foule des convives, goûtant les hors-d'œuvre, sirotant du vin, l'air jovialement désorienté, et Pari doit de temps à autre le rejoindre et l'éloigner d'un groupe de mathématiciens avant qu'il ne leur assène son opinion sur les 3-variétés et les approximations diophantiennes.

Inévitablement, quelqu'un finit par solliciter son avis sur l'actualité en Afghanistan. Un soir, un professeur un peu éméché, M. Chatelard, lui demande ce que deviendra selon elle son pays après le départ des Soviétiques.

— Votre peuple vivra-t-il en paix, madame la professeur ?

— Je n'en sais rien. D'un point de vue pratique, je ne suis afghane que de nom.

— *Non mais, quand même**. Vous devez avoir une idée.

Elle sourit et tente de tenir à distance ces questions toujours un peu déplacées.

— Juste ce que je lis dans *Le Monde*. Comme vous.

— Mais vous avez grandi là-bas, non ?

— Je suis partie quand j'étais toute petite. Avez-vous vu mon mari ? C'est celui avec la veste aux coudes renforcés.

Elle dit vrai. Elle suit les nouvelles, lit des articles sur la guerre, sur les armes fournies par l'Occident aux moudjahidin, mais l'Afghanistan n'occupe plus la même place dans son esprit. Elle a largement de quoi s'occuper chez elle – elle vit désormais à Guyancourt, à environ vingt kilomètres du cœur de Paris, dans une jolie maison de quatre chambres située sur une petite colline, près d'un parc agrémenté de sentiers de promenade et de bassins. Éric a commencé à écrire des pièces de théâtre en plus de donner des cours. L'une d'elles, une farce politique légère, sera jouée à l'automne dans un petit théâtre près de l'hôtel de ville de Paris, et il a déjà reçu commande d'une deuxième.

Isabelle est devenue une adolescente calme, intelligente et attentionnée, qui tient un journal intime et lit un roman par semaine. Elle se passionne pour Sinéad O'Connor aussi. Et elle prend des cours de violoncelle qui l'amèneront dans quelques semaines à interpréter la *Chanson triste* de Tchaïkovski lors d'un récital. Elle a d'abord été réticente à l'idée de se mettre à cet instrument, si bien que Pari a suivi quelques cours avec elle par solidarité. Cela s'est révélé à la fois inutile et impossible. Inutile parce qu'Isabelle s'était vite approprié le violoncelle, et impossible parce que celui-ci donnait à Pari des douleurs aux articulations. Cela fait un an déjà qu'elle se réveille le matin avec dans les mains et les poignets une raideur qui met une demi-heure à s'estomper, parfois même une heure. Après avoir fait pression sur elle pour qu'elle consulte un médecin, Éric est revenu à la charge avec tant d'insistance – « Tu n'as que quarante-trois ans, Pari, ce n'est pas normal » – qu'elle a enfin pris rendez-vous.

Alain, le cadet de la fratrie, possède un charme canaille. Né prématurément, il est encore petit pour un garçon de onze ans, mais il compense largement sa taille par sa volonté et son bon sens. Obsédé par les arts martiaux, il parvient toujours à tromper ses adversaires, qui le sous-estiment en raison de son physique fluet et de ses jambes maigrelettes. Souvent, allongés dans leur lit le soir, Pari et Éric se sont émerveillés de son incroyable détermination et de sa féroce énergie.

Pari ne se fait pas de souci pour ses deux aînés. C'est plutôt Thierry qui la préoccupe. Thierry qui devine peut-être confusément qu'il n'a pas été attendu, prévu, invité. Sujet à des silences blessants et des regards noirs, il n'en finit pas de protester chaque fois qu'elle lui demande quelque chose et il la provoque, lui semble-t-il, pour le simple plaisir de provoquer. Certains jours, une ombre plane sur lui. Elle le sait. Elle la voit presque. Une ombre qui se forme et qui gonfle jusqu'à ce qu'elle éclate, déversant un torrent de rage accompagné de tremblements et de coups de pied par terre qui effraient Pari et face auxquels Éric ne peut que cligner des yeux et sourire d'un air malheureux. Pari sent d'instinct que Thierry sera pour elle une source d'inquiétude à vie, comme la douleur dans ses articulations.

Elle se demande souvent quelles relations sa mère aurait eues avec Isabelle, Alain et Thierry. Surtout avec ce dernier. Son intuition lui souffle qu'elle lui aurait été d'une aide précieuse et qu'elle se serait peut-être en partie retrouvée en lui malgré leur absence de lien biologique – sur lequel Pari n'a plus de doute depuis un moment. Les enfants ont entendu parler de leur grand-mère, en tout cas. Isabelle, en particulier, se montre curieuse et a lu la plupart de ses poèmes.

— Je regrette de ne pas l'avoir connue, dit-elle.

Ou encore :

— Elle a un côté glamour. Je pense qu'on aurait pu être très proches, elle et moi. Tu ne crois pas ? On aurait lu les mêmes livres. Je lui aurais joué du violoncelle.

— Elle aurait adoré, répond Pari. Ça, j'en suis certaine.

Elle tait pour l'instant le suicide de Nila. Peut-être les enfants l'apprendront-ils un jour – probablement, même. Mais pas par elle. Elle refuse de semer en eux l'idée qu'une mère est capable d'abandonner ses petits et de leur dire *Vous ne me suffisez pas*. Pour elle, Isabelle, Alain, Thierry et Éric ont toujours été suffisants. Ils le seront toujours.

Durant l'été 1994, ils partent en famille à Majorque. C'est Colette qui organise ces vacances pour eux par l'intermédiaire de sa florissante agence de voyages. Didier et elle n'ont pas d'enfant, non pas en raison d'une fatalité biologique, mais parce qu'ils n'en veulent pas. Pour Pari, le moment est bien choisi. Sa polyarthrite est sous contrôle. Elle prend une dose hebdomadaire de méthotrexate, qu'elle tolère sans problème, et elle n'a pas eu besoin de prendre de stéroïdes depuis quelque temps, ce qui lui évite les insomnies induites par ces médicaments.

— Et je ne te parle même pas de la prise de poids, dit-elle à Colette. J'aurais trouvé dur de venir ici avec en tête l'épreuve du maillot de bain. Ah, la vanité…

Ils passent leurs journées à visiter l'île. Ils se rendent sur la côte nord-ouest, près des montagnes de la Sierra de Tramuntana, et se promènent le long des oliveraies et dans la forêt de pins. Ils goûtent à la *porcella*, à un succulent plat à base de bar appelé *lubina*, ainsi qu'au *tumbet*, un mijoté d'aubergines et de courgettes – à l'exception de Thierry, qui refuse d'en avaler la moindre bouchée, si bien que dans chaque restaurant Pari doit prier le chef de lui préparer une assiette de spaghettis accompagnés d'une simple sauce tomate, sans viande ni fromage. Un soir aussi, à la demande d'Isabelle qui a récemment découvert l'opéra, ils assistent à une représentation de la *Tosca* de Puccini. Pour supporter un tel supplice, Colette et Pari boivent en douce une flasque de vodka bon marché durant le spectacle. Elles se retrouvent ivres avant le milieu de l'acte II, et ne peuvent s'empêcher de ricaner comme des écolières devant le jeu de scène dramatique du chanteur jouant Scarpia.

Un jour que Didier, Alain et Éric sont partis randonner dans la baie de Sóller, toutes deux vont pique-niquer sur la plage avec Isabelle et Thierry. En chemin, ils s'arrêtent dans une boutique pour acheter à l'adolescente un maillot de bain qu'elle a repéré. C'est là que Pari entrevoit son reflet dans la vitrine. D'habitude – surtout ces derniers temps –, un processus mental automatique se met en branle quand elle s'avance devant un miroir afin de la préparer à cette vision plus âgée d'elle-même. Cela la protège. Cela atténue le choc. Mais dans cette devanture, elle se surprend à l'improviste, totalement démunie face à une réalité non déformée par son propre aveuglement. Elle aperçoit une femme d'un certain âge vêtue d'une tunique lâche et terne et d'une jupe de plage qui ne cache pas assez les bourrelets sur ses genoux. Le soleil fait ressortir ses cheveux gris, et malgré son eye-liner et son rouge à lèvres, son visage est de ceux sur lesquels le regard d'un passant ne se pose que pour s'en écarter, comme devant un panneau de signalisation ou un numéro de boîte aux lettres. L'instant est bref, juste le temps d'un battement de cœur, mais cela suffit pour que l'image illusoire qu'elle avait d'elle rattrape celle, bien réelle, de la femme qui la fixe dans la vitrine. L'expérience s'avère assez dévastatrice. C'est ça la vieillesse, pense-t-elle en suivant Isabelle dans le magasin. Des moments cruels qui vous tombent dessus sans crier gare.

Plus tard, en rentrant dans leur maison de location, ils constatent que les hommes sont déjà là.

— Papa se fait vieux, dit Alain.

Occupé à préparer une carafe de sangria derrière le bar, Éric roule de gros yeux et hausse les épaules avec candeur.

— J'ai cru que j'allais devoir te porter, le taquine son fils.

— Donne-moi un an. On reviendra l'année prochaine et je ferai la course avec toi tout autour de l'île, *mon pote**.

Ils ne reviendront jamais à Majorque. Une semaine après leur retour, Éric est victime d'une crise cardiaque. Cela se produit à son travail, pendant qu'il s'adresse à un éclairagiste. Il en réchappe, mais fera deux autres attaques au cours des trois années suivantes, dont la dernière lui sera fatale. Et c'est ainsi qu'à quarante-huit ans, Pari se retrouve veuve, comme sa mère avant elle.

Un jour, au début du printemps 2010, elle reçoit un appel longue distance. Il ne la surprend pas. En fait, elle s'y prépare même depuis son réveil ce matin-là. Avant l'heure prévue, elle s'assure d'avoir l'appartement pour elle seule – ce qui suppose de demander à Isabelle de partir plus tôt que d'habitude. Sa fille et son mari, Albert, vivent juste au nord de l'île Saint-Denis, à quelques rues de son studio. Isabelle vient la voir un jour sur deux, après avoir déposé ses enfants à l'école, et lui apporte une baguette et des fruits frais. Pari n'est pas encore clouée à un fauteuil roulant – même si elle anticipe cette échéance. Sa maladie l'a contrainte à prendre une retraite anticipée l'année précédente, mais elle est encore tout à fait capable de se rendre seule au marché et d'effectuer une promenade quotidienne. Ce sont ses mains – ces mains laides, tordues – qui la trahissent le plus souvent et qui, les mauvais jours, lui donnent l'impression que des éclats de cristal s'entrechoquent autour de ses articulations. Elle porte des gants chaque fois qu'elle sort afin de les maintenir au chaud, mais aussi et surtout parce qu'elle a honte d'elles, de leurs jointures noueuses, de leurs doigts disgracieux affligés d'*une déformation en col de cygne*, dixit son médecin, et de son auriculaire gauche sans cesse replié.

Ah, la vanité, dit-elle à Colette.

Ce matin-là, Isabelle est arrivée avec des figues, quelques savons, du dentifrice et un Tupperware rempli d'une soupe de châtaignes qu'Albert envisage de proposer comme nouvelle entrée aux propriétaires du restaurant où il est employé en tant que sous-chef. En déballant ses courses, Isabelle évoque le nouveau contrat qu'elle vient de décrocher. Elle compose des bandes originales pour des émissions de télévision, des publicités et bientôt, espère-t-elle, pour des films. Elle doit commencer par une minisérie en cours de tournage à Madrid.

— Tu iras là-bas ? s'enquiert Pari. À Madrid ?

— Non. Le budget est trop serré. Les producteurs refusent de couvrir mes frais de déplacement.

— Quel dommage. Tu aurais pu loger chez Alain.

— Oh, maman, tu n'y penses pas ! Le pauvre. Il a à peine assez de place pour étirer ses jambes.

Alain est consultant financier et vit dans un tout petit appartement madrilène avec sa femme Ana et leurs quatre enfants. Il envoie régulièrement à Pari des photos et des petites vidéos de ces derniers.

Pari demande à Isabelle si elle a des nouvelles de Thierry – mais non, pas cette fois. Son fils est en Afrique, dans l'est du Tchad, où il travaille dans un camp de réfugiés du Darfour. Pari le sait parce qu'il a des contacts épisodiques avec Isabelle – la seule à qui il se confie un peu. C'est ainsi qu'elle connaît les grandes lignes de sa vie, comme le fait qu'il a passé un certain temps au Vietnam et qu'il a été brièvement marié là-bas, quand il avait vingt ans.

Isabelle met une casserole d'eau à bouillir et va chercher deux tasses dans un placard.

— Pas ce matin, Isabelle. En fait, j'aimerais que tu t'en ailles.

Sa fille lui jette un regard blessé, et Pari s'en veut de ne pas avoir mieux formulé sa requête. Isabelle a toujours été très sensible.

— Ce que je voulais dire, c'est que j'attends un appel et que j'ai besoin d'être seule.

— Un appel ? De qui ?

— Je te raconterai plus tard.

Isabelle croise les bras en souriant.

— Tu t'es trouvé un amant ?

— Un amant ? Tu es aveugle ou quoi ? Tu m'as regardée dernièrement ?

— Je ne vois pas où est le problème.

— Il faut que tu t'en ailles. Je t'expliquerai plus tard, je te le promets.

— D'accord, d'accord, dit Isabelle en prenant son sac, son manteau et ses clés. Mais sache que je suis très intriguée.

L'homme qui appelle à 9 h 30 s'appelle Markos Varvaris. Il est entré en contact avec elle par l'intermédiaire de son compte Facebook en lui envoyant ce message, rédigé en anglais : *Êtes-vous la fille de la poétesse Nila Wahdati ? Si oui, j'aimerais beaucoup m'entretenir avec vous d'un sujet qui vous intéressera.* Pari a cherché son nom sur internet et découvert qu'il s'agissait d'un chirurgien esthétique travaillant pour une organisation caritative à Kaboul. Au téléphone, il la salue en farsi et continue à s'exprimer dans cette langue jusqu'à ce qu'elle l'interrompe :

— Monsieur Varvaris, je suis désolée... pouvons-nous parler en anglais ?

— Ah, bien sûr. Excusez-moi. Je pensais... mais c'est normal, évidemment. Vous étiez si jeune quand vous avez quitté votre pays, n'est-ce pas ?

— En effet.

— J'ai appris le farsi ici et je dirais que je me débrouille assez bien. Je suis arrivé à Kaboul en 2002, peu après le départ des talibans. Une époque assez optimiste, alors. Les gens étaient prêts à tout reconstruire, à instaurer la démocratie, etc., etc. Aujourd'hui, c'est bien différent. Nous préparons les élections présidentielles, certes, mais c'est une autre histoire, j'en ai peur.

Pari l'écoute patiemment faire une longue digression sur le défi logistique que représentent les élections en Afghanistan, mais que Karzaï relèvera, dit-il, puis sur les incursions inquiétantes des talibans dans le Nord et les attaques islamistes croissantes contre les médias. Suivent quelques parenthèses sur la surpopulation à Kaboul et le coût du logement, avant qu'il n'en revienne à l'objet de son appel :

— Je vis dans cette maison depuis plusieurs années et il me semble que vous y avez habité, vous aussi.

— Pardon ?

— C'était la maison de vos parents. En tout cas, c'est ce que j'ai été amené à penser.

— Si vous me permettez... qui vous a dit ça ?

— Le propriétaire. Il s'appelle Nabi. Ou plutôt, il *s'appelait* Nabi. Il est décédé, malheureusement. Il n'y a pas très longtemps. Vous vous souvenez de lui ?

Une image s'impose à elle d'un jeune et beau visage avec des favoris et une énorme masse de cheveux bruns ramenés en arrière.

— Oui. Enfin, surtout de son nom. C'était notre cuisinier. Et notre chauffeur, aussi.

— Il occupait les deux fonctions, en effet. Il vivait ici, dans cette maison, depuis 1947. Soixante-trois ans. C'est presque incroyable, non ? Mais, je vous le répète, il a rendu l'âme. Le mois dernier. Je l'appréciais beaucoup – comme tout le monde.

— Je vois.

— Nabi m'a laissé un message que je ne devais lire qu'après sa mort. J'ai demandé à un collègue afghan de me le traduire en anglais. Ce message... à vrai dire, c'est plus qu'un message. Une lettre, pour être plus précis, et admirable, qui plus est. Nabi y raconte plusieurs choses. Je vous ai cherchée parce que certaines d'entre elles vous concernent, et aussi parce qu'il me demande à l'intérieur de vous retrouver et de vous remettre le tout. Il m'a fallu faire quelques démarches, mais nous avons réussi à vous localiser. Merci internet, conclut-il en riant.

Une partie de Pari veut raccrocher. D'instinct, elle sent que, quelles que soient les révélations griffonnées sur le papier par ce vieil homme, cette personne surgie de son lointain passé, à l'autre bout du monde, celles-ci sont vraies. Elle sait depuis longtemps que sa mère lui a caché la vérité sur son enfance. Mais même si le socle

282

de son existence a été brisé par un mensonge, ce qu'elle a planté depuis dans ce terreau lui apparaît aussi sûr, et solide, et inébranlable qu'un grand chêne. Éric, ses enfants, ses petits-enfants, sa carrière, Colette. Alors à quoi bon ? Après tout ce temps, à quoi bon ? Il vaut peut-être mieux clore le sujet.

Elle ne le fait pas, pourtant. Son pouls s'accélère et ses mains deviennent moites.

— Que... que dit-il dans ce message, dans cette lettre ?

— Eh bien, pour commencer, il prétend avoir été votre oncle.

— Mon oncle.

— Par alliance, pour être précis. Et ce n'est pas tout. Il ajoute bien d'autres choses.

— Monsieur Varvaris, est-ce que vous l'avez ? Cette lettre, ou bien sa traduction ? Vous l'avez avec vous ?

— Oui.

— Si vous la lisiez pour moi ? Cela vous est possible ?

— Vous voulez dire... là, maintenant ?

— Si vous avez le temps. Je peux vous rappeler pour prendre l'appel à ma charge.

— Non, non, pas la peine. Mais vous êtes sûre ?

— Oui. J'en suis sûre, monsieur Varvaris.

Il lui lit donc la lettre. Jusqu'au bout. Cela dure un moment. À la fin, elle le remercie et dit qu'elle reprendra bientôt contact avec lui.

Après avoir raccroché, elle branche la cafetière et s'approche de la fenêtre. De là, une vue familière se présente à elle – l'allée pavée et étroite en contrebas, la pharmacie au bout de la rue, le traiteur oriental à l'angle, la brasserie tenue par une famille basque.

283

Ses mains tremblent. Quelque chose d'étonnant lui arrive. Quelque chose de véritablement remarquable. L'image qu'elle en a est celle d'une hache frappant le sol et d'un flot de pétrole noir jaillissant soudain à la surface. Voilà ce qui lui arrive. Libérés par le choc, des souvenirs remontent des profondeurs de sa mémoire. Elle regarde en direction de la brasserie, et ce qu'elle voit n'est pas le serveur maigre sous l'auvent, occupé à donner un coup de torchon sur une table, un tablier noir noué autour de la taille, mais un petit chariot rouge dont une des roues couine et qui cahote sous un ciel dans lequel filent les nuages, et qui franchit des crêtes, plonge dans des petits ravins asséchés, gravit et descend des monts ocres. Elle voit des enchevêtrements d'arbres fruitiers, leur feuillage agité par la brise, des rangées de pieds de vigne entre des petites maisons au toit en terrasse. Elle voit des fils à linge et des femmes accroupies près d'un ruisseau, et les cordes grinçantes d'une balançoire sous un grand arbre, et un gros chien fuyant sous les moqueries de petits villageois, et un homme au nez busqué creusant un fossé, la chemise collée à son dos par la sueur, et une femme voilée penchée sur un feu de cuisine.

Mais il y a un autre détail à la lisière de tout ça, juste à la périphérie de sa vision – et c'est ce qui l'attire le plus. Une ombre insaisissable. Une silhouette. À la fois douce et dure. Douce comme la main qui tient la sienne. Dure comme les genoux sur lesquels elle a autrefois appuyé sa joue. Elle cherche à distinguer un visage, mais il s'échappe, se dérobe chaque fois qu'elle se tourne vers lui. Pari sent un gouffre s'ouvrir en elle. Il y a toujours eu une grande absence dans sa vie. Quelque part, elle l'a toujours su.

— Un frère, dit-elle sans s'en rendre compte – et sans se rendre compte qu'elle pleure.

Les paroles d'une chanson en farsi affluent soudain en elle :

Je connais une triste petite fée
Que le vent un soir a soufflée.

Il y a un autre couplet, elle en est certaine, qui peut-être venait avant celui-là. Mais lui aussi lui échappe.

Pari s'assoit. Elle ne se sent pas capable de rester debout à cet instant. Elle attend que le café finisse de passer. Lorsqu'il sera prêt, elle en prendra une tasse, fumera peut-être ensuite une cigarette. Puis elle passera un coup de fil à Colette, à Lyon, pour voir si sa vieille amie peut lui organiser un voyage à Kaboul.

Mais pour l'heure, elle reste assise. Elle ferme les yeux tandis que la cafetière commence à gargouiller, et derrière ses paupières elle découvre des collines qui se dressent doucement vers un grand ciel bleu, et le soleil qui se couche derrière un moulin, et toujours, toujours, des chapelets brumeux de montagnes qui déclinent et s'estompent à l'horizon.

7

Été 2009

— TON PÈRE EST UN GRAND HOMME.

Adel leva les yeux. L'enseignante, Malalai, une femme d'âge mûr et potelée portant un châle violet brodé de perles sur ses épaules, s'était penchée pour lui chuchoter ces mots à l'oreille. Elle lui souriait à présent, les yeux fermés.

— Tu as de la chance, mon garçon.

— Je sais.

Bien, articula-t-elle en silence.

Ils se tenaient sur les marches à l'entrée de la nouvelle école pour filles de la ville, un bâtiment vert pâle rectangulaire au toit en terrasse et aux larges fenêtres, pendant que le père d'Adel, son Baba *jan*, récitait une courte prière avant de se lancer dans un discours enflammé. Une foule imposante d'enfants, de parents et d'anciens s'était rassemblée devant lui dans la chaleur étouffante de ce milieu de journée – environ une centaine d'habitants de la petite ville de Shadbagh-e-Nau, « le nouveau Shadbagh ».

— L'Afghanistan est notre mère à tous, déclara-t-il en levant vers le ciel son gros index, sur lequel étincela une bague sertie d'une agate. Mais c'est une mère souffrante, et depuis longtemps. Et s'il est vrai qu'une mère a besoin de ses fils pour se rétablir, elle a aussi besoin de ses filles – au moins autant, sinon davantage !

Une salve d'applaudissements et plusieurs cris et sifflements saluèrent ces propos. Adel examina les visages dans la foule. Ils étaient fascinés par son père, cet homme aux sourcils noirs broussailleux et à la barbe fournie qui se dressait devant eux, grand, fort et massif, presque assez large d'épaules pour emplir l'entrée de l'école derrière lui.

Tandis qu'il continuait, le regard d'Adel croisa celui de Kabir, l'un des deux gardes du corps de son Baba *jan*, qui se tenait impassible près de celui-ci, une kalachnikov à la main. La foule se reflétait dans ses lunettes noires d'aviateur. Kabir était petit, mince, pour ainsi dire frêle, et portait des costumes aux couleurs voyantes – lavande, turquoise, orange –, mais Baba *jan* le comparait à un faucon et disait que c'était une dangereuse erreur de le sous-estimer.

— Je m'adresse donc à vous, jeunes filles d'Afghanistan, déclama-t-il en tendant ses grands bras en geste de bienvenue. Vous avez un devoir solennel à remplir. Celui d'apprendre, de vous appliquer, d'exceller dans vos études, afin que non seulement vos pères et vos mères soient fiers de vous, mais aussi notre mère commune à tous. Son avenir est entre vos mains, pas entre les miennes. Je vous demande de ne pas penser à cette école comme à un cadeau de ma part. Ce n'est qu'un bâtiment, et le véritable cadeau se trouve à l'intérieur : c'est vous. Mes jeunes sœurs, vous êtes un don pour moi, pour la communauté de Shadbagh-e-Nau, et, plus important encore, pour l'Afghanistan ! Dieu vous bénisse.

De nouveaux applaudissements éclatèrent.

— Dieu vous bénisse, commandant Sahib ! crièrent plusieurs personnes.

Il brandit un poing en souriant. Adel était si fier qu'il en avait presque les larmes aux yeux.

L'enseignante, Malalai, s'avança ensuite avec une paire de ciseaux. Un ruban rouge avait été tendu devant l'entrée de la classe. La foule se rapprocha légèrement, pour mieux voir, mais Kabir fit signe à quelques personnes de reculer et en repoussa deux sans ménagement. Des mains se levèrent pour filmer la scène avec des téléphones portables. Le commandant prit les ciseaux, marqua une pause, puis se tourna vers Adel :

— Tiens, mon fils. À toi l'honneur.

— Moi ?

— Vas-y, insista-t-il en lui faisant un clin d'œil.

Adel coupa le ruban. De longs applaudissements retentirent et il entendit le cliquetis de quelques appareils photos, ainsi que des voix criant « *Allah-u-akbar !* ».

Son père resta à sa place pendant que les écolières se mettaient en file indienne. Âgées de huit à quinze ans, elles portaient toutes le foulard blanc et l'uniforme noir et gris à fines rayures qu'il leur avait donnés. À tour de rôle, elles se présentèrent à lui avec timidité, avant de pénétrer dans la classe. Il leur sourit avec chaleur, leur tapota la tête et leur prodigua quelques mots d'encouragement.

— Je te souhaite de réussir, Bibi Mariam. Travaille bien, Bibi Homeira. Rends-nous fiers de toi, Bibi Ilham.

Plus tard, près du Land Cruiser noir, Adel regarda son père, à présent en nage, échanger des poignées de main avec les habitants du coin tout en faisant rouler un chapelet entre ses doigts. Il les écoutait patiemment en se penchant un peu vers eux, le front plissé, hochant la tête, attentif à toutes celles et tous ceux qui venaient le remercier, offrir de prier pour lui, présenter leurs respects et, pour beaucoup, saisir cette occasion de lui demander un service. Une mère voulait emmener son enfant malade voir un chirurgien à Kaboul, un homme avait besoin d'un prêt pour monter une cordonnerie, un mécanicien souhaitait de nouveaux outils.

Commandant Sahib, si vous pouviez avoir la bonté...

Je n'ai personne à qui m'adresser, commandant Sahib...

Adel n'avait jamais entendu personne en dehors de sa proche famille s'adresser à son père autrement qu'en disant « Commandant Sahib », alors même que les Russes étaient partis depuis longtemps et qu'il n'avait pas tiré un seul coup de feu en dix ans. À la maison, des photos encadrées de lui dans sa période moudjahid recouvraient les murs du salon. Chacune d'elles était gravée dans la mémoire d'Adel : son Baba *jan* appuyé contre l'aile d'une vieille jeep rouillée, ou accroupi sur la tourelle d'un char calciné, ou posant fièrement avec ses hommes, la poitrine barrée d'une ceinture de munitions, près d'un hélicoptère abattu. Sur une autre, il apparaissait avec un gilet pare-balles et une cartouchière, le front pressé contre le sol du désert, en pleine prière. Il était bien plus maigre à ce moment-là, et on ne voyait jamais rien d'autre que des montagnes et du sable derrière lui.

Blessé deux fois par les Russes au combat, il en gardait des cicatrices qu'il avait montrées à Adel, l'une juste sous la cage thoracique, à gauche – qui lui avait coûté la rate –, et l'autre à environ un pouce du nombril. Somme toute, disait-il, il avait eu de la chance. Certains de ses amis avaient perdu les bras, les jambes, les yeux. D'autres avaient eu le visage brûlé. Ils avaient fait ça pour leur pays, et aussi pour Dieu. Car c'était ça, le djihad, affirmait-il. Un sacrifice. On sacrifiait ses membres, sa vue – sa vie, même –, et on le faisait avec joie. Le djihad vous valait aussi certains droits et privilèges, parce que Dieu veillait à ce que les plus grands sacrifices soient justement récompensés.

À la fois dans cette vie et dans la suivante, ajoutait-il en pointant son doigt vers le bas, puis vers le haut.

En regardant ces clichés, Adel regrettait de ne pas avoir pu lutter à ses côtés durant cette époque plus aventureuse. Il aimait s'imaginer avec lui, en train d'abattre un hélicoptère russe, de faire exploser des chars, d'éviter les balles, de vivre dans les montagnes et de dormir dans des grottes. Père et fils. Des héros de guerre.

Il y avait aussi une grande photo encadrée de son Baba *jan* souriant à côté du président Karzai à l'intérieur de l'Arg, le palais présidentiel de Kaboul. Plus récente, elle avait été prise lors d'une petite cérémonie durant laquelle on lui avait décerné une récompense pour son travail humanitaire à Shadbagh-e-Nau. Une récompense plus que méritée. La nouvelle école pour filles n'était que son dernier projet. Adel savait que les femmes en ville mouraient régulièrement en couches autrefois, mais ce n'était plus le cas depuis que son père avait ouvert un grand dispensaire tenu par deux médecins et trois sages-femmes dont il payait le salaire de sa poche. Tous les habitants pouvaient s'y faire soigner gratuitement et les enfants de la ville y avaient tous été vaccinés. Le commandant avait aussi envoyé des équipes localiser des points d'eau un peu partout afin de creuser des puits. C'était à lui encore que Shadbagh-e-Nau devait d'avoir enfin l'électricité en permanence. Et une dizaine de commerces au moins avaient vu le jour grâce à des prêts qui, Adel l'avait appris par Kabir, n'étaient que rarement remboursés, voire jamais.

291

La réponse d'Adel à l'enseignante était sincère. Il mesurait bien sa chance d'être le fils d'un tel homme.

Au moment où s'achevait la série de poignées de main, il repéra un vieillard fluet aux lunettes rondes à fines montures, à la petite barbe grise et aux dents semblables à des pointes d'allumettes brûlées qui s'approchait de son père. Un garçon à peu près aussi âgé qu'Adel le suivait en traînant les pieds. Ses gros orteils pointaient à travers des trous symétriques dans ses baskets, ses cheveux formaient un enchevêtrement rigide sur sa tête, et si son jean raidi par la crasse était trop court, son T-shirt lui arrivait en revanche presque jusqu'aux genoux.

Kabir se planta devant le vieil homme.

— Je t'ai déjà dit que ce n'était pas le moment, cracha-t-il.

— Je veux juste parler un peu avec le commandant.

Celui-ci prit Adel par le bras et le poussa doucement sur la banquette arrière du Land Cruiser.

— Allons-y, fiston. Ta mère t'attend.

Il monta à son tour et claqua la portière.

Tandis que sa vitre teintée se refermait, Adel observa Kabir s'adresser au vieillard, mais sans pouvoir distinguer ses paroles. Puis le garde du corps vint s'installer au volant du 4 × 4 et posa sa kalachnikov sur le siège à côté de lui avant de démarrer.

— Qu'est-ce qu'il voulait ?

— Rien d'important, répondit Kabir.

Ils s'engagèrent sur la route. Quelques-uns des garçons présents dans la foule s'élancèrent brièvement à leur poursuite jusqu'à ce que le Land Cruiser les distance. Kabir longea le boulevard principal congestionné qui coupait en deux la ville de Shadbagh-e-Nau en klaxonnant fréquemment pour se faufiler entre les véhicules. Tout le monde lui céda le passage et quelques personnes les saluèrent d'un signe de la main. Adel contempla les trottoirs bondés de part et d'autre de la route, notant çà et là des éléments familiers du décor – les carcasses pendues à des crochets dans les boucheries, les forgerons occupés à tourner leurs roues en bois et à actionner leurs soufflets à la main, les marchands de fruits qui chassaient les mouches sur leurs raisins et leurs cerises, le barbier assis dehors sur une chaise en rotin, en train d'affûter son rasoir sur du cuir. Ils passèrent devant des salons de thé, des kebabs, un atelier de réparation automobile et une mosquée, puis traversèrent la grande place de la ville. Au centre se dressaient une fontaine bleue et un moudjahid en pierre noire de près de trois mètres de haut, le regard tourné vers l'est, un turban enroulé gracieusement autour de sa tête et un lance-roquettes sur l'épaule. Le commandant avait lui-même commandé cette statue à un sculpteur de Kaboul.

Au nord de l'artère s'étendait un quartier résidentiel – essentiellement des rues étroites non pavées et des petites maisons au toit en terrasse peintes en blanc, jaune ou bleu. Des antennes paraboliques trônaient sur quelques-unes d'entre elles et des drapeaux afghans recouvraient un certain nombre de fenêtres. Adel savait par son père que la plupart des habitations et des commerces de Shadbagh-e-Nau avaient été construits au cours des quinze années précédentes, souvent grâce à lui. Les gens le considéraient du reste comme le fondateur de la nouvelle ville. Les anciens avaient proposé de donner son nom à celle-ci, mais il avait refusé.

La route principale continuait vers le nord jusqu'à Shadbagh-e-Kohna, le vieux Shadbagh, situé à trois kilomètres de là. Adel n'avait jamais vu le village tel qu'il était des dizaines d'années plus tôt. Le temps que son Baba *jan* le fasse venir de Kaboul avec sa mère, l'endroit n'existait pour ainsi dire plus. Toutes les maisons avaient disparu. Le seul vestige du passé était un moulin en ruine. Parvenu là, Kabir bifurqua à gauche sur un large chemin de terre qui menait quatre cents mètres plus loin aux gros murs hauts de trois mètres soixante de la propriété où Adel vivait avec ses parents – le seul édifice encore debout à Shadbagh-e-Kohna, en dehors du moulin. À présent que le 4 × 4 roulait en cahotant sur la piste, Adel distinguait ses remparts blancs surmontés de rouleaux de barbelé.

Le garde en uniforme qui se tenait toujours en faction devant l'entrée les salua avant d'ouvrir le portail. Kabir s'engagea sur une allée gravillonnée en direction de la maison.

Celle-ci comportait deux étages. Peinte en rose vif et vert turquoise, elle offrait aux regards de grandes colonnes, des avant-toits pointus, des parois vitrées réfléchissantes qui miroitaient au soleil, des garde-fous, une véranda aux mosaïques étincelantes et de larges balcons aux rambardes incurvées en fer forgé. À l'intérieur, la famille disposait de neuf chambres et sept salles de bains, toutes en granite et marbre jaune – lorsqu'il jouait à cache-cache avec son père, Adel pouvait déambuler une heure durant avant de le trouver. Et depuis peu, pour son plus grand plaisir, son Baba *jan* parlait d'aménager une piscine au sous-sol.

Kabir s'avança vers les hautes portes de la maison, puis coupa le moteur.

— Tu veux bien nous laisser une minute ? le pria le commandant.

Kabir acquiesça et sortit du véhicule. Adel le regarda monter les marches en marbre du perron pour aller sonner. Ce fut Azmaray, l'autre garde du corps – un type courtaud, massif et bourru – qui lui ouvrit. Les deux hommes échangèrent quelques mots et s'attardèrent sur les marches en allumant chacun une cigarette.

— Il faut vraiment que tu t'en ailles ? demanda Adel à son père.

Celui-ci devait partir dans le Sud le lendemain matin pour surveiller ses champs de coton à Helmand et rencontrer les ouvriers de la filature qu'il avait fait construire au même endroit. Il serait absent deux semaines – autant dire une éternité.

Son père posa les yeux sur lui. Il occupait plus de la moitié de la banquette arrière, faisant paraître Adel minuscule en comparaison.

— Je regrette, fiston, mais oui, il le faut.

— J'étais fier de toi, aujourd'hui. Très fier.

— Merci, Adel, répondit le commandant en lui pressant le genou de sa grosse main. J'apprécie le compliment. Mais si je t'emmène à ce genre d'événement, c'est pour que tu en tires des leçons, pour que tu comprennes combien il est important que les gens chanceux comme nous se montrent à la hauteur de leurs responsabilités.

— J'aimerais juste que tu ne sois pas forcé de partir tout le temps.

— Moi aussi, fiston. Moi aussi. Mais je ne m'en vais que demain. Je repasserai ce soir à la maison.

Adel hocha la tête en contemplant ses mains.

— Écoute, continua son père d'une voix douce. Les habitants de cette ville ont besoin de moi, Adel. Ils ont besoin de mon aide pour avoir une maison, trouver du travail et gagner leur vie. Le gouvernement a ses propres problèmes à gérer, il ne peut rien pour eux.

Si je ne le faisais pas, personne ne le ferait. Les gens souffriraient alors.

— Je sais, marmonna Adel.

— Kaboul te manque, je m'en doute. De même que tes amis. Ç'a été dur pour ta mère et toi de vous adapter à la vie ici. Et je sais que je suis toujours en déplacement ou en réunion quelque part, et que beaucoup de personnes me prennent tout mon temps. Mais... regarde-moi, fiston.

Adel leva les yeux. Une lueur bienveillante brillait dans ceux de son père sous le dais de ses sourcils broussailleux.

— Tu comptes plus pour moi que quiconque sur cette terre, Adel. Tu es mon fils. Je renoncerais volontiers à tout ça pour toi. Je donnerais ma vie pour toi, fiston.

Adel hocha de nouveau la tête, au bord des larmes. Parfois, quand son Baba *jan* lui parlait ainsi, il sentait son cœur gonfler et gonfler, tant et si bien qu'il avait du mal à respirer.

— Tu me comprends ?

— Oui.

— Tu me crois ?

— Oui.

— Bien. Embrasse-moi.

Adel se jeta à son cou et savoura son étreinte rude et patiente. Il se rappelait quand il était petit et qu'il allait lui tapoter l'épaule au milieu de la nuit, encore tremblant après un cauchemar. Son père repoussait sa couverture pour le laisser grimper dans son lit et embrassait le sommet de sa tête jusqu'à ce qu'il s'apaise et se rendorme.

— Peut-être que je te rapporterai un petit quelque chose d'Helmand.

— Tu n'es pas obligé, répondit Adel d'une voix étouffée.

Il possédait des jouets à ne plus savoir qu'en faire. Et pas un seul sur terre n'aurait pu compenser l'absence de son père.

Plus tard ce jour-là, Adel se figea au milieu de l'escalier afin d'épier la scène qui se déroulait sous ses yeux. Quelqu'un avait sonné à la porte, et Kabir, après avoir répondu, se tenait à présent appuyé contre le chambranle, les bras croisés, bloquant le passage au visiteur avec qui il s'entretenait. C'était le vieil homme qu'Adel avait aperçu plus tôt à l'école, celui avec des lunettes et des chicots. Le garçon aux baskets trouées l'accompagnait.

— Où est-il ? demandait le vieil homme.

— En voyage d'affaires. Dans le Sud.

— J'ai entendu dire qu'il ne devait partir que demain.

Kabir haussa les épaules.

— Combien de temps restera-t-il là-bas ?

— Deux mois, peut-être trois. Qui sait.

— Ce n'est pas non plus ce qu'on m'a raconté.

— Tu mets ma patience à l'épreuve, le vieux, répondit Kabir en décroisant les bras.

— Je vais l'attendre.

— Pas ici, non.

— Je voulais dire, près de la route.

Kabir s'agita nerveusement.

— Comme tu veux. Mais le commandant est un homme très occupé. Il n'y a pas moyen de savoir quand il rentrera.

Le vieil homme acquiesça et rebroussa chemin, suivi par le garçon.

Kabir referma la porte.

Adel alla tirer le rideau de l'une des fenêtres du salon afin de scruter les deux silhouettes qui remontaient la piste reliant la propriété à la route principale.

— Tu lui as menti, Kabir.

— Je suis payé en partie pour ça. Protéger ton père contre les parasites.

— Qu'est-ce qu'il veut ? Du boulot ?

— Quelque chose comme ça.

Kabir s'installa sur le canapé, ôta ses chaussures et lui fit un clin d'œil. Adel appréciait le personnage – beaucoup plus qu'Azmaray, qui se montrait désagréable et lui adressait rarement la parole. Kabir, à l'inverse, jouait aux cartes avec lui et lui proposait de regarder ses DVD. Il aimait les films. Il en possédait toute une collection achetée au marché noir et en visionnait dix à douze par semaine – des films iraniens, français, américains, et bien sûr ceux de Bollywood, peu importait. Et parfois, quand la mère d'Adel était dans une autre pièce et que celui-ci promettait de ne rien dire à son père, il ôtait le chargeur de sa kalachnikov et le laissait tenir celle-ci, comme un moudjahid. Mais pour l'heure, l'arme était appuyée contre le mur, près de la porte d'entrée.

Kabir s'allongea sur le canapé et appuya les pieds sur l'accoudoir en commençant à feuilleter un journal. Adel lâcha le rideau de la fenêtre et se tourna vers lui. Il ne distinguait que son front par-dessus sa revue.

— Ils avaient l'air inoffensifs, dit-il.

— J'aurais peut-être dû les inviter à prendre un thé, alors, murmura le garde du corps. Et leur offrir des gâteaux, aussi.

— Ne te moque pas.

— Ils ont tous l'air inoffensifs.

— Baba *jan* va les aider ?

— Probablement, soupira Kabir. « Ton père est une rivière pour son peuple. »

Il baissa son journal et sourit.

— C'est tiré de quoi, ça ? Allez, Adel. On l'a vu le mois dernier.

Adel haussa les épaules et se dirigea vers l'escalier.

— *Lawrence*, lança Kabir. *Lawrence d'Arabie*. Anthony Quinn.

Puis, juste quand Adel atteignait le haut des marches, il ajouta :

— Ce sont des parasites, Adel. Ne te laisse pas avoir. Ils dépouilleraient ton père de tout ce qu'il possède s'ils le pouvaient.

Un matin, quelques jours après que son père fut parti à Helmand, Adel monta dans la chambre de ses parents. Derrière la porte s'élevait une musique rythmée assourdissante. Il entra et découvrit sa mère, Aria, qui se démenait en short et en T-shirt pour reproduire les bonds, les accroupissements, les fentes et les abdos enchaînés par trois blondes en nage sur son écran plat géant. Elle l'aperçut dans le grand miroir de sa coiffeuse.

— Tu veux te joindre à moi ? dit-elle en haletant par-dessus la musique.

— Non, je vais juste m'asseoir.

Il se laissa glisser sur le parquet et l'observa sautiller dans un sens et dans l'autre à travers la pièce.

Mince, souple et encore jeune – elle s'était mariée à seulement quatorze ans –, sa mère avait des mains et des pieds délicats, un petit nez retroussé et un joli visage qui la faisait ressembler à une actrice d'un film de Bollywood. Adel avait une belle-mère plus âgée, et trois demi-frères, mais son père les avait installés plus à l'est, à Jalalabad, si bien qu'il ne les voyait qu'une fois par mois environ, quand ils allaient leur rendre visite tous les deux. Contrairement à sa mère et à sa belle-mère, qui ne s'aimaient pas, Adel s'entendait bien avec ses demi-frères. Ils l'emmenaient dans des parcs, au bazar, au cinéma et à des tournois de *buzkashi*. Ils jouaient à *Resident Evil*, flinguaient les zombies de *Call of Duty* avec lui, et ils l'intégraient toujours à leur équipe quand ils disputaient un match de foot avec les gamins de leur quartier. Adel aurait tant aimé qu'ils vivent près de lui.

Sous ses yeux, sa mère s'allongea sur le dos, décolla du sol ses jambes tendues, puis les baissa en maintenant une balle en plastique bleue coincée entre ses chevilles nues.

La vérité, c'était qu'il s'ennuyait à mourir à Shadbagh. Cela faisait deux ans qu'ils habitaient là et il ne s'était toujours pas fait un seul ami. Il ne pouvait pas se rendre en ville à vélo, certainement pas seul en tout cas, au vu de la vague de kidnappings que subissait la région. Même s'il s'échappait parfois brièvement, il restait toujours dans l'enceinte de la propriété. Il n'avait pas non plus de camarades de classe parce que son père refusait de le laisser fréquenter l'école locale – pour des « raisons de sécurité », disait-il. À la place, un précepteur venait tous les matins à la maison lui faire cours. En général, Adel s'occupait en lisant, en tapant seul dans un ballon de foot ou en visionnant des films avec Kabir, souvent pour la énième fois. Il déambulait mollement dans les larges couloirs de leur imposante maison, traversait les grandes pièces vides, ou bien regardait par la fenêtre de sa chambre à l'étage. Il vivait dans un vaste manoir, mais dans un monde étriqué. Certains jours, il s'ennuyait tant que cela lui donnait envie de crier.

Il savait que sa mère aussi souffrait de cette terrible solitude et qu'elle s'efforçait de meubler ses journées en suivant un rituel quotidien : de la gym le matin, puis une douche suivie d'un petit déjeuner, puis de la lecture, du jardinage, puis des séries télévisées indiennes l'après-midi. Quand le commandant était absent – et il l'était régulièrement –, elle traînait à la maison en sweat-shirt gris et en baskets, sans se maquiller, les cheveux attachés en chignon sur la nuque. Elle ouvrait même très peu la boîte à bijoux où elle rangeait les bagues, les colliers et les boucles d'oreilles qu'il lui rapportait de Dubai. En revanche, elle pouvait passer des heures à parler à sa famille à Kaboul. Ce n'était d'ailleurs que lorsque sa sœur et ses parents lui rendaient visite durant quelques jours, tous les deux ou trois mois, qu'elle s'animait véritablement. Elle mettait une robe longue en tissu imprimé et des talons hauts. Elle se maquillait. Ses yeux brillaient et son rire résonnait dans toute la maison. Alors Adel entrevoyait la personne qu'elle avait peut-être été autrefois.

Durant les périodes où ils se retrouvaient seuls, tous deux essayaient de se réconforter mutuellement. Ils faisaient des puzzles, jouaient au golf et au tennis avec la Wii d'Adel. Mais celui-ci n'aimait rien tant que construire des maisons avec sa mère à l'aide de cure-dents. Elle dessinait un schéma complet en 3D sur une feuille en incluant un porche à l'avant, un toit à pignon, de larges escaliers à l'intérieur et des murs séparant les différentes pièces. Ils commençaient par la base, enchaînaient avec les cloisons et les marches, et tuaient ainsi le temps en appliquant avec soin de la colle sur les cure-dents. Puis ils laissaient sécher les sections réalisées. La mère d'Adel disait qu'elle avait rêvé de devenir architecte lorsqu'elle était plus jeune, avant d'épouser le commandant.

Un jour qu'ils érigeaient un gratte-ciel, elle lui avait raconté les circonstances de son mariage.

En fait, ton père devait s'unir à ma sœur aînée, avait-elle dit.

Tante Nargis ?

Oui. Ça s'est passé à Kaboul. Il l'a aperçue un jour dans la rue, et voilà. Il a décidé qu'elle serait sa femme. Il s'est présenté chez nous le lendemain avec cinq de ses hommes, en s'imposant plus ou moins. Tous portaient des bottes. Elle avait secoué la tête en riant comme s'il avait fait quelque chose de drôle, sauf qu'elle ne riait pas ainsi d'habitude quand elle était réellement amusée. *Si tu avais vu la tête de tes grands-parents.*

Ils s'étaient assis dans le salon, le commandant, ses hommes et ses parents à elle. Elle-même était restée dans la cuisine afin de préparer du thé pendant qu'ils s'entretenaient. Il y avait un problème parce que sa sœur Nargis était déjà promise à un cousin qui vivait à Amsterdam, où il faisait des études d'ingénieur. Comment pouvaient-ils rompre des fiançailles ? avaient demandé ses parents.

C'est là que je suis entrée avec le thé et des pâtisseries sur un plateau. J'ai rempli les tasses, disposé la nourriture sur la table. Ton père m'a vue, et quand je me suis tournée pour sortir, il a dit : « Vous avez peut-être raison, monsieur. Il ne serait pas juste de rompre des fiançailles. Mais si vous me dites que celle-là est prise aussi, j'en serais hélas réduit à croire que vous ne m'aimez pas. » Puis il a éclaté de rire. Et c'est ainsi que nous nous sommes mariés.

Elle avait pris un tube de colle.

Tu l'aimais ?

Pour être honnête, avait-elle avoué avec un petit haussement d'épaules, *j'avais surtout peur de lui.*

Mais tu l'apprécies maintenant, n'est-ce pas ? Tu l'aimes ?

Bien sûr que oui. Quelle question.

Tu ne regrettes pas de l'avoir épousé ?

Elle avait rangé le tube de colle et médité sa réponse quelques secondes. *Regarde nos vies, Adel. Regarde autour de toi. Qu'y a-t-il à regretter ?* Et elle avait souri en le tirant doucement par une oreille. *Du reste, je ne t'aurais pas eu, sinon.*

Elle éteignit la télévision et s'assit par terre, essoufflée, en essuyant la sueur dans son cou avec une serviette.

— Amuse-toi tout seul ce matin, dit-elle en s'étirant le dos. Moi, je vais prendre une douche avant de manger. Et je pensais appeler tes grands-parents aussi. Ça fait quelques jours que je ne leur ai pas parlé.

Adel soupira et se leva.

Dans sa chambre, située au premier étage d'une autre aile de la maison, il ramassa son ballon de foot et enfila le maillot au nom de Zidane que son père lui avait offert pour ses douze ans. Il descendit ensuite au rez-de-chaussée, où Kabir faisait la sieste, la poitrine recouverte d'un journal ouvert, puis alla chercher une canette de jus de pomme dans le frigo et sortit.

Il longea l'allée gravillonnée en direction de l'entrée de la propriété. La guérite du garde était vide. Adel, qui connaissait les horaires de ses rondes, ouvrit le portail avec précaution et le referma derrière lui. Presque aussitôt, il eut l'impression de mieux respirer. Il y avait des jours où sa maison lui faisait beaucoup trop l'effet d'une prison.

Il marcha dans l'ombre de l'enceinte vers l'arrière de la propriété, loin de la grande route. C'était là que se trouvait le verger de son père, qui s'enorgueillissait de ces longues rangées parallèles de poiriers, de pommiers, d'abricotiers, de cerisiers, de figuiers et de néfliers – l'ensemble occupant un total de plusieurs hectares. Lorsqu'ils se promenaient tous les deux, il hissait souvent Adel sur ses épaules pour qu'il puisse leur cueillir à chacun une pomme bien mûre.

Entre la propriété et le verger s'étendait un terrain en friche, quasiment vide en dehors d'une cabane où les jardiniers rangeaient leurs outils et de la souche plate d'un vieux chêne qui avait dû être imposant autrefois. Le père d'Adel avait compté ses anneaux de croissance un jour et conclu que cet arbre avait probablement vu passer l'armée de Gengis Khan. Celui qui l'avait coupé n'était qu'un imbécile, avait-il déclaré en secouant tristement la tête.

Il faisait très chaud ce jour-là et le soleil brûlait dans un ciel d'un bleu aussi parfait que ceux qu'Adel coloriait au crayon lorsqu'il était petit. Il posa son jus de pomme sur la souche et s'entraîna à jongler avec son ballon. Son meilleur résultat était de soixante-huit sans que la balle touche le sol. Il avait établi son record au printemps, mais l'été était entre-temps arrivé et il n'avait toujours pas réussi à faire mieux. Il en était à vingt-huit lorsqu'il s'aperçut que quelqu'un l'observait. C'était le jeune compagnon du vieil homme qui avait voulu aborder son père lors de l'inauguration de l'école. Il se tenait accroupi à l'ombre de la cabane en briques.

— Qu'est-ce que tu fais là ? demanda Adel en essayant de parler sèchement, comme Kabir lorsqu'il s'adressait aux étrangers.

— Je profite de l'ombre. Ne me dénonce pas.

— Tu n'as rien à faire ici.

— Toi non plus.

— Quoi ?

Le garçon ricana.

— Laisse tomber.

Il étira ses bras et se leva. Adel tenta de voir si ses poches étaient pleines. Peut-être était-il venu voler des fruits. Mais l'autre s'approcha de lui et s'empara de son ballon, qu'il envoya en l'air d'une simple frappe du pied, avant de jongler rapidement avec à deux ou trois reprises. Pour finir, il le lui rendit d'une talonnade. Adel le rattrapa et le coinça sous son bras.

— Tu vois l'endroit où ton bouffon nous a ordonné d'attendre, mon père et moi ? Il n'y a pas d'ombre là-bas près de la route. Et pas un foutu nuage dans le ciel.

Adel éprouva le besoin de défendre Kabir.

— Ce n'est pas un bouffon.

— Ouais, mais il nous a bien fait voir sa kalachnikov, ça je peux te le dire, répliqua le garçon avec un sourire amusé et indolent.

Puis il cracha par terre.

— Tu es fan de M. Coup-de-Boule, on dirait.

Il fallut un moment à Adel pour comprendre de qui il parlait.

— Tu ne peux pas le juger sur une erreur. C'était le meilleur. En tant que milieu de terrain, il faisait des miracles.

— J'en ai vu des meilleurs que lui.

— Ah ouais ? Qui ça, par exemple ?

— Maradona.

— Maradona ? s'insurgea Adel, qui avait déjà eu cette discussion avec l'un de ses demi-frères à Jalalabad. C'était un tricheur ! « La main de Dieu », tu te souviens ?

— Tout le monde triche et tout le monde ment, riposta le garçon en bâillant.

Il s'éloigna de quelques pas. D'après Adel, il faisait environ la même taille que lui, peut-être un poil de plus, et il avait probablement le même âge. Mais il donnait l'impression d'être plus vieux de par sa façon de marcher sans hâte, l'air un peu hautain, comme s'il avait vu tout ce qu'il y avait à voir, comme si rien ne le surprenait plus.

— Je m'appelle Adel.

— Et moi Gholam, dit l'autre en revenant lui serrer la main.

Sa poigne était ferme, et sa paume sèche et calleuse.

— Quel âge tu as ?

— Treize ans, je suppose, répondit Gholam avec indifférence. Ou peut-être quatorze, maintenant.

— Tu ne connais pas ta date de naissance ?

— Je parie que tu connais la tienne, toi. Je parie que tu comptes les jours qui te séparent de ton anniversaire.

— Pas du tout. Je veux dire, je ne compte pas les jours.

— Il faut que j'y aille. Mon père attend tout seul.

— Je pensais que c'était ton grand-père.

— Eh bien tu t'es trompé.

— Tu veux jouer aux tirs au but ?

— Tu veux qu'on fasse des tirs au but ? Comme si c'était des penalties ?

— Cinq chacun. Celui qui en marque le plus a gagné.

Gholam cracha de nouveau par terre, fixa la route en plissant les yeux, puis se tourna vers Adel. Celui-ci nota son menton un peu petit pour son visage, les canines qui chevauchaient ses dents – dont une toute cassée et pourrie – et son sourcil gauche fendu en deux par une fine cicatrice. Pour ne rien arranger, il sentait mauvais.

Mais si l'on exceptait ses visites mensuelles à Jalalabad, Adel n'avait pas discuté, et encore moins joué, avec un garçon de son âge depuis près de deux ans. Il se prépara à être déçu.

— Merde, pourquoi pas ? répondit Gholam en haussant les épaules. C'est moi qui commence.

Ils disposèrent deux pierres à deux mètres quarante de distance pour figurer le but.

Gholam effectua ses cinq tirs. Il réussit le premier, en manqua deux autres, et Adel en intercepta facilement deux. En tant que gardien, le jeune garçon se révéla encore plus pitoyable. Adel inscrivit quatre buts en feintant pour l'amener à partir du mauvais côté, et le seul qu'il rata fut en fait dû à un tir mal cadré.

— Putain, jura Gholam, plié en deux, les mains sur les genoux.

— Tu veux ta revanche ?

Adel s'efforçait de ne pas fanfaronner, mais cela lui était difficile. Il jubilait intérieurement.

Gholam accepta, et le résultat fut encore plus déséquilibré. Cette fois, il marqua un point, contre cinq pour Adel.

— C'est bon, je suis crevé, dit-il en levant les mains.

Il se traîna vers la souche de l'arbre, sur laquelle il s'affaissa en poussant un grognement de lassitude. Adel ramassa le ballon et vint s'asseoir à côté de lui.

— Ces trucs-là ne m'aident sûrement pas, dit Gholam en sortant un paquet de cigarettes de la poche avant de son jean.

Il ne lui en restait qu'une. Il l'alluma d'un geste expert, tira dessus avec satisfaction et la tendit à Adel. Celui-ci fut tenté de la prendre, ne serait-ce que pour l'impressionner, mais il finit par s'abstenir, de peur que Kabir ou sa mère ne sente l'odeur du tabac sur lui.

— Sage décision, dit Gholam en inclinant la tête en arrière.

Ils parlèrent négligemment de foot durant un moment, et Adel eut l'agréable surprise de trouver en Gholam un vrai connaisseur. Ils comparèrent leurs matchs et leurs buts préférés. Chacun dressa la liste des cinq joueurs qu'il considérait comme les meilleurs du monde – à peu près les mêmes pour l'un et l'autre, si ce n'est que Gholam incluait Ronaldo le Brésilien dans sa sélection, tandis qu'Adel privilégiait Ronaldo le Portugais. Inévitablement, ils en vinrent à évoquer la finale de la Coupe du Monde 2006, et le triste épisode pour Adel du coup de tête donné par Zidane à un joueur italien. Gholam avait regardé le match debout au milieu d'une foule qui s'était massée devant un magasin de téléviseurs, pas très loin de son camp.

— Ton « camp » ?

— Celui où j'ai grandi. Au Pakistan.

Il raconta à Adel que c'était la première fois qu'il venait en Afghanistan. Il avait passé toute sa vie au Pakistan, dans le camp de réfugiés de Jalozai, où il était né – un immense labyrinthe de tentes, de cabanes en pisé et de maisons construites avec des plaques de plastique et de tôle d'aluminium, le tout bordant d'étroits passages jonchés d'ordures et d'excréments. Presque une ville, selon lui, nichée dans les entrailles d'une ville encore plus grande. Ses frères et lui – il était l'aîné de trois ans – avaient été élevés là, dans une petite hutte en terre qu'ils occupaient avec leur mère, leur père, Iqbal, et leur grand-mère paternelle, Parwana. Ils avaient appris à marcher et à parler dans ces allées. Ils étaient allés à l'école. Et lui, il avait joué avec des bâtons et des vieilles roues de vélo rouillées, courant avec les autres enfants réfugiés jusqu'à ce que le soleil se couche et que sa grand-mère lui dise de rentrer.

— C'était sympa, confia-t-il. J'avais des amis. Je connaissais tout le monde. Et on s'en sortait bien. J'ai un oncle en Amérique, le demi-frère de mon père, Abdullah. Je ne l'ai jamais rencontré, mais il nous envoyait de l'argent tous les deux ou trois mois. Ça aidait. Ça aidait même beaucoup.

— Pourquoi avez-vous quitté le camp ?

— Parce qu'il le fallait. Les Pakistanais l'ont fermé. Ils disaient que la place des Afghans était en Afghanistan. Et un jour, on n'a plus reçu d'argent de mon oncle. Alors mon père a décrété qu'on pouvait bien retourner chez nous et repartir de zéro maintenant que les talibans étaient passés du côté pakistanais de la frontière. Pour lui, on était comme des invités qui avaient abusé de l'hospitalité de leurs hôtes. Ça m'a fichu un coup. Cet endroit, soupira-t-il en montrant le paysage autour d'eux, c'est un pays étranger pour moi. Et puis tu vois, il y avait des gamins du camp qui étaient déjà venus en Afghanistan, eh bien aucun d'eux n'avait un seul truc positif à raconter.

Adel voulait lui dire qu'il le comprenait. Il voulait lui dire combien il regrettait Kaboul, ses amis, et aussi ses demi-frères à Jalalabad. Mais il sentit que cela risquerait de faire rire Gholam.

— C'est vrai qu'on s'ennuie ici, déclara-t-il à la place.

Gholam éclata quand même de rire.

— Je ne crois pas que ce soit tout à fait ce qu'ils entendaient par là.

Adel comprit vaguement qu'il avait été remis à sa place.

Gholam tira une bouffée de sa cigarette et souffla une série d'anneaux de fumée. Ensemble, ils les regardèrent flotter doucement et s'évaporer.

— Mon père nous a dit, à mes frères et à moi :
« Attendez un peu... attendez un peu de respirer l'air
de Shadbagh, les garçons, et de goûter à son eau. »
Faut savoir qu'il est né et qu'il a grandi ici, lui. « Vous
n'avez jamais bu une eau si fraîche et si délicieuse, les
garçons », qu'il répétait. Il n'arrêtait pas de nous parler de Shadbagh, et pourtant ce n'était sans doute rien
qu'un petit village quand il y habitait. Il prétendait
aussi qu'il y avait une variété de raisins qu'on ne pouvait faire pousser que dans le coin et nulle part ailleurs
au monde. À l'écouter, on aurait pu croire qu'il décrivait le paradis.

Adel lui demanda où il logeait à présent. Gholam jeta
son mégot, leva les yeux vers le ciel et les plissa face à
la lumière éclatante.

— Tu vois le terrain vague, près du moulin ?

— Oui.

Adel attendit la suite, mais il n'y en avait pas.

— Tu vis là ?

— Pour le moment, marmonna Gholam. On a une
tente.

— Tu n'as pas de famille dans le coin ?

— Non. Soit ils sont morts, soit ils sont partis. Mon
père a bien un oncle à Kaboul. Ou il en avait un. Qui
sait s'il est encore en vie. C'était le frère de ma grand-
mère et il travaillait pour des gens riches. Mais je crois
qu'ils ne se sont pas parlé depuis des dizaines d'années
– cinquante ans ou plus... Ce sont pratiquement des
étrangers l'un pour l'autre. Je suppose que s'il n'avait
pas le choix, mon père irait le voir. Mais il veut essayer
de s'en tirer seul. C'est ici sa maison.

Ils passèrent quelques instants en silence, assis sur la
souche, en observant les feuilles du verger frissonner
dans le vent chaud qui soufflait en bourrasques. Adel

310

imaginait Gholam et sa famille dormant la nuit sous une tente, avec les scorpions et les serpents qui rampaient tout autour d'eux.

Sans savoir vraiment pourquoi, il lui expliqua ce qui avait poussé ses parents à quitter Kaboul avec lui pour s'installer là. Ou plutôt, il ne put choisir entre toutes les raisons qui l'incitaient à le faire. Peut-être voulait-il ôter à Gholam l'impression qu'il menait une existence insouciante simplement parce qu'il vivait dans une grande maison. Ou se livrer avec lui à une sorte de compétition digne d'une cour de récréation. Ou susciter sa compassion. À moins que ce ne soit pour réduire le fossé entre eux ? Il l'ignorait. Peut-être pour tout ça à la fois. De même, il ignorait pourquoi il tenait tant à ce que ce garçon l'apprécie. Tout juste sentait-il qu'il aurait été trop simpliste de mettre en avant sa fréquente solitude et son envie d'avoir un ami.

— On est venus à Shadbagh parce que quelqu'un a tenté de nous tuer à Kaboul, dit-il. Une moto s'est arrêtée devant chez nous un jour et son conducteur a mitraillé la maison. Il n'a pas été pris. Heureusement, aucun de nous n'a été blessé.

Il n'était pas sûr de la réaction qu'il attendait, mais il s'étonna de n'en susciter aucune.

— Ouais, je sais, dit enfin Gholam, les yeux toujours plissés face au soleil.

— Tu sais ?

— Il suffit que ton père se cure le nez pour que tout le monde soit au courant.

Adel le regarda froisser son paquet de cigarettes et le fourrer en boule dans la poche de son jean.

— Il a des ennemis, ton père, ça c'est sûr, soupira Gholam.

Il ne lui apprenait rien, songea Adel. Son Baba *jan* lui avait expliqué que certains des hommes qui avaient combattu à ses côtés contre les Soviétiques dans les années 1980 étaient devenus aussi puissants que corrompus. Ils s'étaient dévoyés, disait-il. Et, parce qu'il refusait de participer à leurs manœuvres criminelles, ils tentaient toujours de l'affaiblir, de salir son nom en répandant de fausses rumeurs à son sujet. Voilà pourquoi il veillait à protéger Adel en permanence – par exemple, il ne tolérait pas les journaux à la maison et interdisait à son fils de suivre les informations à la télé et de surfer sur internet.

— Il paraît que c'est un sacré fermier, aussi, dit Gholam en se penchant vers lui.

— Tu peux en juger par toi-même, répliqua Adel. Quelques hectares de verger, c'est tout. Enfin non, je suppose qu'il faut y ajouter ses champs de coton à Helmand. Ceux qui alimentent sa filature.

Gholam le sonda du regard. Un sourire étira lentement ses lèvres, dévoilant sa canine pourrie.

— Du coton. T'es un cas, toi. Je ne sais pas quoi dire.

Sans vraiment saisir le sens de sa remarque, Adel se leva et fit rebondir son ballon.

— Tu n'as qu'à dire : « On rejoue ! »

— On rejoue !

— Allons-y.

— Mais là, je parie que tu ne marqueras pas un seul but.

Cette fois, ce fut au tour d'Adel de sourire.

— Tu paries quoi ?

— Facile. Ton maillot de Zidane.

— Et si c'est moi qui gagne ? Ou plutôt, *quand* je gagnerai ?

— Si j'étais toi, je ne me préoccuperais pas de ça. Les chances sont trop faibles.

Ce fut un bel affrontement. Gholam plongea à droite, à gauche, et intercepta tous les tirs d'Adel. En ôtant son maillot, celui-ci se reprocha sa stupidité. Il n'aurait pas dû se laisser dépouiller ainsi de ce qui lui appartenait légitimement – son bien le plus précieux, qui plus est. Il sentit avec inquiétude des larmes lui piquer les yeux et s'efforça de les refouler.

Au moins Gholam eut-il le tact de ne pas enfiler le maillot devant lui. En s'éloignant, il lui décocha un sourire par-dessus son épaule.

— Ton père, il ne sera pas vraiment absent trois mois, hein ?

— On le remet en jeu demain, répliqua Adel. Le maillot.

— Ça mérite peut-être réflexion.

Et Gholam repartit vers la route. À mi-chemin, il marqua une pause, prit le paquet de cigarettes froissé dans sa poche et le jeta par-dessus le mur d'enceinte de la maison.

Chaque jour durant une semaine environ, après ses cours du matin, Adel sortit de la propriété avec son ballon. Les deux premières fois, il parvint à caler ses escapades sur les rondes du garde, mais à la troisième tentative, celui-ci l'intercepta et l'empêcha de passer. Adel retourna dans la maison chercher un iPod et une montre. Dès lors, le garde le laissa aller et venir en cachette, à la condition qu'il ne s'aventure pas plus loin que la lisière du verger. Quant à Kabir et Aria, ils remarquèrent à peine ses absences d'une heure ou deux. C'était l'un des avantages de vivre dans une maison aussi grande.

Adel jouait seul derrière la propriété, au milieu du terrain vague, en espérant voir surgir Gholam. Il jonglait avec son ballon, regardait un avion de chasse filer à travers le ciel, assis sur la vieille souche, ou jetait mollement des cailloux autour de lui, mais en gardant en permanence un œil sur le chemin de terre qui rejoignait la route principale. Au bout d'un moment, il ramassait son ballon et rentrait chez lui d'un pas lourd.

Jusqu'à cet après-midi où Gholam réapparut avec un sachet en papier.

— Où étais-tu passé ?

— Je travaillais.

Gholam lui raconta que son père et lui avaient été engagés durant quelques jours pour faire des briques. Son boulot à lui consistant à préparer le mortier, il avait trimbalé des seaux d'eau et des sacs de ciment et de sable plus lourds que lui. Il expliqua à Adel comment faire le mélange dans une brouette, en le rabattant dans l'eau avec une binette, encore et encore, et en le mouillant jusqu'à ce qu'il prenne une consistance souple qui ne s'effritait pas. Il l'apportait ensuite aux hommes occupés à poser les briques et filait recommencer. Il ouvrit ses mains pour lui montrer ses ampoules.

— Waouh, fit Adel.

C'était stupide, il le savait, mais il ne voyait pas quoi dire d'autre. L'activité la plus proche d'un travail manuel à laquelle il se fût jamais livré remontait à trois ans plus tôt, quand il avait aidé un jardinier à planter quelques jeunes pommiers dans la cour de leur maison à Kaboul.

— J'ai une surprise pour toi, annonça Gholam.

Il sortit de son sac le maillot de Zidane et le lui jeta.

— Je ne comprends pas, dit Adel, surpris et ravi, quoique un peu méfiant.

— J'ai vu un gamin en ville l'autre jour qui le portait.

Gholam agita les doigts pour lui réclamer le ballon et continua à parler en jonglant avec.

— Non mais, tu le crois, ça ? Je me suis approché de lui et je lui ai dit : « Hé, c'est à mon copain, ce truc. » Il m'a regardé. Pour faire court, on a réglé le problème dans une ruelle. À la fin, c'était lui qui me suppliait de reprendre le maillot !

Il attrapa le ballon en l'air, cracha et sourit.

— Bon, d'accord, peut-être que je le lui avais vendu quelques jours plus tôt.

— Ce n'est pas juste. Si tu le lui avais vendu, il lui appartenait.

— Quoi, tu n'en veux plus ? Après tout ce que j'ai fait pour le récupérer ? Le combat n'était pas inégal, tu sais. Il m'a collé quelques bons coups de poing.

— Mais quand même…

— Et puis, je t'ai roulé en premier et je m'en voulais. Maintenant, tu as ton maillot. Quant à moi…

Gholam montra ses pieds chaussés d'une nouvelle paire de baskets bleues et blanches.

— Il va bien, ce gamin ? demanda Adel.

— Il s'en remettra. Maintenant, on continue le débat ou on joue ?

— Ton père est avec toi ?

— Pas aujourd'hui. Il est au tribunal à Kaboul. Viens, allons-y.

Ils s'amusèrent un moment à alterner les passes et les dribbles. Plus tard, brisant la promesse faite au garde, Adel alla se promener avec Gholam dans le verger, où ils mangèrent des nèfles et burent les canettes de Fanta frais qu'il avait prises en douce dans la cuisine.

Ils ne tardèrent pas à se retrouver ainsi presque tous les jours. Ils jouaient au foot, se pourchassaient à travers les rangées d'arbres du verger. Ils discutaient de sport et de cinéma. Et lorsqu'ils n'avaient plus rien à se dire, ils se tournaient vers Shadbagh-e-Nau, les douces collines au loin et la chaîne montagneuse indolente plus loin encore, et cela leur convenait très bien.

Chaque matin désormais, Adel se réveillait en ayant hâte de voir son ami remonter subrepticement le chemin de terre et d'entendre le son de sa voix forte et pleine d'assurance. Il se montrait souvent distrait durant ses cours, sa concentration vacillant à la perspective des jeux auxquels ils se livreraient ensuite, des histoires qu'ils se raconteraient. Il s'inquiétait à l'idée de le perdre. Il craignait que le père de Gholam, Iqbal, ne trouve un emploi fixe en ville, ou un endroit où s'installer, et que son fils ne soit obligé de partir avec lui ailleurs, dans une autre région. Il avait essayé de se préparer à cette possibilité, de s'armer de courage contre les adieux qui s'ensuivraient.

— T'as déjà connu une fille ? lui demanda Gholam un jour qu'ils étaient assis sur leur souche.

— Tu veux dire…

— Ouais.

Adel sentit le rouge lui monter aux joues. Il envisagea un bref instant de mentir, mais il savait que Gholam s'en apercevrait.

— Et toi ? marmonna-t-il.

Gholam alluma une cigarette et lui en proposa une. Cette fois, Adel l'accepta, non sans avoir jeté un coup d'œil derrière lui pour s'assurer que le garde ne l'épiait pas à l'angle de la propriété ou que Kabir n'avait pas décidé de mettre le nez dehors. Il tira une bouffée et fut aussitôt pris d'une longue quinte de toux. Goguenard, Gholam lui donna des tapes dans le dos.

— Alors, oui ou non ? souffla Adel, les yeux larmoyants.

— J'avais un copain au camp, lui confia Gholam d'un air complice. Il était plus vieux que moi et il m'a emmené dans un bordel à Peshawar.

Il lui raconta l'histoire. La petite pièce crasseuse. Les rideaux orange, les murs lézardés, l'unique ampoule suspendue au plafond, le rat qu'il avait vu détaler. Le bruit des pousse-pousse au-dehors dans la rue, le vrombissement des voitures. La jeune fille sur le matelas, qui avait fini son *biryani* en le fixant d'un air impassible. Même dans la faible lumière, il avait remarqué son joli visage et le fait qu'elle était à peine plus âgée que lui. Après avoir ramassé ses derniers grains de riz avec un morceau replié de *naan*, elle avait repoussé son assiette et s'était allongée en s'essuyant les doigts sur son pantalon en même temps qu'elle le baissait.

Adel l'écouta, fasciné, envoûté. Il n'avait jamais eu d'ami comme lui. Gholam avait une plus grande expérience du monde que ses demi-frères, pourtant ses aînés de plusieurs années. Quant à ses amis à Kaboul... Fils de technocrates, de hauts fonctionnaires ou de ministres, ils menaient tous la même vie que lui, ou presque. Celle que Gholam lui laissait entrevoir en revanche semblait pleine de soucis, d'imprévus et d'épreuves, mais aussi d'aventures. C'était une vie à des années-lumière de la sienne, bien qu'elle se déroulât pour ainsi dire à un jet de pierre. Devant de tels récits, son quotidien le frappait parfois comme étant désespérément ennuyeux.

— Alors, tu l'as fait ? demanda-t-il. Tu l'as fourrée dans sa chatte ?

— Non. On a bu une tasse de thé et on a parlé des poèmes de Rûmî. Non mais, *à ton avis* ?

Adel rougit.

— Et c'était comment ?

Mais Gholam était déjà passé à autre chose. Avec lui, les conversations suivaient souvent le même schéma : il décidait du sujet, se lançait dans une histoire avec enthousiasme, puis s'en désintéressait et la laissait en plan – et Adel avec, alors même qu'il l'avait bien appâté.

— Ma grand-mère dit que son mari, Saboor, lui a rapporté un jour une légende au sujet de cet arbre, enchaîna-t-il. C'était longtemps avant qu'il ne l'abatte, bien sûr. Mon grand-père lui avait raconté ça quand ils étaient petits. Le truc, c'est que si tu avais un vœu, il fallait t'agenouiller devant le chêne et le lui murmurer. Et si l'arbre acceptait de l'exaucer, il laissait tomber très précisément dix feuilles sur ta tête.

— Je n'en ai jamais entendu parler.

— Le contraire aurait été étonnant, non ?

Ce fut alors qu'un détail interpella Adel.

— Attends un peu. Ton grand-père a abattu notre arbre ?

Gholam posa les yeux sur lui.

— Votre arbre ? Il ne vous appartient pas.

— Comment ça ?

Gholam plongea son regard encore plus profond dans le sien. Pour la première fois, Adel ne perçut aucune trace de la verve habituelle de son ami, de son sourire suffisant ou de sa malice insouciante. Ses traits étaient transformés et il affichait une mine sérieuse, étonnamment adulte.

— Cet arbre était celui de ma famille. Tout comme cette terre était la nôtre. Elle nous appartient depuis des générations. Ton père a bâti son palais dessus au moment de la guerre, pendant qu'on était au Pakistan.

Il tendit le doigt vers le verger.

— Ces arbres, là. Il y avait des habitations à cet endroit avant. Mais ton père les a fait raser. Tout comme il a fait raser la maison où mon père est né et où il a grandi.

Adel cilla.

— Il s'est approprié notre terrain pour y construire ça, cracha-t-il en pointant un doigt vers la propriété. Ce *machin-là*.

— Je croyais qu'on était amis, protesta Adel, un peu nauséeux et le cœur battant sourdement. Pourquoi tu me sors des mensonges pareils ?

— Tu te souviens quand je t'ai entubé et que je t'ai pris ton maillot ? poursuivit Gholam, les joues en feu. Tu as presque pleuré. Ne dis pas le contraire, je t'ai vu. Et c'était pour un maillot. Un *maillot*. Imagine ce qu'a éprouvé ma famille après avoir fait tout le voyage depuis le Pakistan, quand elle est descendue du bus et qu'elle a découvert cette *chose* sur notre terre. Et quand ton bouffon en costume violet nous a ordonné de déguerpir.

— Baba *jan* n'est pas un voleur ! Tu peux demander à qui tu veux à Shadbagh-e-Nau. Demande aux habitants ce qu'il a fait pour cette ville.

Il repensa à la manière dont son père recevait les gens à la mosquée, installé par terre, une tasse de thé devant lui et un chapelet à la main. Une file solennelle s'étirait de son coussin jusqu'à l'entrée principale, des hommes aux mains sales, des vieillardes édentées, de jeunes veuves avec leurs enfants, tous dans le besoin, tous attendant leur tour pour solliciter un service, un travail, un petit prêt pour réparer un toit, un fossé d'irrigation, ou acheter du lait en poudre. Et lui, il hochait la tête et les écoutait avec une infinie patience, comme si chacune de ces personnes comptait autant pour lui qu'un membre de sa famille.

— Ah ouais ? Alors comment se fait-il que mon père possède un acte officiel de propriété ? lança Gholam. Celui qu'il a confié au juge au tribunal.

— Je suis sûr que s'il parlait à Baba…

— Ton Baba refuse de le voir. Il refuse de reconnaître ce qu'il a fait. Il passe devant nous en voiture comme si on était des chiens errants.

— Vous n'êtes pas des chiens, dit Adel en luttant pour garder un ton égal. Vous êtes des parasites. Kabir avait raison. J'aurais dû m'en douter.

Gholam se leva et fit quelques pas.

— Juste pour info, je n'ai rien contre toi, déclara-t-il en s'arrêtant. Tu n'es qu'un petit garçon ignare. Mais la prochaine fois que ton père ira à Helmand, demande-lui de t'emmener dans son usine. Vois un peu ce qu'il fait pousser dans le coin. Je vais te donner un indice : ce n'est pas du coton.

Ce soir-là, avant le dîner, Adel se prélassa dans un bain moussant. Le bruit de la télévision lui parvenait du rez-de-chaussée – Kabir regardait un vieux film de pirates. La colère qui l'avait submergé face à Gholam ne l'avait pas quitté de l'après-midi, mais il songeait à présent qu'il avait été trop dur envers lui. Son père lui avait expliqué un jour que quoi qu'on fasse, il arrivait que les pauvres disent du mal des riches. Ils le faisaient essentiellement parce que leur propre vie les décevait. On n'y pouvait rien. C'était naturel, même. *Et on ne doit pas le leur reprocher, Adel.*

Adel n'était pas naïf au point d'ignorer que le monde était fondamentalement injuste. Il n'avait qu'à jeter un coup d'œil par la fenêtre de sa chambre pour s'en rendre compte. Mais admettre cette vérité ne devait apporter aucune satisfaction aux gens comme Gholam, supposait-il. Peut-être avaient-ils besoin d'un bouc émissaire, d'une cible en chair et en os, d'une personne qu'ils puissent commodément juger responsable de leurs difficultés, de quelqu'un à condamner, à blâmer, à fustiger. Et peut-être que Baba *jan* avait raison lorsqu'il affirmait que la meilleure solution consistait à comprendre, à ne pas juger hâtivement. À réagir avec bienveillance, même. Tout en regardant les petites bulles de savon remonter à la surface de l'eau et éclater, Adel songea aux écoles, aux dispensaires que son père avait fait construire alors même que certains en ville répandaient de sales ragots sur lui.

Il se séchait quand sa mère passa la tête par la porte de la salle de bains.

— Tu descends dîner, Adel ?

— Je n'ai pas faim.

— Oh.

Elle entra et prit une serviette sur le portant.

— Tiens, dit-elle. Assieds-toi. Laisse-moi te sécher les cheveux.

— Je peux le faire moi-même.

Elle resta derrière lui en l'étudiant dans le miroir.

— Ça va, Adel ?

Il ignora la question. Elle appuya une main sur son épaule et le regarda comme si elle attendait qu'il frotte sa joue contre elle. Peine perdue.

— Maman, tu as déjà vu la filature de coton de Baba *jan* ?

Il nota qu'elle marquait un temps d'arrêt.

— Bien sûr. Toi aussi.

— Je ne parle pas des photos. Tu l'as vue en vrai ? Tu y es allée ?

— Comment aurais-je pu ? Helmand est une ville dangereuse. Ton père ne mettrait jamais ma vie en danger. Ni la tienne.

Adel acquiesça.

Au rez-de-chaussée, des coups de canon retentirent et des pirates poussèrent des cris de guerre.

Trois jours plus tard, Gholam le rejoignit de nouveau. Il s'avança vivement vers lui et s'arrêta.

— Je suis content que tu sois venu, dit Adel. J'ai quelque chose pour toi.

Il ramassa sur la souche le manteau qu'il avait emporté tous les après-midi avec lui depuis leur querelle. Il était en cuir marron, avec une doublure en peau de mouton et une capuche zippée que l'on pouvait ôter et remettre. Il le tendit à Gholam.

— Je ne l'ai pas beaucoup mis. Il est un peu grand pour moi, mais il devrait t'aller.

Gholam ne bougea pas.

— On a pris un bus hier et on s'est rendus au tribunal à Kaboul, déclara-t-il d'une voix monocorde. Devine ce que nous a dit le juge. Il a dit qu'il avait une mauvaise nouvelle à nous annoncer. Il a dit qu'il y avait eu un accident. Un petit incendie. L'acte de propriété de mon père a brûlé. Il est détruit. Parti en fumée.

Adel laissa lentement retomber sa main qui tenait le manteau.

— Et pendant qu'il nous expliquait qu'il ne pouvait rien faire pour nous sans ces papiers, tu sais ce qu'il avait au poignet ? Une montre en or toute neuve qu'il ne portait pas la dernière fois que mon père l'avait vu.

Adel accusa le coup.

Gholam posa sur le vêtement un regard perçant, mortifiant. Un regard destiné à faire honte. Cela fut efficace. Adel eut comme un mouvement de recul. Dans sa main, l'offrande de paix se transforma en tentative de subornation.

Gholam fit demi-tour et repartit vers la route d'un pas pressé.

Le soir même de son retour, le commandant organisa une fête à la maison. Adel se retrouva assis à côté de lui à la tête de la grande nappe étalée sur le sol pour le repas. Son père préférait parfois manger par terre et avec les doigts, surtout s'il recevait des amis de ses années de djihad. *Ça me rappelle le temps des cavernes*, plaisantait-il. Les femmes, elles, avaient pris place autour de leur hôtesse à la table de la salle à manger et utilisaient des cuillères et des fourchettes. Leurs bavardages résonnaient sur les murs en marbre. L'une d'elles, aux hanches larges et aux longs cheveux teints en roux, était promise à l'un des amis du commandant. Plus tôt ce soir-là, elle avait sorti son appareil photo numérique pour montrer à Aria des clichés d'une boutique de robes de mariée à Dubai.

Au moment du thé, après le repas, le père d'Adel raconta l'embuscade que son unité de combattants avait tendue autrefois à une colonne soviétique pour l'empêcher d'entrer dans une vallée plus au nord. Tout le monde l'écouta avec attention.

— Quand ils sont arrivés dans notre ligne de mire, dit-il en caressant distraitement les cheveux d'Adel, on a ouvert le feu. On a touché le véhicule de tête, puis quelques jeeps. Je pensais qu'ils allaient soit reculer, soit essayer de passer en force, mais ces fils de pute se sont arrêtés, ils sont sortis de leur véhicule et ils ont riposté. Vous le croyez, ça ?

Des murmures s'élevèrent parmi les convives, dont certains secouèrent la tête. Adel savait que la moitié au moins des hommes présents étaient d'anciens moudjahidin.

— On était plus nombreux qu'eux, peut-être trois contre un, mais ils étaient bien armés et ils n'ont pas mis longtemps à retourner notre attaque contre nous. Ils visaient nos positions dans les vergers. Très vite, ç'a été la débandade. On a tous pris nos jambes à notre cou. Moi, j'étais avec un type, Mohammad quelque chose. On courait côte à côte dans une vigne – pas le genre qu'on voit parfois avec des grands poteaux et des fils tendus, mais celui où on laisse pousser les pieds normalement dans le sol. Les balles volaient partout, on ne pensait qu'à sauver notre peau, et c'est là qu'on a tous les deux trébuché et qu'on s'est étalés par terre. Moi, en moins de deux, je suis debout et je repars, mais il n'y a plus aucune trace de ce Mohammad quelque chose. Je me retourne et je crie : « Relève-toi, bougre d'âne ! »

Soucieux de ménager son effet, il marqua une pause et pressa un poing contre ses lèvres pour se retenir de rire.

— Et là, il s'est redressé et il s'est remis à courir. Tenez-vous bien : ce cinglé était chargé de grappes de raisin. Il en avait plein les bras !

Les rires fusèrent. Adel aussi s'esclaffa. Son père lui frotta le dos et l'attira contre lui. Lorsque quelqu'un commença à raconter une autre histoire, il prit la cigarette posée près de son assiette, mais il n'eut pas l'occasion de l'allumer parce que soudain, un bruit de verre brisé retentit quelque part dans la maison.

Dans la salle à manger, des femmes hurlèrent. Un objet métallique, peut-être une fourchette ou un couteau à beurre, tomba avec fracas sur le marbre. Les hommes bondirent sur leurs pieds. Azmaray et Kabir entrèrent en courant, chacun avec une arme au poing.

— Ça venait de l'entrée, fit remarquer Kabir.

Au même moment, un nouveau bruit de verre brisé se fit entendre.

— Attendez ici, commandant Sahib. On va aller voir, dit Azmaray.

— Putain, non. Je ne vais pas me terrer comme un lâche sous mon propre toit.

Adel suivit son père vers le vestibule avec Azmaray, Kabir et tous les autres hommes. En chemin, il observa Kabir ramasser une baguette métallique dont ils se servaient en hiver pour attiser le feu dans le poêle. Sa mère les rejoignit aussi précipitamment, le teint livide et les traits tirés. Alors qu'ils atteignaient l'entrée, une pierre vola à travers une fenêtre et des éclats de verre se répandirent sur le sol. La future mariée aux cheveux rouges hurla. Dehors, quelqu'un vociférait.

— Comment ont-ils fait pour passer le garde ? demanda quelqu'un derrière Adel.

— Commandant Sahib, non ! tonna Kabir.

Trop tard, le père d'Adel avait déjà ouvert la porte.

Le jour faiblissait, mais c'était l'été et une lumière jaune pâle inondait encore le ciel. Au loin, Adel aperçut des petits points lumineux – les habitants de Shadbagh-e-Nau se préparaient à dîner avec leur famille. Les monts à l'horizon apparaissaient plus foncés, et bientôt l'obscurité remplirait tous les creux. Mais il ne faisait pas encore assez sombre pour l'empêcher de distinguer le vieil homme qui se tenait au pied des marches du perron, une pierre dans chaque main.

— Emmène Adel à l'étage, ordonna le commandant à sa femme. Tout de suite !

Elle entraîna son fils dans l'escalier en le tenant par les épaules, puis le long du couloir jusqu'à sa chambre. Après avoir fermé la porte à clé et tiré les rideaux, elle alluma la télévision et le conduisit vers le lit, sur lequel ils s'assirent tous les deux. À l'écran, deux Arabes vêtus de longues tuniques traditionnelles et de bonnets en laine s'affairaient après un camion géant.

— Qu'est-ce qu'il va faire à cet homme ? demanda Adel, qui ne pouvait s'empêcher de frissonner. Maman, qu'est-ce qu'il va lui faire ?

Il leva les yeux vers sa mère et vit son visage s'assombrir. Il comprit brusquement que quelle que soit sa réponse, il ne pourrait pas s'y fier.

— Il va lui parler, dit-elle avec un tremblement dans la voix. Il va le raisonner. C'est ce que fait toujours ton père. Il raisonne les gens.

Adel secoua la tête. Il pleurait à présent.

— Qu'est-ce qu'il va lui faire, maman ? Qu'est-ce qu'il va lui faire ?

Sa mère ne cessa de marteler la même réponse – tout irait pour le mieux, cette histoire finirait bien, personne ne serait blessé. Mais plus elle le lui répétait, plus il sanglotait, et il continua jusqu'au moment où, épuisé, il s'endormit sur ses genoux.

Un ancien commandant échappe à une tentative d'assassinat.

Adel lut l'article dans le bureau de son père, sur son ordinateur. L'auteur décrivait une attaque « sournoise » et présentait l'assaillant comme un ancien réfugié soupçonné d'avoir partie liée avec les talibans. Il rapportait aussi des propos du commandant expliquant qu'il avait craint pour la sécurité de sa famille. *Surtout celle de mon petit garçon*, avait-il dit. En revanche, il ne livrait pas le nom de l'assaillant ni aucune indication sur ce qu'il était devenu.

Adel éteignit l'ordinateur. Il n'était pas censé l'utiliser – pas plus qu'il n'était censé entrer dans le bureau de son père. Un mois plus tôt, il n'aurait osé braver aucune de ces interdictions. Il retourna dans sa chambre, s'allongea sur son lit et fit rebondir une vieille balle de tennis contre le mur. *Bam ! Bam ! Bam !* Sa mère ne tarda pas à venir le voir pour lui demander, puis lui ordonner, d'arrêter. Il ne l'écouta pas. Elle s'attarda un instant sur le pas de la porte avant de repartir discrètement.

Bam ! Bam ! Bam !

En apparence, rien n'avait changé. Une transcription de ses activités quotidiennes aurait révélé qu'il avait repris une vie normale. Il se levait toujours à la même heure, se lavait, déjeunait avec ses parents, suivait les cours de son précepteur. Et l'après-midi, il passait son temps à traîner ici et là, à regarder des films avec Kabir ou à jouer à des jeux vidéo.

Sauf que rien n'était plus pareil. Gholam lui avait peut-être entrouvert une porte, mais c'était son père qui l'avait forcé à la franchir. Des rouages en sommeil s'étaient mis en branle dans son cerveau. Du jour au lendemain, il eut le sentiment d'avoir acquis un sens entièrement nouveau grâce auquel il percevait des choses dont il n'avait jusqu'alors jamais eu conscience, des choses présentes sous son nez depuis des années. Il voyait par exemple les secrets que sa mère enfouissait en elle et qui désormais dégoulinaient presque sur son visage lorsqu'il la regardait. Il voyait ses efforts pour le tenir à l'écart de tout ce qu'elle savait, de tout ce qu'elle maintenait enfermé, scellé, sous bonne garde – à l'image de leur vie à tous les deux dans cette vaste demeure. Il voyait enfin celle-ci avec les yeux des autres : comme une monstruosité, un affront, un monument à la gloire de l'injustice. Et il voyait derrière l'empressement des gens à satisfaire son père l'intimidation et la peur qui sous-tendaient en réalité leur respect et leur déférence. Il songea que Gholam serait fier de lui et de sa perspicacité. Pour la première fois, il appréhendait pleinement les forces qui avaient toujours régi son existence.

De même que les vérités violemment conflictuelles propres à chaque individu. Pas seulement son père, sa mère ou Kabir.

Mais aussi lui-même.

Cette dernière découverte fut, à certains égards, la plus surprenante à ses yeux. Les révélations sur les actes dont son père s'était rendu coupable – des actes commis d'abord au nom du djihad, puis qualifiés de *juste récompense pour ses sacrifices* – l'avaient laissé sous le choc. Du moins un certain temps. Des jours durant, après ce fameux soir où des pierres avaient fracassé leur fenêtre, il avait eu mal au ventre chaque fois que le commandant entrait dans la même pièce que lui. Lorsqu'il l'entendait parler sèchement à quelqu'un au téléphone, ou même fredonner dans son bain, un frisson lui parcourait l'échine et sa gorge devenait si sèche que cela en était douloureux. Quand son père l'embrassait pour lui souhaiter bonne nuit, il éprouvait d'instinct l'envie de fuir son contact. Il faisait des cauchemars dans lesquels, debout au bord du verger, il assistait à une mêlée entre les arbres. Il distinguait l'éclat d'une baguette qui se levait et s'abattait, le bruit du métal heurtant les os et la chair, jusqu'à ce qu'il se réveille, un cri bloqué dans la poitrine. Des crises de larmes le submergeaient par moments sans prévenir.

Et pourtant.

Et pourtant.

Un autre phénomène se produisait en parallèle. Cette lucidité nouvelle ne l'abandonnait pas, mais peu à peu, elle trouvait de la compagnie en lui. Une prise de conscience contradictoire s'opérait à présent, qui ne supplantait pas la première, mais qui revendiquait une place à côté. Adel s'éveillait à cette autre partie de lui-même, plus déstabilisante celle-là. Une partie de lui qui, avec le temps, presque imperceptiblement, s'accommoderait de sa nouvelle identité – laquelle, pour l'heure, le picotait à la manière d'un pull en laine humide. Il comprit qu'il finirait probablement par accepter la situation, comme sa mère avant lui. Il lui en avait voulu au début. Désormais, il se montrait plus clément. Peut-être avait-elle agi ainsi par peur de son mari. Ou en échange d'une vie luxueuse. Mais Adel pressentait qu'elle avait surtout dû se résigner pour la même raison qu'il le ferait : parce qu'elle y était bien obligée. Quel choix avaient-ils ? Il ne pouvait pas plus échapper à son existence que Gholam ne pouvait échapper à la sienne. Les gens apprenaient à supporter les choses les plus inimaginables. Lui aussi, il y arriverait. Telle était sa vie. Telle était sa mère. Tel était son père. Et cela valait également pour lui, même s'il ne s'en était pas toujours rendu compte.

Adel savait qu'il ne porterait plus à son père autant d'affection qu'avant, quand il dormait tranquillement niché dans le creux de ses bras puissants. C'était devenu inconcevable. Mais il découvrirait comment l'aimer à nouveau – et tant pis si cela promettait d'être une entreprise autrement plus compliquée et délicate. Il se sentait presque bondir hors de l'enfance. Bientôt, il retomberait sur ses pieds, cette fois dans la peau d'un adulte, et il lui serait impossible alors de revenir en arrière, parce que les propos que son père lui avait tenus sur les héros de guerre valaient aussi pour les adultes : une fois qu'on en devient un, on le reste jusqu'à sa mort.

Allongé dans son lit, le soir, il songeait qu'un jour, peut-être le lendemain ou le surlendemain, ou peut-être la semaine suivante, il sortirait de la propriété pour se rendre près du moulin, là où Gholam campait avec sa famille. Sans doute le terrain serait-il désert. Il se planterait au bord de la route et imaginerait la maigre cohorte formée par le jeune garçon, sa mère, ses frères et sa grand-mère, tous charriant leurs affaires empaquetées avec des cordes, tous cheminant sur le bas-côté poussiéreux des routes du pays, en quête d'un endroit où se poser. Gholam était le nouveau chef de famille. Il allait devoir travailler et passer sa jeunesse à nettoyer des canaux, à creuser des fossés, à faire des briques et à cultiver des champs. Petit à petit, il se transformerait en l'un de ces hommes à la peau tannée qu'Adel voyait toujours courbés derrière leurs charrues.

Adel se disait qu'il resterait là un moment, à regarder les collines et les montagnes qui dominaient le nouveau Shadbagh. Ensuite sans doute, il sortirait de sa poche cet objet qu'il avait trouvé un jour dans le verger – la moitié gauche d'une paire de lunettes cassée au niveau de l'arête du nez, au verre fissuré en étoile et à

la branche maculée de sang séché. Il s'en débarrasse-
rait dans un fossé. Et lorsqu'il tournerait les talons pour
rentrer chez lui, il se disait qu'avant toute chose, il se
sentirait soulagé.

8

Automne 2010

CE SOIR, EN RENTRANT DU DISPENSAIRE, je trouve un message de Thalia sur le téléphone fixe de ma chambre. Je l'écoute en ôtant mes chaussures et en m'asseyant à mon bureau. Elle me dit qu'elle a un rhume, que c'est sûrement Mamá qui le lui a refilé, puis elle me demande de mes nouvelles et s'enquiert de mon travail à Kaboul. À la fin, sur le point de raccrocher, elle ajoute : *Odie n'arrête pas de dire que tu n'appelles jamais. Elle ne te l'avouera pas, bien sûr, alors c'est moi qui m'en charge. Markos, pour l'amour de Dieu, appelle ta mère, espèce de trouduc.*

Je souris.

Thalia.

Je garde une photo d'elle sur mon bureau, celle que j'ai prise tant d'années plus tôt sur la plage de Tinos – Thalia assise sur un rocher, le dos tourné à l'objectif. Je l'ai fait encadrer, même si, quand on l'examine de près, on distingue une zone marron foncé dans le coin inférieur gauche – souvenir d'une Italienne folle à lier qui a tenté de la brûler il y a longtemps.

J'allume mon ordinateur et commence à taper des notes sur les opérations que j'ai réalisées hier. Ma chambre compte parmi les trois que l'on trouve au premier étage de la maison où je vis depuis mon arrivée à Kaboul, en 2002, et j'ai placé mon bureau près de la fenêtre surplombant le jardin. De là, j'ai vue sur les néfliers que j'ai plantés il y a quelques années avec mon ancien propriétaire, Nabi. Je distingue aussi son logement, aujourd'hui repeint, contre le mur du fond. Après la mort de Nabi, je l'ai proposé à un jeune Hollandais venu aider des lycées locaux à s'informatiser. Sur la droite gît la Chevrolet de 1940 de Suleiman Wahdati, immobile depuis des décennies, couverte par la rouille comme un rocher par la mousse, et actuellement ensevelie sous une fine couche de neige due à la chute précoce d'hier – la première de l'année. J'ai brièvement envisagé de faire traîner cette carcasse jusqu'à l'une des décharges de Kaboul, mais je n'en ai pas eu le courage. Elle me semblait faire trop partie du passé de cette maison, de son histoire.

Je termine mes notes et regarde ma montre. Il est déjà 21 h 30, soit 20 heures en Grèce.

Appelle ta mère, espèce de trouduc.

Si je veux téléphoner à ma mère ce soir, je ne peux pas reculer davantage. Je me souviens de ce que Thalia m'a écrit dans l'un de ses e-mails : *Mamá se couche de plus en plus tôt.* Je prends une inspiration et me prépare à cette épreuve avant de décrocher le combiné.

J'ai rencontré Thalia durant l'été 1967, quand j'avais douze ans. Elle était venue nous rendre visite à Tinos avec sa mère, Madaline. Mamá – Odelia de son prénom – disait que cela faisait quinze ans très précisément que Madaline et elle ne s'étaient pas vues. Son amie avait quitté l'île à dix-sept ans pour aller à Athènes, où elle avait acquis une brève et modeste renommée en tant qu'actrice.

— Ça ne m'a pas étonnée. Avec son physique, il fallait s'y attendre. Tout le monde s'entichait d'elle. Tu comprendras quand tu la verras.

Je lui ai demandé pourquoi elle ne m'avait jamais parlé d'elle.

— Je ne l'ai pas fait ? Tu es sûr ?

— Oui.

— Tiens, j'aurais juré le contraire, avait-elle répondu. Sa fille, Thalia, tu dois être gentil avec elle parce qu'elle a eu un accident. Un chien l'a mordue et elle en garde une cicatrice.

Elle n'avait pas voulu m'en dire plus et je savais qu'il était inutile d'insister. Mais ce détail m'intriguait bien plus que le passé cinématographique et théâtral de Madaline. La cicatrice devait être à la fois importante et bien visible pour que l'on fasse preuve d'égards particuliers envers cette fille, et cela piquait ma curiosité. J'ai attendu avec une impatience morbide de la découvrir.

— Madaline et moi, on s'est rencontrées à la messe, quand on était petites, m'avait expliqué ensuite Mamá.

Elles étaient tout de suite devenues inséparables, au point de se tenir la main sous leur bureau à l'école, pendant les récréations, à l'église ou durant leurs promenades le long des champs d'orge. Au point aussi de se jurer de rester sœurs pour la vie et de vivre à proximité l'une de l'autre, même après leur mariage. Elles seraient voisines, et si l'une d'elles se trouvait un jour sommée par son mari de déménager, elle exigerait le divorce. Je me souviens que Mamá avait souri légèrement en me racontant tout cela d'un ton plein d'autodérision, comme pour prendre ses distances avec cette exubérance et cette folie juvéniles, tous ces serments faits tête baissée, dans la précipitation. Mais j'avais perçu en elle une pointe de vexation muette, une déception que la fierté l'empêchait de reconnaître.

Madaline avait épousé un homme riche et bien plus âgé qu'elle, un certain M. Andreas Gianakos qui, des années plus tôt, avait produit son second et dernier film. Il travaillait désormais dans le bâtiment et possédait une grosse entreprise à Athènes. Ils avaient eu une dispute récemment, tous les deux. Ils s'étaient brouillés. Ça, Mamá ne me l'avait pas dit, mais je le savais grâce à la lecture partielle, clandestine et hâtive d'une lettre que Madaline lui avait envoyée pour annoncer son intention de venir la voir.

Cela me barbe de plus en plus, crois-moi, de côtoyer Andreas et ses amis d'extrême droite et d'écouter leur musique martiale. Je ne décroche jamais un mot en leur présence. Je me tais lorsqu'ils chantent les louanges de ces voyous de militaires qui ont tourné notre démocratie en ridicule. Si j'osais exprimer le moindre désaccord, je suis certaine qu'ils me catalogueraient comme une anarchiste communiste, et même l'influence d'Andreas ne pourrait alors m'empêcher de finir au cachot. Peut-être d'ailleurs qu'il ne se donnerait même pas la peine de l'exercer – son influence, je veux dire. Parfois, j'ai l'impression qu'il ne cherche qu'à me provoquer pour que je me discrédite moi-même. Ah, tu me manques tant, ma chère Odie. Je regrette tellement ta compagnie…

Le jour où devaient arriver nos invitées, Mamá s'est levée tôt pour faire le ménage. Nous vivions dans une modeste maison construite à flanc de colline. Comme la plupart des habitations de Tinos, elle était en pierre, blanchie à la chaux et surmontée d'un toit plat aux tuiles losangées rouges. La petite chambre que Mamá et moi partagions à l'étage n'avait pas de porte – un étroit escalier y menait directement –, mais elle était pourvue d'une imposte et d'une petite terrasse avec une balustrade en fer forgé d'où l'on avait vue sur les toits des autres maisons, les oliviers et les chèvres, les ruelles pavées sinueuses, les arcades en contrebas et, bien évidemment, sur la mer Égée, bleue et calme le matin en été, et moutonnante l'après-midi, quand soufflait le *meltem* venu du nord.

Lorsqu'elle a eu fini de tout nettoyer, Mamá a enfilé ce qui passait pour sa seule tenue des grands jours, celle qu'elle portait tous les 15 août lors de la fête de la Dormition à l'église Panagía Evangelístria. À cette date, les pèlerins affluaient à Tinos des quatre coins de la Méditerranée afin de prier devant la célèbre icône de cet édifice religieux. Il existe une photo de ma mère dans sa longue robe à col rond d'un jaune rouille terne, qu'elle accompagnait d'un pull blanc rétréci, de bas et de chaussures noires disgracieuses. Ainsi vêtue, elle avait tout d'une veuve revêche. Les traits sévères, les sourcils touffus et le nez retroussé, elle posait, rigide, l'air pieuse et maussade à la fois, comme si elle-même comptait parmi les pèlerins. Je figure sur la photo, moi aussi, debout contre elle en chemise et short blancs, avec des chaussettes assorties remontées jusqu'aux genoux. On devine à ma mine renfrognée que j'ai reçu l'ordre de me tenir droit, sans sourire, et qu'on m'a débarbouillé la figure et peigné les cheveux en les aplatissant avec de l'eau, contre ma volonté et avec beaucoup de chichis. On sent une forme de mécontentement flotter entre nous. On le devine à la raideur de nos postures, à la manière que nous avons d'à peine nous toucher.

Ou peut-être pas. Mais moi, je le remarque dès que je me penche sur cette photo – la dernière fois datant d'il y a deux ans. Je ne peux que constater la méfiance, l'effort, l'impatience qui s'en dégagent. Je ne peux que voir deux êtres réunis par un sentiment de devoir génétique, déjà condamnés à se déconcerter et à se décevoir mutuellement, chacun tenu par l'honneur de défier l'autre.

De notre chambre à l'étage, j'ai regardé Mamá partir pour le port de la ville de Tinos. Un foulard noué sous le menton, elle avançait résolument par cette journée bleue et ensoleillée. C'était une femme mince et frêle, au corps d'enfant, mais que l'on avait intérêt à laisser passer quand on la croisait. Je me souviens d'elle quand elle m'emmenait à l'école le matin – c'est une ancienne institutrice, aujourd'hui à la retraite. En route, elle ne me tenait jamais par la main. Les autres mères le faisaient avec leurs enfants, mais pas elle. Elle disait qu'elle devait me traiter comme tous ses élèves. Elle marchait devant moi, serrant du poing le col de son pull, pendant que je trottais dans son sillage en essayant de suivre son rythme, avec à la main la boîte contenant mon casse-croûte. En classe, je m'asseyais toujours au fond. Je la revois au tableau. Elle était capable de pétrifier un élève indiscipliné d'un simple coup d'œil aussi efficace qu'un caillou décoché au lance-pierres avec une précision de chirurgien. Et elle pouvait vous foudroyer d'un regard noir ou d'un silence soudain.

Mamá croyait par-dessus tout en la loyauté, même si cela lui imposait de se sacrifier. *Surtout* si cela lui imposait de se sacrifier. Elle considérait aussi qu'il était toujours préférable de dire la vérité, franchement, sans fioritures, et de la dire d'autant plus vite qu'elle était désagréable. Elle n'avait pas de patience avec les chiffes molles. Elle était – et reste – une femme dotée d'une volonté de fer, une femme qui ne s'excusait jamais et avec laquelle il valait mieux ne pas se disputer – mais aujourd'hui encore, je ne sais pas si ce trait de caractère était inné chez elle ou si elle l'avait développé par nécessité, quand mon père était mort au bout d'un an de mariage seulement, la laissant m'élever toute seule.

Je me suis endormi peu de temps après son départ. Plus tard, une voix féminine aiguë et sonore m'a réveillé en sursaut. Je me suis assis. Elle était là, tout en rouge à lèvres, poudre, parfum, courbes fines, cheveux auburn et membres élancés, semblable à une publicité pour une compagnie aérienne derrière la fine voilette de sa toque. Plantée au milieu de la chambre dans une minirobe vert fluo, une valise en cuir à ses pieds, elle me souriait, le visage radieux, en me parlant d'un ton débordant d'aplomb et d'entrain.

— C'est donc toi, le petit Markos ! Odie ne m'avait pas dit que tu étais aussi beau. Oh, je la retrouve en toi. Tu as ses yeux – oui, tu as les mêmes yeux qu'elle, je crois. On a déjà dû te le faire remarquer. J'avais tellement hâte de te rencontrer. Ta mère et moi, nous… oh, mais je suis sûre qu'Odie t'a tout raconté, alors tu imagines bien quel plaisir c'est pour moi de vous voir tous les deux, et toi en particulier, Markos. Markos Varvaris ! Moi, je suis Madaline Gianakos, et, si je puis me permettre, je suis ravie de faire ta connaissance.

Elle a ôté son long gant blanc cassé – le genre que j'avais vu seulement dans les magazines, couvrant les avant-bras de dames élégantes qui fumaient sur les marches d'un opéra lors de soirées mondaines ou qu'on aidait à sortir d'une voiture noire rutilante sous les flashs des photographes. Elle a dû tirer plusieurs fois sur chaque doigt avant de pouvoir l'enlever, puis elle s'est légèrement inclinée vers moi en me tendant une main douce et fraîche.

— Enchantée. Et voici ma fille, Thalia. Chérie, dis bonjour à Markos Varvaris.

Thalia se tenait à l'entrée de la chambre, près de ma mère, et posait sur moi des yeux inexpressifs. C'était une fille maigre à la peau pâle et aux cheveux vaguement bouclés. En dehors de ça, je ne peux absolument pas la décrire. Je ne saurais dire la couleur de sa robe – enfin, à supposer qu'elle en ait porté une ce jour-là – ni quel était le style de ses chaussures, ni si elle avait des chaussettes, ou une montre, ou un collier, ou une bague, ou des boucles d'oreilles. Je ne saurais le dire, parce que si vous étiez dans un restaurant et qu'une personne venait soudain à se déshabiller et à bondir sur une table pour jongler avec des petites cuillères, non seulement vous la regarderiez, mais vous ne *pourriez* regarder qu'elle. Il en allait de même avec le masque qui recouvrait le bas du visage de cette fille. Il empêchait purement et simplement d'observer quoi que ce soit d'autre chez elle.

— Thalia, dis bonjour, ma chérie. Ne sois pas impolie.

Il m'a semblé la voir hocher la tête.

— Bonjour, ai-je articulé d'une voix râpeuse.

Une onde a traversé l'air. Un courant. Je me sentais empli de quelque chose qui était pour moitié de l'excitation, pour moitié de la crainte, quelque chose qui jaillissait en moi et se recroquevillait dans le même temps. Je fixais Thalia, je le savais, mais je ne pouvais pas m'en empêcher, je ne pouvais pas détacher mon attention du tissu bleu ciel de son masque, des élastiques qui le retenaient à l'arrière de sa tête, de la fente horizontale découpée devant sa bouche. J'ai compris tout de suite que je ne supporterais pas de voir ce qu'il cachait. Et aussi que j'en mourais d'impatience. Rien dans ma vie ne retrouverait son cours normal tant que je n'aurais pas vu de mes propres yeux ce qu'il y avait en elle de si terrible, de si effroyable qu'il faille en protéger les autres.

L'autre possibilité, à savoir que le masque était peut-être conçu pour protéger Thalia contre nous, m'a échappé. Du moins durant les affres vertigineuses de cette première rencontre.

Madaline et Thalia sont restées à l'étage afin de déballer leurs affaires pendant que Mamá préparait des filets de sole dans la cuisine. Elle m'a demandé de faire un café grec à Madaline – ce que j'ai fait –, puis de le lui monter – ce que j'ai fait aussi, après avoir posé la tasse sur un plateau avec une petite assiette de *pastellis*[1].

Après toutes ces années, la honte m'envahit encore tel un liquide chaud et poisseux au souvenir de ce qui s'est passé ensuite. Je me représente toujours la scène comme figée, à l'image une photo. Madaline fume, debout près de la fenêtre, d'où elle contemple la mer derrière ses lunettes rondes aux verres jaunes, une main sur une hanche, un pied croisé par-dessus l'autre. Son chapeau trône sur la coiffeuse. Au-dessus, il y a un miroir, et dans ce miroir, il y a Thalia, assise sur le bord du lit, le dos tourné. Elle est penchée en avant, en train de faire je ne sais quoi, peut-être dénouer ses lacets, et je vois qu'elle a ôté son masque. Il se trouve près d'elle sur le lit. Un froid me saisit, que j'essaie de stopper, mais mes mains tremblent, si bien que la tasse en porcelaine s'agite sur sa soucoupe. Madaline pivote vers moi. Thalia lève les yeux. Je surprends son reflet dans le miroir.

Le plateau m'a échappé et est tombé avec fracas dans l'escalier. La vaisselle s'est brisée. Le café brûlant s'est renversé. Brusquement, ç'a été le chaos. Je me suis retrouvé à quatre pattes, pris d'un haut-le-cœur au-dessus des éclats de porcelaine.

---

1. *Pastelli* : barre de sésame au miel.

— Oh, mon Dieu, oh, mon Dieu, répétait Madaline.

Mamá a accouru à l'étage.

— Qu'y a-t-il ? a-t-elle crié. Qu'est-ce que tu as fait, Markos ?

Un chien l'a mordue, m'avait-elle dit en guise d'avertissement. *Elle a une cicatrice.* Le chien n'avait pas mordu le visage de Thalia. Il l'avait *mangé*. Et peut-être existait-il des mots pour décrire ce que j'avais aperçu dans le miroir ce jour-là, mais « cicatrice » n'était pas l'un d'entre eux.

Je me souviens de Mamá m'attrapant par les épaules pour m'obliger à me relever et à me tourner vers elle.

— Qu'est-ce qu'il y a ? Qu'est-ce qui ne va pas chez toi ?

Et puis je me souviens de son regard qui était passé au-dessus de ma tête. Et qui s'était immobilisé. Les mots se sont bloqués dans sa bouche. Soudain livide, elle m'a lâché. C'est alors que j'ai assisté à la chose la plus extraordinaire qui soit, une chose que j'estimais aussi improbable que de voir un jour le roi Constantin apparaître à notre porte habillé en clown : une larme enflait au coin de son œil droit.

— Alors, comment était-elle ? demande Mamá.

— Qui ça ?

— Qui ça ? La Française. La nièce de ton propriétaire, l'enseignante de Paris.

Je colle le combiné contre mon autre oreille, surpris qu'elle n'ait pas oublié cette histoire. Depuis toujours, j'ai l'impression que tout ce que je lui dis disparaît dans les airs sans avoir été entendu – à croire qu'il y a de l'électricité statique entre nous, une mauvaise connexion. Parfois, quand je l'appelle de Kaboul, comme à cet instant, il me semble qu'elle a posé le combiné sans bruit pour s'écarter et que je parle dans le vide par-delà les continents, même si je sens sa présence au bout du fil et que je distingue sa respiration. Ou bien je lui raconte quelque chose qui a trait au dispensaire – un garçon ensanglanté emmené là par son père, par exemple, avec des éclats d'obus enfoncés dans les joues, l'oreille arrachée, une victime de plus qui a joué dans la mauvaise rue au mauvais moment de la mauvaise journée – et là, sans prévenir, un choc retentit, et la voix de ma mère me parvient brusquement, distante, étouffée, tantôt plus audible, tantôt moins. Ses pas résonnent, je capte le bruit d'un objet traîné sur le sol, et je me tais en attendant qu'elle revienne – ce qu'elle fait au bout d'un moment, toujours un peu essoufflée. *Je lui ai dit que j'étais bien debout*, m'explique-t-elle. *Je le lui ai dit très clairement : « Thalia, j'aimerais rester debout près de la fenêtre et regarder la mer le temps que je discute avec Markos. — Vous allez vous fatiguer, Odie. Il faut vous asseoir », qu'elle me répond. Et avant que je comprenne ce qui se passe, elle tire le fauteuil, tu sais, le gros en cuir qu'elle m'a acheté l'année dernière, elle le tire vers la fenêtre. Bon sang, ce qu'elle est forte. Tu n'as pas vu le fauteuil, bien sûr. Non, forcément.* Puis elle soupire avec une exaspération feinte et me demande de poursuivre, mais je suis alors trop déstabilisé pour ça. Au final, j'ai le vague sentiment d'avoir été réprimandé, et qui plus est de l'avoir mérité, coupable que je suis de fautes inexprimées, de crimes dont je n'ai jamais été formellement accusé. Et même quand je reprends le fil de mon histoire, celle-ci sonne amoindrie à mes oreilles. Elle ne fait pas le poids, comparée à la séquence théâtrale du fauteuil avec Thalia.

— C'était quoi, son nom, déjà ? demande encore Mamá. Pari quelque chose, non ?

Je lui ai parlé de Nabi, qui était un ami cher pour moi, mais elle ne connaît que les grandes lignes de sa vie – comme le fait qu'il a légué par testament la maison de Kaboul à sa nièce, Pari, élevée en France. Je n'ai pas mentionné Nila Wahdati, ni sa fuite à Paris après l'attaque de son mari, ni toutes les années que Nabi a passées à prendre soin de Suleiman. Cette histoire-*là*. Elle comporte trop de parallèles qui appellent un retour de bâton. Ce serait comme lire à voix haute mon propre chef d'inculpation.

— Pari, oui. Elle était sympathique. Et chaleureuse. Surtout pour une universitaire.

— Que fait-elle, déjà ? Elle est chimiste ?

— Mathématicienne, dis-je en refermant mon ordinateur.

Il a recommencé à neiger doucement – de tout petits flocons qui tournoient dans le noir et se jettent contre ma fenêtre.

Je raconte à Mamá la visite de Pari Wahdati à la fin de l'été dernier. Elle était vraiment charmante. Douce, fine, les cheveux gris, un long cou avec une veine bleue gonflée remontant de chaque côté, un sourire plein de bienveillance qui dévoilait des dents de devant écartées. L'air un peu fragile, aussi, et plus vieille que son âge. Une forme sévère de polyarthrite. Des mains noueuses, surtout. Encore fonctionnelles, mais la fatale échéance approchait, et ça, elle le savait. Cela m'a fait penser à Mamá et à sa propre échéance.

Pari Wahdati est restée une semaine avec moi à Kaboul. À son arrivée, je lui ai fait visiter la maison. Elle ne l'avait pas vue depuis 1955, et bien qu'elle ait été frappée de la découvrir beaucoup plus petite que dans son souvenir, elle a semblé très étonnée par les images vivaces qu'elle avait gardées de cet endroit, sa configuration, les deux marches entre le salon et la salle à manger, par exemple, où elle s'asseyait autrefois pour lire en milieu de matinée, baignée par les rayons du soleil. Quand je l'ai emmenée à l'étage, elle a reconnu sa chambre, pourtant occupée en ce moment par un de mes collègues, un employé allemand du Programme alimentaire mondial. Je me souviens de son émotion lorsqu'elle a repéré la petite armoire dans l'angle de la pièce – l'un des rares vestiges de son enfance, comme me l'avait fait comprendre la lettre de Nabi. Elle s'est accroupie à côté et a passé les doigts sur la peinture jaune écaillée et sur les girafes et les macaques dont le dessin s'estompait. Les yeux humides, elle m'a demandé très timidement, et en s'excusant, s'il serait possible de la faire acheminer jusqu'à Paris. Elle a proposé d'en payer une autre en remplacement. C'était la seule chose qu'elle souhaitait conserver de cette maison. Je lui ai répondu que je me ferais un plaisir de m'en occuper.

Au bout du compte, en dehors de cette armoire, que j'ai expédiée quelques jours après son départ, Pari Wahdati est repartie en France sans rien emporter d'autre que les carnets de dessins de Suleiman Wahdati, la lettre de son oncle et quelques-uns des poèmes de Nila, que Nabi avait sauvés. Sa seule autre requête durant son séjour avait été de se rendre à Shadbagh afin de voir le village où elle était née et où elle espérait retrouver son demi-frère, Iqbal.

— Maintenant que la maison est à elle, je suppose qu'elle va la vendre, dit Mamá.

— En fait, elle m'a dit que je pouvais rester aussi longtemps que je le voulais. Sans payer de loyer.

Je vois presque ma mère pincer les lèvres avec scepticisme. En bonne insulaire, elle met en doute les motivations de tous les continentaux et se méfie de leurs marques apparentes de bienveillance. C'est l'une des raisons pour lesquelles, enfant, j'ai su que je quitterais Tinos un jour, quand l'occasion se présenterait. Une sorte de désespoir s'emparait de moi chaque fois que j'entendais les gens parler ainsi.

— Le pigeonnier avance bien ? dis-je pour changer de sujet.

— J'ai dû remettre ça à plus tard. Ça me fatiguait.

Mamá est allée consulter un neurologue à Athènes il y a six mois. Je l'avais poussée à le faire après avoir appris qu'elle développait des mouvements convulsifs et laissait sans cesse tomber des objets. C'est Thalia qui l'y a emmenée et qui m'a ensuite informé dans ses mails que Mamá s'était lancée à son retour dans une foule de projets. Repeindre la maison, réparer les fuites d'eau, construire un placard tout neuf à l'étage avec son aide à elle, obtenue à force de cajoleries, et même remplacer les tuiles fissurées du toit – encore que là, Dieu merci, Thalia ait fini par dire stop. Et maintenant le pigeonnier. J'imagine ma mère, les manches retroussées, le marteau à la main et le dos trempé de sueur, enfoncer des clous et poncer des planches. Essayer de prendre de vitesse ses propres neurones défaillants. Leur arracher jusqu'à la dernière once d'utilité pendant qu'il est encore temps.

— Quand rentreras-tu ? s'enquiert-elle.

— Bientôt.

C'est la réponse que je lui ai déjà faite il y a un an, quand elle m'a posé la même question. Je ne suis pas rentré à Tinos depuis deux ans.

Un bref silence.

— N'attends pas trop longtemps. Je veux te voir avant qu'on me mette sous assistance respiratoire.

Elle rit. C'est une vieille habitude chez elle, cette manière de plaisanter et de faire le pitre face aux coups du sort, ce refus dédaigneux de s'apitoyer sur elle-même. Cela a pour conséquence paradoxale – et calculée, je le sais – d'amoindrir et d'intensifier les coups durs en question.

— Viens à Noël si tu peux, dit-elle. Ou au moins avant le 4 janvier. D'après Thalia, il y aura une éclipse de soleil sur la Grèce ce jour-là. Elle a lu ça sur internet. On pourrait la regarder ensemble.

— J'essaierai, Mamá.

C'était comme se réveiller un matin et découvrir qu'une bête sauvage s'était promenée chez vous. Je ne me sentais en sécurité nulle part. Elle était partout, rôdant, traînant dans chaque coin de la maison, sans jamais arrêter de se tapoter la joue avec un mouchoir pour essuyer la bave qui s'écoulait de sa bouche. Les petites dimensions de notre intérieur faisaient qu'il était impossible de la fuir. Je redoutais surtout les repas et le spectacle que m'infligeait Thalia lorsqu'elle soulevait le bas de son masque pour porter sa cuillère à sa bouche. Cela me retournait l'estomac. Elle mangeait bruyamment, en laissant échapper des petits morceaux de nourriture à moitié mâchés qui s'écrasaient avec un *splash* mouillé sur son assiette, sur la table, ou même par terre. Contrainte d'ingérer tous les liquides avec une paille – sa mère en conservait un stock dans son sac à main –, elle aspirait sa soupe en émettant tout un tas de borborygmes, et le breuvage finissait toujours par tacher son masque et dégouliner le long de sa joue jusque sur son cou. La première fois, j'ai demandé à sortir de table, et Mamá m'a toisé d'un air sévère. Je me suis donc entraîné à détourner les yeux et à faire abstraction du bruit, mais cela m'était difficile. Quand j'entrais dans la cuisine, Thalia était là, assise sagement pendant que Madaline passait un onguent contre les irritations sur sa joue. J'ai commencé à tenir un calendrier, un compte à rebours mental des quatre semaines qu'elles étaient censées passer chez nous.

Je regrettais que Madaline ne soit pas venue seule. Je l'aimais bien, elle. Quand on s'asseyait tous les quatre dans la petite cour carrée devant la maison, elle sirotait du café en fumant cigarette sur cigarette, les angles de son visage ombragés par notre olivier et par un chapeau cloche en paille qui aurait été ridicule sur n'importe qui d'autre – au hasard, Mamá – mais qui ne l'était pas sur elle parce qu'elle était de ces gens à qui l'élégance venait sans effort, comme un don transmis génétiquement, par exemple la capacité à enrouler sa langue en forme de tube. Avec elle, il n'y avait jamais de temps mort dans la conversation. Les anecdotes se succédaient dans sa bouche tels les trilles d'un oiseau. Un matin, elle nous a raconté ses voyages, notamment celui à Ankara, où elle s'était promenée le long des berges du fleuve et où elle avait siroté du thé vert avec du raki, ou encore celui que M. Gianakos et elle avaient effectué au Kenya. Là-bas, ils étaient montés à dos d'éléphant au milieu d'acacias épineux. Ils avaient même mangé de la bouillie de maïs et du riz à la noix de coco avec des villageois.

Les histoires de Madaline réveillaient une vieille impatience en moi, un besoin que j'avais toujours eu de me lancer bille en tête dans le monde. En comparaison, ma vie à Tinos m'apparaissait banale à pleurer. Je voyais mon avenir se profiler à la manière d'un néant interminable, et c'est ainsi que j'ai passé la majeure partie de mon enfance sur cette île à me débattre, à me faire l'effet d'être une doublure de moi-même, un remplaçant, comme si mon vrai moi résidait ailleurs, attendant de s'unir un jour avec ce moi plus flou, plus creux. Je me sentais naufragé. Un exilé dans ma propre maison.

Madaline a dit qu'elle s'était rendue à Ankara dans un endroit appelé le parc Kuğulu et qu'elle y avait observé des cygnes glissant sur l'eau – une eau semblable à un miroir éblouissant.

— Mais je m'emballe, a-t-elle dit en riant.

— Pas du tout, a répondu Mamá.

— C'est une manie, chez moi. Je parle trop. Depuis toujours. Tu te souviens de tous les ennuis qu'on a eus parce que je bavardais en classe ? Tu n'étais jamais fautive, Odie. Tu étais si responsable, si studieuse.

— Elles sont intéressantes, tes histoires. Tu mènes une vie intéressante.

Madaline a roulé de gros yeux.

— Oui, enfin tu connais cette pensée chinoise. Les temps intéressants sont ceux qui s'accompagnent des plus graves bouleversements.

— Tu as aimé l'Afrique ? a demandé Mamá à Thalia.

Celle-ci a pressé son mouchoir contre sa joue sans répondre. J'en ai été soulagé, tant elle avait une façon bizarre de parler. Chez elle, les mots produisaient un son mouillé à mi-chemin entre un zézaiement et un gargouillement.

— Oh, Thalia n'aime pas voyager, a déclaré Madaline en écrasant sa cigarette. Ce n'est pas son truc.

Cette affirmation a sonné comme une vérité sans appel. Il n'était pas question de se tourner vers sa fille pour l'inviter à acquiescer ou à protester.

— Eh bien moi non plus, Thalia, a dit Mamá. J'aime être chez moi. Je crois que je n'ai tout simplement jamais trouvé de raison valable de quitter Tinos.

— Et moi, aucune de rester, à part toi, naturellement, s'est interposée Madaline en lui touchant le poignet. Tu sais quelle était ma plus grande peur, quand je suis partie ? Ma plus grande inquiétude ? Comment vais-je m'en sortir sans Odie ? Je te jure, j'étais pétrifiée rien que d'y penser.

Lentement, Mamá a détaché son regard de Thalia.

— Tu t'en es bien tirée, il me semble.

— Tu ne comprends pas.

Je me suis rendu compte à cet instant que c'était moi qui ne comprenais pas, parce que Madaline me regardait droit dans les yeux.

— Je n'aurais jamais tenu sans ta mère. Elle m'a sauvée.

— Là, tu t'emballes, a dit Mamá.

Thalia a levé la tête. Dans le bleu du ciel, un avion marquait en silence sa trajectoire d'une longue traînée blanche.

— C'est de mon père qu'Odie m'a sauvée, a expliqué Madaline, sans que je sache si elle s'adressait toujours à moi. Il faisait partie de ces hommes mauvais dès la naissance. Il avait des yeux globuleux, un cou épais et court et un grain de beauté noir sur la nuque. Et des poings. Des poings durs comme la brique. À la manière dont il rentrait à la maison, je devinais son humeur. Il n'avait rien de plus à faire. Le bruit de ses bottes dans le vestibule, le tintement de ses clés, son fredonnement, c'était suffisant pour moi. Quand il était fou de rage, il soufflait toujours par le nez en plissant les yeux, avec l'air de réfléchir, et ensuite il se frottait le visage en disant, *très bien, fillette, très bien.* À ce moment-là, vous saviez ce qui allait suivre. La tempête approchait et vous ne pouviez pas l'arrêter. Personne ne pouvait vous aider. Parfois, rien qu'à le voir se frotter la figure, ou rien qu'à l'entendre soupirer à travers sa moustache, je tournais presque de l'œil.

» J'ai croisé la route d'autres hommes comme lui depuis. J'aimerais vous affirmer le contraire, mais cela m'est impossible. Et ce que j'ai appris, c'est qu'en grattant un peu, on découvre des êtres tous plus ou moins identiques. Certains sont plus raffinés, je vous l'accorde. Ils ont parfois un peu de charme, ou beaucoup, et on peut s'y laisser prendre. Mais en réalité, ce sont des petits garçons malheureux qui pataugent dans leur rage. Ils se sentent floués. Ils n'ont pas eu leur dû. Personne ne les a aimés suffisamment. Bien sûr, ils attendent de vous que vous les chérissiez. Ils veulent être étreints, bercés, rassurés. Mais c'est une erreur que de le faire. Ils sont incapables de l'accepter. Ils sont incapables d'accepter la chose même dont ils ont besoin. Pour cette raison, ils en arrivent à vous détester. Et ça n'en finit pas, parce qu'ils ne vous détestent jamais assez. Ça n'en finit pas, le calvaire, les excuses, les promesses, les paroles reniées. Tout ce cauchemar… Mon premier mari était ainsi.

J'étais stupéfait. Nul ne s'était jamais exprimé avec une telle franchise en ma présence, et certainement pas Mamá. Aucune personne de ma connaissance ne m'avait encore dévoilé ainsi ses infortunes. Je me sentais gêné pour Madaline, et en même temps admiratif devant sa candeur.

Lorsqu'elle a mentionné son premier mari, j'ai remarqué, pour la première fois depuis que je l'avais rencontrée, une ombre sur son visage, la suggestion momentanée de quelque chose de sombre, de mortifiant, de douloureux, en porte-à-faux avec ses rires pleins de vitalité, ses taquineries et sa robe orange à fleurs. Je me souviens d'avoir pensé sur le moment qu'elle devait être bonne actrice pour dissimuler ses déceptions et ses blessures sous un tel vernis de gaieté. Comme derrière un masque, me suis-je dit, secrètement très fier de ce brillant parallèle.

En grandissant, cependant, il ne m'est plus apparu si évident. J'ai pris conscience avec le recul d'une certaine affectation dans la manière dont elle avait marqué une pause en faisant allusion à ce premier mari, dans celle dont elle avait baissé les yeux, dans la fêlure de sa voix et le léger tremblement de ses lèvres, de même qu'il y en avait dans son énergie phénoménale, dans ses plaisanteries, dans son charme entraînant et peu discret, dans la douceur même de ses rebuffades, accompagnées d'un clin d'œil rassurant et d'un éclat de rire. Peut-être s'agissait-il dans les deux cas d'un maniérisme factice, ou peut-être pas du tout. J'ai fini par ne plus distinguer ce qui, chez Madaline, relevait de la comédie ou de la réalité – mais au moins cela m'a-t-il donné d'elle l'image d'une actrice infiniment plus intéressante.

— Combien de fois ai-je débarqué ici en courant, Odie ? a-t-elle continué, de nouveau souriante, tandis qu'un rire montait en elle. Tes pauvres parents. Mais cette maison était mon refuge. Mon sanctuaire. Vraiment. Une petite île au milieu d'une autre, plus grande.

— Tu étais toujours la bienvenue ici, a dit Mamá.

— C'est grâce à ta mère que mon père a arrêté de me battre, Markos. Elle te l'a raconté ?

J'ai répondu que non.

— Ça ne m'étonne guère. C'est Odelia Varvaris tout craché.

Mamá déroulait et aplatissait le bord d'un tablier sur ses genoux d'un air songeur.

— Un soir, je suis arrivée ici la langue en sang, une bande de cheveux arrachée au niveau de la tempe et l'oreille encore bourdonnante à la suite d'un coup que j'avais reçu. Il n'y était pas allé de main morte, cette fois. J'étais dans un état ! Un état !

À écouter Madaline, on aurait pu croire qu'elle décrivait un repas copieux ou un bon roman.

— Ta mère n'a pas posé de question parce qu'elle savait. Évidemment qu'elle savait. Elle m'a juste dévisagée longuement, moi qui étais plantée là, tremblante, et elle a dit – je m'en souviens encore, Odie –, elle a dit : *Ça suffit maintenant. On va aller voir ton père, Maddie.* Moi, je l'ai suppliée. Je craignais qu'il ne nous tue toutes les deux. Mais bon, tu connais ta mère.

J'ai acquiescé, et Mamá m'a jeté un coup d'œil en coin.

— Elle n'a pas voulu m'écouter. Elle avait ce regard... je suis sûre que tu vois lequel. Elle est donc sortie, mais pas avant d'avoir pris le fusil de chasse de son père. Tout le long du chemin, j'ai essayé de l'arrêter, de la convaincre qu'il ne m'avait pas fait si mal que ça. Elle n'a rien voulu entendre. On a marché jusqu'à chez moi. Mon père était là, sur le pas de la porte. Odie a levé le canon du fusil et le lui a fourré sous le menton. *Refaites ça,* a-t-elle dit, *et je reviendrai vous coller une balle dans la tête.*

Mon père a cligné des yeux. Pendant un moment, il est resté muet. Incapable de prononcer un mot. Et le plus beau, tu veux savoir ce que c'est, Markos ? En baissant les yeux, j'ai vu un petit cercle de... enfin, je pense que tu peux deviner... un cercle qui s'élargissait tranquillement par terre entre ses pieds nus.

Madaline a repoussé ses cheveux en arrière.

— Et ça, mon cher, c'est une histoire vraie, a-t-elle conclu en allumant de nouveau son briquet.

Elle n'avait pas besoin de le préciser. Je la croyais. Je reconnaissais la loyauté franche et farouche de ma mère, sa volonté sidérante. Son besoin impulsif de corriger les injustices, de protéger les opprimés. Et j'ai eu confirmation que Madaline avait dit vrai en entendant le grognement de Mamá devant le dernier détail livré par son amie. Elle le réprouvait. Elle le trouvait sans doute de mauvais goût, et pas seulement pour une raison évidente. De son point de vue, les gens, même quand ils avaient eu un comportement déplorable, méritaient un minimum de dignité dans la mort. Surtout les membres de votre famille.

Elle s'est agitée sur son siège.

— À défaut de voyager, Thalia, qu'est-ce que tu aimes faire ?

Tous nos yeux se sont tournés dans la même direction. Madaline parlait depuis un moment, et, assis là dans notre cour, sous les rayons du soleil qui tombaient en formant des aplats lumineux autour de nous, je me rappelle avoir pensé que cela reflétait bien sa capacité à monopoliser l'attention, à tout aspirer vers elle, si bien qu'on en oubliait Thalia. Mais je n'ai pas exclu qu'elles se soient toutes deux adaptées par nécessité à cette dynamique – celle de la fille silencieuse éclipsée par une mère égocentrique qui se plaisait à faire diversion. Qui sait, le narcissisme de Madaline s'apparentait peut-être à une forme de gentillesse ou de protection maternelle.

Thalia a marmonné quelque chose.

— Un peu plus fort, ma chérie.

Elle a produit un grondement glaireux.

— La science.

J'ai noté pour la première fois la couleur de ses yeux, d'un vert qui rappelait les prés non pâturés, ses cheveux d'un brun très sombre et son teint aussi parfait que celui de sa mère. Avait-elle été jolie avant, peut-être même belle, comme Madaline ?

— Parle-leur de ton cadran solaire, a dit celle-ci, avant de poursuivre devant l'indifférence de Thalia : Elle a fabriqué un cadran solaire. L'été dernier, dans notre jardin. Et sans se faire aider. Pas par Andreas, et certainement pas par moi.

Elle a ri à ces mots.

— Équatorial ou horizontal ? a demandé Mamá.

Un éclair de surprise a brillé dans les yeux de Thalia. Une sorte d'ébahissement. Comme quelqu'un qui, en marchant dans une rue bondée à l'étranger, capterait soudain des bribes de sa langue natale.

— Horizontal, a-t-elle répondu de son étrange voix mouillée.

— Qu'est-ce que tu as utilisé pour le gnomon ?

Thalia l'a regardée fixement.

— J'ai coupé une carte postale.

C'est à cet instant que j'ai compris quelle relation pourrait les unir toutes les deux.

— Elle démontait ses jouets quand elle était petite, a expliqué Madaline. Elle aimait les trucs mécaniques, avec des rouages à l'intérieur. Sauf qu'elle ne s'amusait pas avec, n'est-ce pas, chérie ? Non, tous ces cadeaux hors de prix, elle les cassait. On avait à peine le temps de les lui donner qu'elle les éventrait déjà. Ça me rendait folle de rage. Mais Andreas – et là, je dois reconnaître son mérite – disait qu'il fallait la laisser faire, que c'était le signe d'un esprit curieux.

— Si tu veux, on pourra en fabriquer un ensemble, a proposé Mamá. Un cadran solaire, je veux dire.

— Je sais déjà comment faire, a rétorqué Thalia.

— Sois plus polie, ma chérie, l'a sermonnée sa mère en étendant, puis en repliant une jambe, comme si elle s'étirait avant un numéro de danse. Tante Odie essaie de t'aider.

— Ou quelque chose d'autre, alors.

— Oh ! Odie ! s'est exclamée Madaline en exhalant vivement la fumée de sa cigarette dans un souffle laborieux. Je n'arrive pas à croire que je ne t'aie pas raconté ça. J'ai une nouvelle à t'annoncer. Devine.

Mamá a haussé les épaules.

— Je vais rejouer au cinéma ! On m'a offert le premier rôle dans une superproduction. Tu le crois, ça ?

— Félicitations, a dit Mamá sans conviction.

— J'ai le scénario avec moi. Je te le ferai lire, Odie, mais j'ai peur à l'idée qu'il ne te plaise pas. C'est mal ? Autant que tu le saches, j'en serais malade. Je ne m'en remettrais pas. On commence à tourner à l'automne.

Le lendemain matin, après le petit déjeuner, Mamá m'a pris à l'écart.

— Très bien, quel est le problème ? Qu'est-ce qui t'arrive ?

J'ai répondu que je ne voyais pas de quoi elle voulait parler.

— Tu ferais mieux d'arrêter ça. Ce manège ridicule. Ça ne te va pas du tout.

Elle avait cette façon si particulière de plisser les yeux et d'incliner très légèrement la tête. Aujourd'hui encore, cela lui donne une emprise sur moi.

— Je ne peux pas faire ça, Mamá. Ne m'y oblige pas.

— Et pourquoi, au juste ?

Les mots ont fusé avant que je puisse les ravaler.

— C'est un monstre.

Elle a serré les lèvres et m'a fixé, non pas avec colère mais d'un air découragé, comme si je l'avais vidée de toute son énergie. Il y avait quelque chose de définitif dans son regard. De la résignation. Celle du sculpteur qui, laissant tomber son maillet et son burin, renonce à travailler un bloc récalcitrant parce qu'il ne prendra jamais la forme souhaitée.

— C'est quelqu'un à qui il est arrivé un terrible malheur. Traite-la encore de monstre et tu auras affaire à moi. Essaie un peu pour voir.

Un peu plus tard, je me suis retrouvé avec Thalia dans une ruelle pavée bordée de chaque côté par un mur en pierre. Je veillais à marcher quelques pas devant elle afin que les passants ou, pire encore, l'un des garçons de mon école, ne s'imaginent pas que nous étions ensemble – ce qu'ils ne manqueraient pas de penser de toute façon. Chacun pouvait s'en rendre compte. J'espérais juste que la distance entre nous signalerait au moins mon mécontentement et ma répugnance. Heureusement, Thalia ne faisait aucun effort pour me rattraper. Nous avons croisé des fermiers à la peau brûlée par le soleil, la mine lasse, qui rentraient du marché. Ployant sous le poids de paniers en osier remplis de produits invendus, leurs ânes avançaient en faisant claquer leurs sabots sur les pavés. Je connaissais la plupart de ces hommes, mais j'ai gardé la tête baissée et détourné le regard.

J'ai conduit Thalia au bord de la mer, en choisissant une plage de galets où j'allais parfois – je savais qu'il y aurait moins de monde là qu'à d'autres endroits comme Agios Romanos. Après avoir remonté le bas de mon pantalon, j'ai sauté d'un rocher à un autre, jusqu'à ce que j'en repère un près de l'endroit où se brisaient les vagues. Ôtant mes chaussures, j'ai plongé mes pieds dans une petite flaque qui s'était formée entre un amas de pierres. Un bernard-l'ermite a détalé entre mes jambes. Thalia s'est assise à ma droite, près de moi.

Nous sommes restés là un long moment sans parler, face à l'océan qui grondait contre les rochers. Un vent froid me fouettait les oreilles en soufflant une odeur de sel sur mon visage. Un pélican planait au-dessus de l'eau bleu-vert, les ailes déployées. Deux femmes s'étaient avancées dans la mer jusqu'aux genoux en soulevant leur jupe. À l'ouest, j'avais vue sur l'île, le blanc dominant des maisons et des moulins, le vert des champs d'orge, le marron terne des montagnes dentelées d'où s'écoulaient chaque année des sources d'eau. C'était là que mon père était mort. Il travaillait dans une carrière de marbre vert lorsqu'un jour, alors que Mamá était enceinte de six mois, il avait glissé d'une falaise et s'était écrasé une trentaine de mètres plus bas. D'après elle, il avait oublié d'attacher son harnais de sécurité.

— Tu devrais arrêter, a dit Thalia.

Je jetais des galets dans un vieux seau en étain galvanisé à proximité, et sa remarque m'a pris au dépourvu. J'ai raté ma cible.

— Quoi, qu'est-ce qu'il y a ?

— Arrête de te monter le bourrichon. Je n'ai pas plus envie que toi de subir cette situation.

Elle maintenait son masque en place tandis que le vent faisait voler ses cheveux. Je me suis demandé si elle vivait au quotidien avec la peur qu'une bourrasque l'arrache et l'oblige à courir après, exposée à tous les regards. Sans un mot, j'ai jeté un autre galet, qui a de nouveau atterri à côté du seau.

— Trouduc, a-t-elle dit.

Au bout d'un moment, elle s'est levée, mais j'ai fait mine de rester à ma place. Puis, en lançant un coup d'œil par-dessus mon épaule, je l'ai aperçue qui remontait la plage en direction de la route. J'ai remis mes chaussures et l'ai suivie jusqu'à la maison.

À notre arrivée, Mamá éminçait des gombos dans la cuisine. Assise près d'elle, Madaline se faisait les ongles tout en fumant et en tapotant sa cigarette au-dessus d'une soucoupe. J'ai frémi, horrifié. La soucoupe en question faisait partie du service de table en porcelaine que Mamá avait hérité de sa grand-mère. Cette vaisselle était le seul véritable bien de valeur qu'elle possédât, et elle la descendait rarement de l'étagère tout en hauteur sur laquelle elle la rangeait.

Entre deux bouffées, Madaline soufflait sur ses ongles et évoquait Pattakos, Papadopoulos et Makarezos, les trois colonels auteurs d'un coup d'État militaire – le coup d'État des colonels, comme on l'appelait alors – survenu plus tôt cette année-là à Athènes. Elle disait qu'elle connaissait un dramaturge, un « homme adorable, adorable », selon ses termes, emprisonné au motif qu'il aurait été un communiste subversif.

— C'est absurde, bien sûr ! Totalement absurde. Tu sais ce que les policiers infligent aux gens pour les faire parler ? a-t-elle ajouté à voix basse, comme si la junte militaire s'était cachée quelque part dans la maison. Ils leur mettent un tuyau dans le derrière et ils ouvrent le robinet à fond. C'est vrai, Odie. Je te jure. Ils trempent des chiffons dans les trucs les plus immondes qui soient – de la merde humaine, en clair – et ils les fourrent dans la bouche des gens.

— Quelle horreur, a commenté Mamá, impassible.

J'étais curieux de savoir si elle se lassait déjà de Madaline, de son flot d'opinions politiques pompeuses, du récit des soirées auxquelles elle avait assisté avec son mari, de la liste des poètes, des intellectuels et des musiciens avec lesquels elle avait bu du champagne, du compte-rendu de ses voyages inutiles et ridicules dans des villes étrangères, de ses discours sur les catastrophes nucléaires, la surpopulation et la pollution. Mamá l'écoutait pour lui faire plaisir, en affichant un sourire perplexe empreint d'ironie, mais je sentais qu'elle pensait du mal de son amie. Elle devait trouver que Madaline se gargarisait de ses propres mots, et sans doute était-elle gênée pour elle.

Voilà ce qui coince avec la gentillesse de Mamá, ce qui ternit ses interventions en faveur des autres et ses gestes de bravoure. La dette qui les accompagne. Les exigences, les obligations qu'elle vous impose en contrepartie. Sa façon de monnayer ces actes, de réclamer en échange votre loyauté et votre allégeance. Je comprends maintenant pourquoi Madaline est partie autrefois. La corde qui vous sauve de la noyade peut devenir un nœud coulant autour de votre cou. Les gens finissent toujours par décevoir Mamá, même moi. Ils ne parviennent pas à s'acquitter de leur dette, enfin pas comme elle le voudrait. Son lot de consolation est la sinistre satisfaction d'avoir la haute main, d'être libre de les juger depuis un perchoir stratégiquement avantageux, puisqu'elle est toujours celle qui a été flouée.

J'en suis triste en raison de ce que cela révèle de sa misère, de son anxiété, de sa peur de la solitude, de sa crainte de finir abandonnée. Et que penser de moi, qui connais ce trait de caractère de ma mère, qui sais précisément ce dont elle a besoin, et qui pourtant le lui ai refusé délibérément, systématiquement, en prenant soin de mettre un océan entre nous, un continent, ou de préférence les deux, presque en permanence durant ces trente dernières années ?

— La junte n'a pas le sens de l'ironie, a continué Madaline. Écraser les gens comme ça... et en Grèce, en plus ! Le berceau de la démocratie ! Ah, vous voilà, les enfants. Alors, comment c'était ? Qu'est-ce que vous avez manigancé, tous les deux ?

— On a joué sur la plage, a répondu Thalia.

— C'était sympa ? Vous vous êtes bien amusés ?

— C'était génial.

Le regard de Mamá s'est posé tour à tour sur elle et moi, sceptique, mais Madaline a applaudi en silence en rayonnant de joie.

— Tant mieux si vous vous entendez bien ! Maintenant que je n'ai plus à m'inquiéter à ce sujet, Odie et moi pourrons passer un peu de temps ensemble de notre côté. Qu'est-ce que tu en penses, Odie ? On a tellement de choses à se raconter encore !

Mamá a souri vaillamment et tendu la main vers un chou.

À partir de ce moment-là, Thalia et moi avons été laissés libres de faire ce que nous voulions. Nous étions censés explorer l'île, jouer sur la plage, nous amuser comme le font les enfants. Mamá nous préparait à chacun un sandwich et nous partions ensemble après le petit déjeuner.

Une fois hors de vue, nous nous séparions souvent. À la plage, j'allais nager, ou bien je m'allongeais sur un rocher torse nu pendant que Thalia ramassait des coquillages ou faisait des ricochets sur l'eau avec des cailloux – ce qui ne rimait à rien parce que les vagues étaient trop hautes. Nous suivions des sentiers qui serpentaient dans les vignes et les champs d'orge, les yeux baissés sur nos ombres, tous deux plongés dans nos pensées. En général, nous errions. L'industrie touristique n'était pas très développée à Tinos en ce temps-là. C'était essentiellement une île agricole où les gens subsistaient grâce à leurs vaches, leurs chèvres, leurs oliviers et leur blé. Pour finir, ne sachant pas quoi faire, nous mangions nos sandwichs quelque part, sans un mot, à l'ombre d'un arbre ou d'un moulin, en contemplant entre deux bouchées les ravins, les champs de buissons épineux, les montagnes et la mer.

Un jour, j'ai flâné en direction de la ville. Nous habitions sur la côte sud-ouest de l'île, et la ville de Tinos se situait à quelques kilomètres de marche seulement plus au sud. Il y avait là-bas un petit bric-à-brac tenu par un veuf au visage empâté, M. Roussos. On trouvait toujours tout et n'importe quoi dans la devanture de sa boutique, aussi bien une machine à écrire des années 1940 que des chaussures de chantier en cuir, une girouette, un vieux présentoir à pots de fleurs, d'énormes bougies, une croix ou, bien évidemment, des reproductions de l'icône de la Panagía Evangelístria. Et même un gorille en cuivre. Photographe amateur, M. Roussos possédait aussi une chambre noire de fortune dans son arrière-boutique. Quand les pèlerins affluaient à Tinos au mois d'août, il leur vendait des pellicules et développait celles-ci contre rémunération.

Un mois plus tôt, j'avais repéré un appareil photo dans un étui en cuir usé de couleur rouille. Depuis, je venais régulièrement le contempler. Un jour, me disais-je, j'irais en Inde, l'étui pendu en bandoulière, et je prendrais des photos des rizières et des plantations de thé que j'avais vues dans *National Geographic*.

Je mitraillerais le chemin de l'Inca. À dos de chameau, dans quelque vieux camion poussiéreux ou à pied, je braverais la chaleur jusqu'à ce que devant moi se dressent le Sphinx et les Pyramides, et eux aussi, je les prendrais en photo, et mes clichés seraient publiés sur papier glacé dans des magazines. Voilà ce qui m'a attiré vers la boutique de M. Roussos ce matin-là, bien qu'elle fût fermée pour la journée. Je suis resté dehors, le front appuyé contre la devanture, à rêvasser.

— C'est quel modèle ?

Je me suis reculé et j'ai aperçu le reflet de Thalia dans la vitrine. Elle tapotait sa joue gauche avec son mouchoir.

— L'appareil photo, a-t-elle précisé.

J'ai haussé les épaules.

— On dirait un C3 Argus.

— Et comment tu sais ça, toi ? ai-je demandé.

— C'est juste le 35 mm qui s'est le plus vendu au monde au cours de ces trente dernières années, m'a-t-elle répliqué d'un ton de reproche. Il ne paie pas de mine, pourtant. Il est même laid. Il fait penser à une brique. Alors comme ça, il paraît que tu veux devenir photographe ? Plus tard, quand tu seras grand. C'est ta mère qui me l'a dit.

Je me suis retourné vers elle.

— Mamá t'a dit ça ?

— Oui, et ?

J'ai de nouveau haussé les épaules. J'étais gêné que Mamá ait parlé de moi à Thalia et je me suis demandé sur quel mode elle l'avait fait. Parmi toutes les armes qui composaient son arsenal, elle avait fort bien pu choisir sa façon faussement solennelle d'évoquer des choix qu'elle jugeait soit désastreux, soit frivoles. Elle pouvait saper vos ambitions sous vos propres yeux. *Markos veut parcourir le monde et le capturer avec son objectif.*

Thalia s'est assise sur le trottoir en tirant sa jupe sur ses genoux. La morsure du soleil était cuisante ce jour-là et il n'y avait presque personne dehors, à l'exception d'un vieux couple qui remontait la rue péniblement, avec raideur. Le mari, Demis Quelque-chose, portait une casquette plate grise et une veste en tweed marron qui paraissait trop épaisse pour la saison. Son visage avait une expression figée de surprise, je m'en souviens, de celles qu'ont parfois les personnes âgées, comme si elles étaient perpétuellement choquées par cette mons-trueuse surprise qu'est la vieillesse – ce n'est que des années plus tard, en fac de médecine, que je l'ai soup-çonné d'avoir la maladie de Parkinson. Ils nous ont fait signe au passage. En leur retournant leur salut, je les ai vus noter la présence de Thalia. Ils ont marqué une petite pause, puis se sont remis en route.

— Tu as un appareil ? a dit Thalia.

— Non.

— Tu as déjà pris une photo ?

— Non.

— Et tu veux être photographe ?

— Tu trouves ça bizarre ?

— Un peu.

— Si je te disais que je voulais devenir policier, tu trouverais ça bizarre aussi ? Parce que je n'ai jamais passé les menottes à quelqu'un ?

J'ai senti à la douceur de son regard que, si elle l'avait pu, elle aurait souri.

— Tu es malin, pour un trouduc. Un petit conseil : ne parle pas de cet appareil photo devant ma mère ou elle te l'achètera. Elle a toujours très envie de faire plaisir aux gens.

Elle a de nouveau porté le mouchoir à sa joue.

— Je doute qu'Odelia approuverait, de toute façon, a-t-elle ajouté. Je suppose que tu le sais déjà.

J'étais à la fois impressionné et un peu déstabilisé par tout ce qu'elle semblait avoir saisi en si peu de temps. C'est peut-être le masque, ai-je pensé. Ça lui donne une couverture, la liberté d'être attentive, d'observer et de scruter.

— Elle risquerait de t'obliger à le rendre.

J'ai soupiré. C'était vrai. Mamá n'accepterait pas cette tentative de se faire pardonner à si bon compte, surtout si cela impliquait de l'argent.

Thalia s'est levée et a épousseté ses fesses.

— J'ai une question. Tu as une boîte chez toi ?

Madaline sirotait du vin avec Mamá dans la cuisine. À l'étage, Thalia et moi étions occupés à noircir une boîte à chaussures avec des feutres. Elle appartenait à Madaline et avait renfermé une paire d'escarpins en cuir vert citron à talons hauts, encore enveloppés dans leur papier de soie.

— Où comptait-elle porter *ça* ? me suis-je étonné.

J'entendais Madaline au rez-de-chaussée parler d'un cours d'art dramatique qu'elle avait suivi un jour et durant lequel l'enseignant lui avait demandé, en guise d'exercice, de mimer un lézard immobile sur une pierre. Un éclat de rire – le sien – a retenti.

Nous avons fini de passer une deuxième couche de noir, mais Thalia a jugé préférable d'en ajouter encore une, juste pour être sûrs qu'on n'avait oublié aucun endroit. Le noir devait être uniforme et sans défaut.

— Un appareil photo, ce n'est rien d'autre que ça. Une boîte noire avec un trou pour laisser passer la lumière et quelque chose au bout pour l'absorber. Donne-moi l'aiguille.

Je lui ai tendu l'aiguille à coudre de ma mère. J'étais sceptique, c'était le moins qu'on puisse dire, quant aux possibilités qu'offriraient cet appareil artisanal. Pourrait-il même photographier quoi que ce soit ? Une boîte à chaussures et une aiguille, était-ce bien sérieux ? Mais Thalia s'était lancée dans ce projet avec une telle foi, une telle confiance en elle, que j'ai dû envisager aussi que cela puisse marcher. Elle m'amenait à penser qu'elle possédait des connaissances dont j'étais dépourvu.

— J'ai effectué quelques calculs, a-t-elle déclaré en perçant la boîte avec soin. Sans lentille, on ne peut pas faire le trou sur le petit côté. La boîte est trop allongée. Mais la largeur est à peu près bonne. La clé, c'est de faire un trou d'une taille appropriée. Je l'évalue à environ 0,6 millimètre. Là. Maintenant, il nous faut un obturateur.

En bas, la voix de Madaline s'était réduite à un murmure pressant. Je ne distinguais pas ce qu'elle disait, mais je devinais qu'elle s'exprimait plus lentement, en articulant bien, et je l'ai imaginée penchée en avant, accoudée sur ses genoux, les yeux rivés à ceux de ma mère, sans ciller. Au fil des ans, j'ai fini par bien connaître cette tonalité. Quand les gens parlent ainsi, on peut parier que c'est pour dévoiler, révéler, confesser quelque catastrophe, et implorer la personne qui les écoute. C'est le b.a.-ba des équipes chargées de notifier le décès d'un militaire lorsqu'elles frappent aux portes, des avocats vantant les mérites du plaider coupable à leurs clients, des policiers arrêtant des voitures à trois heures du matin, des maris infidèles. Combien de fois y ai-je moi-même eu recours, ici, dans les hôpitaux de Kaboul ? Combien de fois ai-je guidé des familles entières dans une salle au calme, avant de les prier de s'asseoir, de tirer une chaise pour moi et de rassembler la force de leur communiquer une nouvelle tout en redoutant la conversation qui allait suivre ?

— Elle parle d'Andreas, a dit Thalia d'une voix égale. J'en mets ma main au feu. Ils ont eu une grosse dispute. Passe-moi le scotch et les ciseaux.

— Il est comment, lui ? Mis à part le fait qu'il soit riche, je veux dire.

— Qui, Andreas ? Il est sympa. Il voyage beaucoup. Quand il est à la maison, il invite toujours plein de monde. Des gens importants – des ministres, des généraux, ce genre de personnes. Ils boivent près de la cheminée et discutent toute la nuit, le plus souvent d'affaires et de politique. Je les entends depuis ma chambre – je suis censée rester à l'étage quand il a de la compagnie. Mais il m'achète des trucs. Il paie un précepteur qui vient chez nous me faire cours. Et il s'adresse à moi à peu près gentiment.

Elle a scotché par-dessus le trou un morceau de carton rectangulaire que nous avions également colorié en noir.

Au rez-de-chaussée, tout était devenu silencieux. J'ai chorégraphié la scène dans ma tête. Madaline pleurait sans bruit en triturant distraitement un mouchoir. Mamá ne lui était pas d'un grand secours et se contentait de la regarder, raide, avec un petit sourire pincé, comme si quelque chose d'amer fondait sous sa langue. Elle déteste que les gens pleurent devant elle. C'est à peine si elle supporte le spectacle de leurs yeux gonflés, de leur mine implorante. Pour elle, les larmes sont un signe de faiblesse, une manière voyante d'attirer l'attention, et elle refuse d'y céder. Elle ne peut se contraindre à consoler les autres. En grandissant, j'ai appris que ce n'était pas l'un de ses traits les plus positifs. La tristesse doit être privée, estime-t-elle. Pas étalée au grand jour. Enfant, je lui ai demandé si elle avait pleuré quand mon père avait fait sa chute mortelle.

Pendant les funérailles ? Quand on l'a enterré ?

Non.

Tu n'étais pas triste ?

Que je l'aie été ou non, ça ne regardait personne.

Tu pleurerais si je mourais, Mamá ?

Espérons que je n'aurai jamais à le savoir.

Thalia a pris la boîte de papier photo.

— Sors la lampe de poche.

Nous sommes entrés dans le placard de Mamá en prenant soin de fermer la porte et de bloquer la lumière du jour avec des serviettes. Une fois dans le noir complet, Thalia m'a dit d'allumer la lampe, que nous avions auparavant enveloppée de plusieurs couches de cellophane rouge. Dans cette faible lumière, je ne distinguais que ses doigts fins qui découpaient une feuille de papier photo pour la scotcher à l'intérieur de la boîte à chaussures, en face du trou. Nous avions acheté le papier à la boutique de M. Roussos la veille. À notre arrivée, il avait fixé Thalia par-dessus ses lunettes. *C'est une attaque à main armée ?* avait-il plaisanté. Thalia avait pointé son index vers lui et plié le pouce comme pour armer un pistolet.

Elle a refermé la boîte à chaussures et couvert le trou avec l'obturateur.

— Demain, a-t-elle déclaré dans le noir, tu prendras la première photo de ta carrière.

Je n'aurais su dire si elle se moquait de moi ou pas.

Notre choix s'est porté sur la plage. Nous avons posé et attaché fermement la boîte sur un rocher plat avec une corde – selon Thalia, il ne fallait absolument pas qu'elle bouge à partir du moment où l'obturateur serait ouvert. Puis elle s'est postée à côté de moi et a jeté un œil par-dessus notre installation de la même façon qu'elle aurait vérifié le cadrage avec un viseur.

— C'est parfait, a-t-elle déclaré.

— Presque. Il nous faut un sujet.

Elle m'a lorgné et a compris où je voulais en venir.

— Non, pas question, a-t-elle protesté.

Nous avons bataillé, chacun de nous défendant sa position. Pour finir, elle a cédé, mais à condition qu'on ne voie pas son visage. Elle a ôté ses chaussures et s'est avancée sur une rangée de rochers à quelques pas de notre appareil photo, les bras écartés comme un funambule sur sa corde, jusqu'à ce qu'elle s'assoie en fixant les îles de Syros et Kythnos à l'ouest. Après avoir repoussé ses cheveux en arrière afin qu'ils cachent les élastiques de son masque, elle a tourné la tête vers moi.

— Rappelle-toi, a-t-elle crié. Compte jusqu'à cent vingt.

Et elle a refait face à la mer.

Je me suis baissé et, par-dessus la boîte, j'ai regardé le dos de Thalia, l'amas de rochers autour d'elle, les algues entremêlées au milieu tels des serpents morts, un petit remorqueur qui dansait sur l'eau, au loin, la marée montante qui s'écrasait sur le rivage déchiqueté et se retirait ensuite. J'ai soulevé l'obturateur et commencé à compter.

Un... deux... trois... quatre... cinq...

Nous sommes au lit. À la télé, deux accordéonistes s'affrontent, mais Gianna a coupé le son. Les lames du store découpent la lumière de ce milieu de journée, dessinant des bandes sur les restes de la pizza Margherita que nous avons commandée au service de chambre. Elle nous a été livrée par un homme mince et grand, aux cheveux bruns impeccablement peignés en arrière, en veste blanche et cravate noire. Sur la table qu'il a fait rouler dans la chambre se trouvait un soliflore avec une rose rouge. Il a ôté le couvre-plat d'un grand geste et balayé l'air de sa main, tel un magicien devant son public après que le lapin est sorti de son haut-de-forme.

Tout autour de nous, parmi les draps froissés, s'étalent les photos que j'ai montrées à Gianna, celles de mes dix-huit derniers mois de voyages. Belfast, Montevideo, Tanger, Marseille, Lima, Téhéran. Je lui tends les clichés de la commune libre où j'ai brièvement vécu à Copenhague avec des beatniks danois aux T-shirts déchirés, bonnet sur le crâne, qui s'étaient approprié une ancienne base militaire.

Où es-tu ? demande Gianna. *Tu n'es pas sur les photos.*

Je préfère être derrière l'appareil, dis-je. Ce qui est vrai. J'ai pris des centaines de photos, et vous ne me verrez sur aucune d'elles. Je commande toujours deux tirages lorsque je donne une pellicule à développer. J'en garde un pour moi et j'envoie l'autre à Thalia.

À Gianna, qui s'interroge sur la manière dont je finance mes voyages, j'explique que je les paie grâce à un héritage. Mais ce n'est qu'une partie de la vérité, parce que l'héritage est celui de Thalia, pas le mien. Contrairement à Madaline, qui pour des raisons évidentes n'était mentionnée nulle part dans le testament d'Andreas, Thalia l'était, elle. Elle m'a donné la moitié de son argent, l'idée étant que je m'en serve pour payer mes études à l'université.

Huit… neuf… dix…

Gianna s'appuie sur ses coudes et se penche par-dessus moi pour prendre son paquet de cigarettes. Ses petits seins effleurent ma peau au passage. Je l'ai rencontrée hier Piazza di Spagna. J'étais assis sur les marches de pierre qui relient l'esplanade à l'église, située plus en hauteur. Elle s'est avancée et m'a dit quelque chose en italien. Elle ressemblait à tant de ces jolies filles à l'air désœuvrées que j'avais vues autour des églises et des places de Rome. Elles fumaient, parlaient fort et riaient beaucoup. J'ai secoué la tête en disant *Sorry ?* Elle a souri. *Ah*, a-t-elle répliqué. Puis, dans un anglais à l'accent très prononcé, elle a demandé *Briquet ? Cigarette.* J'ai secoué la tête et lui ai répondu dans mon anglais à l'accent tout aussi marqué que je ne fumais pas. Son sourire s'est élargi. Ses yeux brillaient et le soleil de la fin de matinée nimbait l'ovale de son visage.

Je m'assoupis un instant et me réveille en la sentant me donner des petits coups dans les côtes.

La tua ragazza ? dit-elle. Elle a trouvé la photo de Thalia sur la plage, celle que j'ai prise des années plus tôt avec notre appareil artisanal. *Ta petite amie ?*

Non, dis-je.

Ta sœur ?

Non.

La tua cugina ? Ta cousine, sì ?

Je secoue la tête.

Elle examine de nouveau la photo en tirant de petites bouffées sur sa cigarette. *Non*, déclare-t-elle sèchement, et avec colère même, ce qui m'étonne. *Questa è la tua ragazza !* C'est ta petite amie. Oui, je crois. Tu es menteur ! Incrédule, je la regarde allumer son briquet et commencer à brûler le cliché.

Quatorze… quinze… seize… dix-sept…

Alors que nous avons fait la moitié du chemin pour rejoindre l'arrêt de bus, je m'aperçois que j'ai perdu la photo. Il faut que je revienne en arrière, dis-je, je n'ai pas le choix. Alfonso, un *huaso* maigrelet qui ne desserre jamais les dents et fait office pour nous de guide chilien officieux, interroge Gary du regard. Gary est américain. De nous trois, il est celui qui incarne le mâle dominant. Les cheveux blonds et sales, les joues parsemées de marques d'acné, son visage laisse deviner des conditions de vie habituellement rudes. Gary est de très mauvaise humeur, et la faim, l'absence d'alcool et sa sévère inflammation au mollet droit depuis qu'il a effleuré hier un buisson de *litre* n'arrangent rien du tout. Je les ai rencontrés tous les deux dans un bar bondé de Santiago. Après une demi-douzaine de tournées de *piscolas*, Alfonso a suggéré un trek jusqu'aux chutes de Salto del Apoquindo, où son père l'emmenait quand il était petit. Nous sommes partis dès le lendemain. Nous avons campé près des chutes durant la nuit et fumé de la dope tandis que l'eau rugissait à nos oreilles, sous un ciel immense grouillant d'étoiles. Et là, nous nous dirigions vers San Carlos de Apoquindo pour prendre le bus.

Gary repousse le large bord de son chapeau cordobés et s'essuie le front avec un mouchoir. *Il y en a pour trois heures de marche, Markos*, dit-il.

¿ Tres horas, hágale comprende ? renchérit Alfonso.

Je sais.

Et tu veux quand même y aller ?

Oui.

¿ Para una foto ? s'exclame Alfonso.

Je hoche la tête, mais sans répondre parce qu'ils ne comprendraient pas. Moi-même, je ne suis pas certain de le faire.

Tu vas te perdre, m'avertit Gary.

Probablement.

Alors bonne chance, amigo.

Es un Griego loco, dit Alfonso.

J'éclate de rire. Ce n'est pas la première fois qu'on me traite de Grec fou. Nous échangeons une poignée de main, puis Gary ajuste les bretelles de son sac à dos et Alfonso et lui repartent le long la piste qui suit les replis de la montagne. Il me salue en agitant le bras une dernière fois sans me regarder au moment de disparaître dans un virage. Quant à moi, je rebrousse chemin. Je mets en fait quatre heures pour parvenir à notre camp, parce que je me perds en cours de route, comme Gary l'avait prédit. Le temps d'arriver, je suis épuisé. Je cherche partout, dans les buissons, entre les rochers, la peur enflant en moi à mesure que je fourrage en vain. Mais pile au moment où j'essaie de me résigner au pire, j'aperçois un éclair blanc dans un amas de buissons en haut d'un petit talus. La photo est coincée dans un enchevêtrement de ronces. Je la libère et l'essuie, les yeux emplis de larmes de soulagement.

Vingt-trois… vingt-quatre… vingt-cinq…

À Caracas, je dors sous un pont. À Bruxelles, dans une auberge de jeunesse. Parfois, je me lâche et je m'accorde une chambre dans un bel hôtel où je prends de longs bains chauds, où je me rase et mange en robe de chambre. Je regarde la télévision en couleur. Les villes, les routes, la campagne, les personnes que je rencontre – tout commence à se mélanger. Je me dis que je suis en quête de quelque chose. Mais de plus en plus, j'ai le sentiment d'errer, d'attendre qu'un événement se produise, un événement qui changera tout et vers lequel ma vie tout entière aura tendu.

Trente-quatre… trente-cinq… trente-six…

Mon quatrième jour en Inde. Je longe un sentier au milieu de vaches errantes. Le monde tangue sous mes pieds. J'ai vomi toute la journée, j'ai la peau aussi jaune que peut l'être un sari et il me semble que des mains invisibles m'écorchent vif. Lorsque je n'arrive plus à marcher, je m'allonge sur le bas-côté. En face de moi, un vieillard remue le contenu d'une grosse casserole en fonte. À côté de lui se trouve une cage, et dans la cage un perroquet bleu et rouge. Un vendeur à la peau sombre passe devant moi en poussant une charrette de bouteilles vides. C'est la dernière chose dont je me souviens.

Quarante et un... quarante-deux...

Je me réveille dans une grande chambre à l'atmosphère lourde et étouffante, où flotte une odeur qui m'évoque un melon putréfié. Je suis couché dans un petit lit métallique, sur un matelas pas plus épais qu'un livre de poche et posé à même une simple plaque. La pièce est remplie de lits comme le mien. Je vois des bras émaciés pendre dans le vide, des jambes semblables à des allumettes noires dépasser des draps sales, des bouches ouvertes presque édentées. Des ventilateurs qui tournent paresseusement au plafond. Des murs parsemés de taches de moisissure. La fenêtre près de moi laisse entrer un air moite et brûlant, et le soleil me transperce les yeux. Gul, l'infirmier, un musulman au regard hostile bâti comme une armoire à glace, m'apprend que je risque de mourir d'une hépatite.

Cinquante-cinq... cinquante-six... cinquante-sept...

Je demande mon sac à dos. *Quel sac à dos ?* réplique Gul avec indifférence. Toutes mes affaires ont disparu – mes habits, mon argent, mes livres, mon appareil photo. *C'est tout ce que le voleur vous a laissé*, ajoute l'infirmier dans un anglais rocailleux. Et il me montre le rebord de la fenêtre près de moi. La photo. Je la saisis. Thalia, ses cheveux volant au vent, l'eau bouillonnante d'écume autour d'elle, ses pieds nus sur les rochers, la mer Égée étalée devant elle. Ma gorge se noue. Je ne veux pas mourir ici, parmi ces étrangers, si loin d'elle. Je coince la photo entre le verre et le cadre de la fenêtre.

Soixante-six... soixante-sept... soixante-huit...

Le garçon dans le lit voisin du mien a les traits aussi hagards, creusés et marqués que ceux d'un vieillard. Le bas de son ventre est déformé par une tumeur de la taille d'une boule de bowling. Chaque fois qu'un infirmier le touche à cet endroit, il ferme les yeux et sa bouche s'ouvre brusquement sur une plainte muette et déchirante. Ce matin, l'un des soignants – pas Gul – veut lui faire prendre ses cachets, mais il roule la tête d'un côté et de l'autre tandis que sa gorge fait entendre un bruit semblable à celui d'un objet raclé sur du bois. Enfin, l'homme parvient à lui desserrer les mâchoires et à glisser les médicaments de force entre ses dents. Après son départ, le garçon se tourne lentement vers moi. Nos regards se croisent dans l'espace qui sépare nos lits. Une petite larme coule sur sa joue.

Soixante-quinze... soixante-seize... soixante-dix-sept...

La souffrance, le désespoir de ce lieu, c'est comme une vague qui part de chaque lit, se brise contre les murs moisis et revient vers vous. On pourrait s'y noyer. Je dors beaucoup. Quand je ne le fais pas, je suis pris de démangeaisons. J'avale les cachets qu'on me donne et qui me font encore dormir. Le reste du temps, je contemple la rue animée au-dehors, la lumière du soleil qui rebondit sur les tentes du bazar et les salons de thé miteux. Je regarde les gamins jouer aux billes sur des trottoirs qui se fondent dans des caniveaux boueux, les vieilles femmes assises sur le pas des portes, les vendeurs ambulants en *dhotis*[1] accroupis sur leurs tapis, qui râpent des noix de coco et vantent leurs guirlandes d'œillets d'Inde. Quelqu'un pousse un cri perçant à l'autre bout de la salle. Je m'assoupis.

Quatre-vingt-trois… quatre-vingt-quatre… quatre-vingt-cinq…

J'apprends que le garçon s'appelle Manaar, « le Guide de lumière ». Sa mère était une prostituée, son père un voleur. Il vivait avec sa tante et son oncle, qui le battaient. Personne ne sait au juste ce qui le tue – c'est un fait, voilà tout. Personne ne lui rend visite non plus, et lorsqu'il mourra, d'ici une semaine, un mois, deux tout au plus, personne ne viendra réclamer son corps. Personne ne le pleurera. Personne ne se souviendra de lui. Il mourra là où il a vécu, dans son coin, invisible. Quand il dort, je me surprends à observer ses tempes creusées, sa tête trop grosse pour ses épaules, la cicatrice pigmentée sur sa lèvre inférieure – le maquereau de sa mère écrasait là ses cigarettes, m'a dit Gul. J'essaie de lui parler en anglais, puis avec les quelques mots d'ourdou que je connais, mais il se contente de cligner des yeux avec lassitude. Parfois, je joins les mains et je fais des animaux en ombres chinoises sur le mur afin de lui arracher un sourire.

Quatre-vingt-sept… quatre-vingt-huit… quatre-vingt-neuf…

Un jour, Manaar me montre quelque chose vers ma fenêtre. Je suis la direction de son doigt, lève la tête, mais je ne vois rien qu'un petit bout de ciel bleu à travers les nuages, des enfants en contrebas qui jouent avec l'eau jaillissant d'une fontaine, un bus crachant des

---

1. *Dhoti* : pantalon traditionnel indien.

gaz d'échappement. Puis je comprends qu'il me désigne en réalité la photo de Thalia. Je la lui tends. Il l'approche de son visage en la tenant par le coin brûlé et la fixe un long moment. Je me demande si c'est l'océan qui l'attire. Je me demande s'il a jamais goûté son eau salée ou s'il a déjà eu le vertige en regardant la marée reculer entre ses pieds. Ou peut-être, bien qu'il ne puisse pas voir son visage, s'il sent un lien entre Thalia et lui – Thalia qui sait ce qu'est la douleur, elle. Il veut me rendre la photo, mais je refuse. *Accroche-toi à elle*, dis-je. La méfiance se lit dans ses yeux. Je souris. Et, même si je ne peux pas en être sûr, je crois bien qu'il me sourit aussi.

Quatre-vingt-douze... quatre-vingt-treize... quatre-vingt-quatorze...

Je survis à mon hépatite. C'est étrange, je n'arrive pas à déterminer si Gul est content ou déçu que je lui aie donné tort. Mais je sais en revanche que je le surprends en lui proposant de rester en tant que bénévole. Il incline la tête, fronce les sourcils. Pour finir, il faut que je m'adresse à l'un des infirmiers en chef.

Quatre-vingt-dix-sept... quatre-vingt-dix-huit... quatre-vingt-dix-neuf...

La salle de douche empeste l'urine et le soufre. Tous les matins, j'y emmène Manaar, que je porte tout nu dans mes bras en veillant à ne pas le bousculer – j'ai vu un jour l'un des bénévoles le porter par-dessus son épaule comme un vulgaire sac de riz. Doucement, je l'installe sur le banc et j'attends qu'il reprenne son souffle avant de rincer son petit corps frêle à l'eau chaude. Manaar reste toujours patiemment assis sans rien dire, les paumes sur ses genoux, la tête baissée, tel un vieillard squelettique et apeuré. Je passe une éponge savonneuse sur sa cage thoracique, les bosses de sa colonne vertébrale, ses omoplates aussi saillantes que des ailerons de requin. Après quoi je le ramène dans son lit et lui donne ses médicaments. Parce que cela l'apaise, je lui fais des massages des pieds et des mollets, sans me presser. Et quand il dort, c'est toujours avec la photo de Thalia à moitié fourrée sous son oreiller.

Cent un... cent deux...

J'effectue de longues promenades désœuvrées, ne serait-ce que pour m'éloigner de l'hôpital et de la respiration collective des malades et des mourants. Sous des couchers de soleil poussiéreux, dans des rues bordées de murs tagués et d'échoppes en tôle accolées les unes aux autres, je croise des petites filles portant sur leur tête des paniers remplis de bouses de vache et des femmes noires de suie occupées à faire bouillir des haillons dans d'énormes cuves en aluminium. Je pense beaucoup à Manaar, tandis que je déambule dans les méandres de ces allées. Manaar qui attend de mourir dans une salle pleine de corps aussi cassés que le sien. Et je pense aussi beaucoup à Thalia assise sur son rocher, les yeux tournés vers la mer. Je sens quelque chose au fond de moi qui m'attire, qui m'aspire avec la force d'un courant de retour. Je veux m'y abandonner, me laisser emporter. Je veux perdre mes repères, quitter ce que je suis, me dépouiller de tout, comme un serpent qui se débarrasse de sa mue.

Je ne dis pas que Manaar a tout changé, non. J'ai continué à errer de par le monde pendant encore un an avant de me retrouver enfin assis dans une bibliothèque d'Athènes, face à un formulaire d'inscription en fac de médecine. Entre Manaar et ça, il y a eu les deux semaines que j'ai passées à Damas et dont j'ai presque tout oublié, hormis les visages souriants de deux femmes aux yeux lourdement maquillés et dotées chacune d'une dent en or. Et mes trois mois au Caire, dans le sous-sol d'un vieil immeuble décrépit tenu par un propriétaire camé. J'ai dépensé l'argent de Thalia pour voyager en bus en Islande et suivre une bande de punks à Munich. En 1977, je me suis cassé un coude lors d'une manifestation anti-nucléaire à Bilbao.

Mais dans mes moments de calme, durant ces longs trajets effectués à l'arrière d'un bus ou d'un pick-up, mon esprit me ramenait toujours à Manaar. Me souvenir de lui, de la détresse de ses derniers jours et de ma propre impuissance rendait tout ce que j'avais accompli, tout ce que je souhaitais accomplir aussi inconsistant que les petites promesses que l'on se fait juste avant de s'endormir – celles que l'on a déjà oubliées au réveil.

Cent dix-neuf... cent-vingt.
Je lâche l'obturateur.

Un soir, à la fin de cet été-là, j'ai appris que Madaline allait repartir à Athènes en nous laissant Thalia, du moins pour une courte période.

— Juste quelques semaines, a-t-elle dit.

Nous étions en train de dîner tous les quatre d'une soupe aux haricots blancs que Mamá et elle avaient préparée ensemble. J'ai jeté un coup d'œil à Thalia par-dessus la table pour voir si j'étais le seul à ne pas être encore au courant de la nouvelle. Il semblait que oui. Thalia avalait calmement sa soupe en soulevant très légèrement son masque à chacun des trajets de sa cuillère vers sa bouche. Avec le temps, son élocution et sa façon de s'alimenter avaient cessé de me déranger, ou disons qu'elles ne me dérangeaient pas plus que la vue d'une personne âgée mangeant avec un dentier mal ajusté, comme le ferait Mamá des années plus tard.

Madaline a expliqué qu'elle enverrait chercher Thalia dès qu'elle aurait fini de tourner son film, c'est-à-dire bien avant Noël, selon elle.

— Je vous ferai même tous venir à Athènes, a-t-elle déclaré, le visage illuminé par sa gaieté habituelle. Et on ira ensemble à la première. Ce ne serait pas merveilleux, ça, Markos ? Tu nous imagines tous les quatre en tenue de soirée, entrant dans un cinéma avec classe et d'un pas dansant ?

J'ai répondu que oui, même si j'avais du mal à me représenter Mamá vêtue d'une belle robe de soirée ou entrer n'importe où d'un pas dansant.

Madaline a affirmé ensuite que tout se combinerait parfaitement. Thalia pourrait se remettre à étudier deux semaines plus tard, quand l'école reprendrait – à la maison, bien sûr, et avec Mamá. Quant à elle, elle nous enverrait des cartes postales, des lettres et des photos du tournage. Elle a ajouté d'autres choses encore, mais je n'ai presque rien entendu. J'étais si soulagé que j'en chavirais presque. La peur que suscitait en moi la fin prochaine de l'été était comme un nœud dans mon ventre qui se resserrait chaque jour à mesure que je me préparais à nos futurs adieux. Car je me réveillais désormais le matin en étant impatient de retrouver Thalia à la table du petit déjeuner et d'entendre le son bizarre de sa voix. À peine avions-nous fini de manger que nous courions dehors grimper aux arbres ou nous pourchasser à travers les champs d'orge, fendant les épis et poussant des cris de guerre tandis que des lézards détalaient à nos pieds. On entreposait de prétendus trésors dans des grottes, on repérait les coins sur l'île où l'écho était le plus fort et le plus net. On prenait des photos des moulins et des pigeonniers avec notre appareil et on les faisait développer chez M. Roussos. Celui-ci nous a même laissés utiliser sa chambre noire, après nous avoir montré comment utiliser les différents révélateurs, les fixateurs et les bains d'arrêt.

Le soir où Madaline a officialisé la nouvelle, Mamá et elle ont bu une bouteille de vin dans la cuisine – enfin, surtout Madaline – pendant que Thalia et moi jouions au *tavli* à l'étage. Thalia dominait la partie et avait déjà amené la moitié de ses pions sur son plateau intérieur.

— Elle a un amant, a-t-elle dit en faisant rouler les dés.

J'ai sursauté.

— Qui ?

— « Qui » ? À ton avis ?

J'avais appris au cours de l'été à lire dans ses yeux, et elle me fixait à cet instant comme si je lui avais demandé où était la mer alors que j'étais sur la plage. J'ai tenté de vite me ressaisir.

— Je sais qui, ai-je prétendu, les joues cramoisies. Enfin, je sais qui est le… tu vois, quoi…

J'étais un garçon de douze ans. Des mots tels qu'« amant » ne faisaient pas partie de mon vocabulaire.

— Tu ne devines pas ? Le réalisateur.

— C'est ce que j'allais dire.

— Élias. C'est un personnage, celui-là. Il plaque ses cheveux sur son crâne, à la mode des années 1920. Il a une petite moustache aussi. Il doit se trouver un air canaille avec, mais c'est juste ridicule. Bien sûr, il se prend pour un grand artiste, et maman lui donne entièrement raison. Tu devrais la voir quand elle est avec lui, toute timide et soumise, comme si son génie justifiait qu'elle se prosterne à ses pieds et qu'elle le bichonne. Je ne comprends pas comment elle fait pour ne pas voir clair en lui.

— Elle va l'épouser ?

Thalia a haussé les épaules.

— Elle a très mauvais goût en ce qui concerne les hommes. Elle choisit les pires.

Puis elle a secoué les dés dans ses mains en semblant réfléchir.

— À part Andreas, je suppose. Lui, il est sympa. À peu près. Mais bien sûr, elle va le quitter. Elle ne tombe amoureuse que des salauds.

— Tu penses à ton père ?

— Mon père était un étranger qu'elle a rencontré en allant à Amsterdam, a-t-elle répondu, le front plissé. Sur un quai de gare pendant une grosse averse. Ils ont passé l'après-midi ensemble. Je ne sais pas du tout qui il est. Et elle non plus.

— Oh. Je me souviens qu'elle a fait une remarque un jour au sujet de son premier mari. Un alcoolique, apparemment. Je supposais que…

— Ça, c'était Dorian. Un personnage, lui aussi, a déclaré Thalia en amenant un autre de ses pions sur son plateau intérieur. Il la battait. Il pouvait se montrer gentil et charmant, et l'instant d'après entrer dans une colère noire. Ça changeait en un éclair. Un peu comme le temps, tu vois. C'était pareil. Il buvait presque toute la journée et ne faisait pas grand-chose à part traîner à la maison. Sauf qu'il ne pensait plus à rien quand il buvait. Il laissait couler l'eau, par exemple, et inondait toutes les pièces. Je me rappelle la fois où il a oublié d'éteindre la cuisinière. Il a failli tout faire cramer chez nous.

Pendant un moment, Thalia s'est employée tranquillement à ériger une petite tour bien droite avec ses pions.

— Le seul être que Dorian aimait vraiment, c'était Apollo, a-t-elle continué. Tous les gamins du quartier avaient peur de lui – d'Apollo, hein. Pourtant, ils n'étaient pas nombreux à l'avoir vu. Ils avaient juste entendu ses aboiements, et ça leur suffisait. Dorian le gardait enchaîné à l'arrière du jardin et le nourrissait avec des gros bouts d'agneau.

Thalia ne m'en a pas dit plus, mais je me représentais assez bien la scène. Dorian, ivre mort, oubliant son chien qu'il avait détaché et qui courait librement dans le jardin. Une porte-moustiquaire ouverte.

— Tu avais quel âge ? ai-je murmuré.

— Cinq ans.

Puis j'ai posé la question qui me trottait dans la tête depuis le début de l'été.

— Il n'y pas quelque chose… enfin, on ne peut rien faire pour…

Thalia a détourné le regard.

— S'il te plaît, ne parlons pas de ça, a-t-elle dit d'une voix pesante derrière laquelle j'ai senti une profonde douleur. Ça me fatigue.

— Désolé.

— Un jour, je t'expliquerai.

Et elle l'a fait, plus tard. L'opération ratée, l'infection postopératoire catastrophique, la septicémie qui avait bloqué ses reins, débouché sur une insuffisance hépatique et détruit les tissus utilisés pour la reconstruction. Les chirurgiens obligés de tailler non seulement ces derniers, mais aussi un nouveau bout de sa joue gauche et une partie de sa mâchoire. En raison de toutes ces complications, elle était restée près de trois mois à l'hôpital. Elle avait failli mourir. Elle aurait dû le faire, même. Après ça, elle avait refusé de se laisser réopérer.

— Thalia, je suis désolé aussi pour ce qui s'est passé quand on s'est rencontrés.

Elle a levé les yeux vers moi. Leur vieille lueur espiègle était de retour.

— Tu peux. Mais je savais avant même que tu renverses tout par terre.

— Tu savais quoi ?

— Que tu étais un trouduc.

Madaline est partie deux jours avant la rentrée des classes. Elle portait une robe jaune pâle sans manches qui moulait sa fine silhouette, des lunettes de soleil aux montures en écaille et un foulard en soie blanc fermement noué autour de la tête afin de maintenir ses cheveux en place. En fait, elle était habillée comme si elle craignait que des morceaux d'elle ne se détachent. Comme si elle cherchait littéralement à rester entière. Sur le port de Tinos, elle nous a tous serrés dans ses bras. C'est Thalia qu'elle a étreinte avec le plus de force, et le plus longtemps, en pressant ses lèvres sur le sommet de sa tête en un long baiser ininterrompu. Elle n'a pas ôté ses lunettes.

— Serre-moi, toi aussi, l'ai-je entendue murmurer.

Thalia a obéi avec raideur.

Quand le ferry a quitté le quai dans un grognement retentissant, laissant derrière lui une traînée d'eau bouillonnante, j'ai pensé que Madaline irait se poster sur la poupe pour nous faire signe et nous envoyer des baisers. Mais elle s'est dépêchée d'aller s'installer à l'avant du bateau sans nous accorder un seul regard.

En rentrant à la maison, Mamá nous a ordonné de nous asseoir.

— Thalia, a-t-elle dit, debout devant nous. Je veux que tu le saches, tu n'es plus obligée de porter ce truc ici. Pas si tu le fais pour moi. Et pas non plus pour lui. Ne continue que si tu en as envie. Je n'ai rien d'autre à ajouter.

À cet instant, j'ai compris brusquement ce que Mamá avait déjà vu. Le masque servait à ménager Madaline. Il était là pour lui éviter à *elle* d'éprouver de la honte et de l'embarras.

Un long moment s'est écoulé durant lequel Thalia est demeurée silencieuse, sans bouger. Puis, lentement, ses mains se sont levées, elle a détaché les élastiques à l'arrière de sa tête et baissé son masque. Je l'ai fixée bien en face. D'instinct, j'ai eu envie de ciller, comme devant un gros bruit soudain. Mais je ne l'ai pas fait. J'ai continué à la regarder en mettant un point d'honneur à ne pas cligner des yeux.

Mamá a dit qu'elle me ferait cours à la maison à moi aussi jusqu'au retour de Madaline afin que Thalia ne reste pas toute seule la journée. Elle s'occuperait de nous le soir, après le dîner, et nous donnerait des devoirs à faire le lendemain matin pendant qu'elle serait à l'école. Cela paraissait jouable, du moins en théorie.

Mais apprendre nos leçons, surtout quand elle n'était pas là, s'est révélé quasiment impossible. La nouvelle de la défiguration de Thalia s'était répandue dans toute l'île et les gens ne cessaient de venir frapper à notre porte, poussés là par la curiosité. On aurait pu croire que Tinos était brusquement tombé à court de farine, d'ail, et même de sel, et que notre maison était le seul endroit où l'on pouvait en trouver.

Nos visiteurs faisaient à peine l'effort de dissimuler le véritable but de leur venue. Depuis le seuil, leurs yeux se posaient toujours sur un point au-dessus de mon épaule. Ils tendaient le cou, se dressaient sur la pointe des pieds. La plupart n'étaient même pas des voisins. Ils avaient parcouru des kilomètres à pied pour une tasse de sucre. Bien sûr, je ne les laissais jamais entrer et j'éprouvais une certaine satisfaction à leur claquer la porte au nez. Mais j'étais aussi triste et abattu, conscient que si je restais là, ma vie serait trop profondément influencée par ces gens. Moi aussi, je finirais par devenir comme eux.

Les gamins étaient pires, et beaucoup plus culottés. Chaque jour, j'en surprenais un qui rôdait dehors ou qui escaladait notre mur. On travaillait, Thalia et moi, quand elle me tapotait l'épaule avec son crayon en pointant quelque chose du menton. Je me retournais et découvrais un visage, parfois plusieurs, collés contre la fenêtre. La situation est devenue telle que nous avons dû nous réfugier à l'étage et tirer tous les rideaux. Un jour, j'ai ouvert la porte à un garçon de mon école, Petros, et trois de ses amis. Il m'a proposé une poignée de pièces de monnaie pour avoir le droit de jeter un coup d'œil à Thalia. J'ai répondu non, et où se croyait-il ? Au cirque ?

Pour finir, j'ai dû mettre Mamá au courant. Une rougeur prononcée a envahi son visage et elle a serré les dents.

Le lendemain matin, nos manuels et nos deux sandwichs nous attendaient sur la table. Thalia a compris avant moi et s'est aussitôt raidie. Ses protestations ont commencé au moment de quitter la maison.

— Tante Odie, non.

— Donne-moi la main.

— Non, s'il vous plaît.

— Donne-la-moi.

— Je ne veux pas y aller.

— On va être en retard.

— Ne m'obligez pas à faire ça, tante Odie.

Mamá l'a forcée à se lever et s'est penchée vers elle en la fixant avec ce regard que je connaissais bien. Désormais, rien sur cette terre ne pourrait la faire reculer.

— Thalia, a-t-elle dit d'une voix à la fois douce et ferme. Je n'ai pas honte de toi.

Nous sommes partis tous les trois. Les lèvres pincées, Mamá avançait résolument, comme face à un vent violent, en effectuant des petits pas rapides. Je l'ai imaginée se rendant avec le même air déterminé chez le père de Madaline, toutes ces années plus tôt, un fusil à la main.

Les gens ont ouvert de grands yeux et poussé des cris d'exclamation lorsque nous sommes vivement passés devant eux sur les sentiers sinueux. Ils se sont arrêtés pour nous dévisager. Certains ont tendu un doigt vers nous. J'ai essayé de les ignorer. Leur teint livide et leur bouche bée se fondaient à la périphérie de mon champ de vision.

Dans la cour de l'école, les enfants se sont écartés sur notre chemin. Une fille a crié. Mamá a foncé comme une boule à travers des quilles en tirant presque Thalia derrière elle et en jouant des coudes jusqu'à un banc dans un coin de la cour. Elle est montée dessus, a aidé Thalia à faire de même, puis a soufflé trois fois dans son sifflet. Le silence est retombé.

— Je vous présente Thalia Gianakos, a-t-elle crié. À partir d'aujourd'hui...

Elle a marqué une pause avant de poursuivre :

— Celui ou celle qui chouine a intérêt à se taire, ou je lui donnerai une bonne raison de pleurer. Bien. À partir d'aujourd'hui, Thalia fréquentera cette école. J'attends de vous que vous la traitiez tous correctement, en faisant preuve de bonnes manières. Si jamais j'apprends qu'on se moque d'elle, je trouverai les coupables et ils le regretteront. Vous me connaissez, ce ne sont pas des paroles en l'air. C'est tout ce que j'avais à dire.

Elle est descendue du banc et, sans lâcher Thalia, elle s'est dirigée vers la salle de classe.

Après ça, Thalia n'a plus jamais porté son masque, que ce soit en public ou à la maison.

Deux ou trois semaines avant Noël, nous avons reçu une lettre de Madaline. Le tournage avait pris un retard imprévu. Tout d'abord, le directeur de la photographie – Madaline avait écrit le DP, et Thalia avait dû nous expliquer ce que cela signifiait – était tombé d'un échafaudage et s'était fait une triple fracture du bras. Puis c'était la météo qui avait compliqué la réalisation des scènes d'extérieur.

Nous sommes donc plus ou moins dans un « schéma d'attente », comme ils disent. Du coup, on a le temps de régler quelques petits problèmes posés par le scénario. Ce ne serait pas vraiment une catastrophe en soi si cela ne nous empêchait pas de nous réunir aussi vite que je l'avais espéré. Je suis effondrée, mes chéris. Vous me manquez tous tellement, surtout toi, Thalia, mon amour. Je ne peux que compter les jours jusqu'au printemps, quand ce tournage sera bouclé et que nous pourrons de nouveau être ensemble. Je vous porte tous les trois dans mon cœur à chaque instant que Dieu fait.

— Elle ne reviendra pas, a déclaré Thalia en rendant la lettre à Mamá.

— Bien sûr que si ! me suis-je exclamé, abasourdi.

Je me suis tourné vers Mamá en attendant qu'elle dise quelque chose, au moins un mot d'encouragement. Mais elle a replié et posé la lettre sur la table avant d'aller tranquillement faire bouillir de l'eau pour le café. Je me souviens que je l'ai jugée bien insensible. Même si elle aussi estimait que Madaline ne reviendrait pas, elle aurait dû réconforter Thalia. Mais je ne savais pas – pas encore – qu'elles se comprenaient déjà toutes les deux, peut-être mieux que je ne comprenais chacune d'elles. Mamá respectait trop Thalia pour la dorloter. Elle ne l'insulterait pas en lui prodiguant de fausses assurances.

Le printemps est arrivé, dans toute sa gloire verdoyante. Puis il est passé. Nous avons reçu une carte postale de Madaline ainsi qu'une lettre qui semblait avoir été écrite à la va-vite, dans laquelle elle nous informait de nouveaux problèmes survenus lors du tournage. Cette fois, c'était les financiers qui menaçaient de se retirer du projet en raison de tous ces contretemps. Contrairement à son courrier précédent, elle ne fixait plus de date pour son retour.

Cet été-là – l'été 1968, donc –, par un après-midi brûlant, Thalia et moi sommes allés à la plage avec une fille qui s'appelait Dori. Cela faisait un an que Thalia vivait avec nous et son visage avait cessé de lui valoir des murmures et des regards insistants. Certes, elle était encore, et serait toujours, un objet de curiosité, mais cela aussi s'atténuait. Elle avait désormais des amis à elle – parmi lesquels Dori – qui n'étaient plus effrayés par son apparence, des amis avec qui elle mangeait le midi, bavardait, jouait après l'école et faisait ses devoirs. Si improbable que cela puisse paraître, elle était presque devenue quelqu'un d'ordinaire, et je dois avouer que la manière dont les habitants de l'île l'ont acceptée comme l'une des leurs m'a inspiré une certaine admiration.

Cet après-midi-là, nous avions prévu d'aller nager tous les trois, mais l'eau était encore trop froide et nous avons fini par nous allonger sur les rochers, où nous nous sommes assoupis. En rentrant, Thalia et moi avons trouvé Mamá dans la cuisine, occupée à éplucher des carottes. Une nouvelle lettre non ouverte attendait sur la table.

— C'est de ton beau-père, a dit Mamá.

Thalia a ramassé l'enveloppe et est montée à l'étage. Un long moment s'est écoulé avant qu'elle redescende. Laissant tomber la lettre sur la table, elle s'est assise et a pris un couteau et une carotte.

— Il veut que je rentre à la maison.

— Je vois, a répondu Mamá, avec, il me semble, un léger tremblement dans la voix.

— Enfin, pas vraiment à la maison. Il dit qu'il a contacté une école privée en Angleterre. Je pourrais m'inscrire pour la rentrée de cet automne. Il est prêt à payer les frais.

— Et tante Madaline ? ai-je demandé.

— Elle est partie. Avec Élias. Ils se sont enfuis tous les deux.

— Et le film ?

Mamá et Thalia ont échangé un regard et levé toutes les deux les yeux vers moi. J'ai compris alors ce qu'elles savaient depuis le début.

Un matin de 2002, plus de trente ans après, au moment où je me prépare à quitter Athènes pour Kaboul, je tombe sur la notice nécrologique de Madaline dans le journal. Le nom de famille mentionné est

Kouris, mais je reconnais dans le visage de la vieille femme en photo un sourire éclatant qui m'est familier, et plus que des vestiges de sa beauté d'antan. Le petit paragraphe en dessous dit qu'elle eu une brève carrière d'actrice dans sa jeunesse et qu'elle a ensuite fondé sa propre compagnie théâtrale au début des années 1980. Plusieurs de ses productions ont été acclamées par la critique, notamment ses séries de représentations du *Long voyage du jour à la nuit*, d'Eugene O'Neill, au milieu des années 1990, de *La Mouette*, de Tchekhov, et d'*Arravoniasmata*, de Dimitrios Mpogris. Le texte ajoute qu'elle était célèbre dans la communauté artistique d'Athènes en raison de ses œuvres de bienfaisance, de son esprit, de son élégance, de ses soirées somptueuses et de sa volonté de parier sur des dramaturges méconnus. Il précise qu'elle est morte après une longue bataille contre un emphysème, mais ne mentionne aucun conjoint ou enfant lui ayant survécu. Je suis encore plus stupéfait d'apprendre que cela faisait plus de vingt ans qu'elle vivait à Athènes, dans une maison située à quelques rues seulement de mon propre logement dans le quartier de Kolonaki.

Je repose le journal, étonné d'éprouver une pointe d'énervement envers cette femme morte que je n'ai pas vue depuis plus de trente ans. Une envie de protester contre ce récit sur la tournure qu'a prise sa vie. Je lui ai toujours imaginé un destin tumultueux, erratique, des années difficiles faites d'épreuves, d'à-coups, de chutes, de regrets et de relations amoureuses malavisées et désespérées. Je pensais qu'elle s'était détruite, vraisemblablement en sombrant dans l'alcoolisme, et qu'elle avait connu une de ces fins prématurées que les gens qualifient de *tragiques*. Une partie de moi avait même envisagé qu'elle l'ait anticipé et qu'elle ait emmené Thalia à Tinos pour la préserver, pour la sauver des désastres qu'elle se savait incapable de lui épargner. Mais maintenant, je me représente Madaline de la même façon que Mamá a toujours dû le faire : comme une cartographe qui un beau matin s'est assise afin de dessiner calmement les frontières de son avenir et qui en a proprement expulsé le fardeau qu'était sa fille. À cet égard, sa réussite s'avérait spectaculaire, du moins à en croire cette nécrologie et son compte-rendu succinct d'une vie policée, une vie bien remplie, pleine de grâce et de respect.

Cela m'est insupportable. Ce succès, cette façon qu'elle a de s'en tirer à si bon compte. C'est ridicule. Où est le prix à payer, où est le juste et terrible châtiment ?

Et pourtant, au moment de refermer le journal, un doute commence à me ronger. Le vague sentiment que j'ai jugé Madaline trop durement, que nous n'étions même pas si différents, elle et moi. N'avonsnous pas tous les deux aspiré à nous échapper, à nous réinventer, à nous forger de nouvelles identités ? Chacun de nous n'a-t-il pas, au bout du compte, largué les amarres en tranchant ces liens qui le retenaient à quai ? Puis je ris à cette idée et me dis que non, nous ne sommes pas du tout pareils – même si, je le pressens, ma colère envers elle masque peut-être simplement ma jalousie devant sa réussite en tout point supérieure à la mienne.

Je jette le journal. Si Thalia doit apprendre la nouvelle, ce ne sera pas par moi.

Mamá a poussé les épluchures de carotte vers le bord de la table avec son couteau et les a fait tomber dans un bol. Elle détestait voir les gens gaspiller la nourriture. Elle ferait un pot de confiture avec ces copeaux.

— Ma foi, tu es face à une grande décision, Thalia.

Celle-ci m'a surpris en se tournant vers moi.

— Qu'est-ce que tu ferais, toi, Markos ?

— Oh, ça, je le sais, s'est vivement interposée Mamá.

— Je partirais, ai-je répondu à Thalia, mais en regardant ma mère et en savourant le plaisir de jouer le rebelle pour lequel elle me prenait.

Bien sûr, j'étais sérieux aussi. Je ne pouvais pas croire que Thalia hésite un seul instant. Moi, j'aurais sauté sur une telle occasion. Une école privée. À Londres, qui plus est.

— Tu devrais y réfléchir, a dit Mamá.

— C'est déjà fait, a avoué Thalia avec hésitation.

Puis, encore plus timide, elle a levé les yeux vers Mamá.

— Mais je ne veux pas trop présumer.

Mamá a reposé son couteau et je l'ai entendue pousser un bref soupir. L'avait-elle retenu ? Si tel était le cas, sa mine stoïque ne trahissait aucun soulagement.

— La réponse est oui. Bien sûr que oui.

Thalia s'est penchée par-dessus la table pour lui effleurer le poignet.

— Merci, tante Odie.

— Je ne le dirai qu'une fois : je pense que c'est une erreur, ai-je lancé. Vous commettez toutes les deux une erreur.

Elles se sont tournées vers moi.

— Tu veux que je m'en aille, Markos ? a demandé Thalia.

— Oui. Tu me manquerais beaucoup et tu le sais bien. Mais tu ne peux pas laisser filer la chance

d'étudier dans une école privée. Tu aurais la possibilité d'aller à l'université, après, de devenir chercheuse,
scientifique, professeur, inventeur. Ce n'est pas ça
que tu veux ? Tu es la personne la plus intelligente
que je connaisse. Tu pourrais faire tout ce dont tu as
envie...

Je me suis tu.

— Non, Markos, a dit Thalia avec tristesse. Non, je
ne pourrais pas.

Ces mots sans appel sont tombés comme un coupe-
ret, excluant toute protestation.

Bien des années plus tard, lorsque a débuté ma formation de chirurgien esthétique, j'ai compris une chose
qui m'échappait encore au moment où j'essayais de
convaincre Thalia de partir. J'ai appris que le monde
ne voit pas ce qu'il y a en vous, qu'il se moque
complètement des espoirs, des rêves, des chagrins qui
reposent cachés sous votre peau et vos os. C'est aussi
simple, aussi absurde et aussi cruel que ça. Mes patients
le savaient, eux. Ils constataient qu'une grande partie
de ce qu'ils étaient, de ce qu'ils seraient ou de ce qu'ils
pourraient être dépendait de la symétrie de leur ossature, de l'espace entre leurs yeux, de la longueur de
leur menton, de leur nez, du fait qu'ils aient ou non un
angle naso-frontal idéal ou pas.

La beauté est un don du ciel énorme, immérité,
accordé de manière aléatoire et stupide.

J'ai donc choisi ma spécialité pour redresser la
balance en faveur de gens comme Thalia, pour rectifier
à chaque coup de scalpel une justice arbitraire, pour
opposer une petite résistance à un ordre mondial que je
trouvais disgracieux, un ordre dans lequel une morsure
de chien pouvait priver une petite fille de son avenir,
faire d'elle un paria, un objet de mépris.

Enfin, c'est ce dont je me persuade. Mais j'imagine que d'autres considérations sont entrées en ligne de compte. L'argent, par exemple, le prestige, le statut social. Dire que j'ai choisi la chirurgie esthétique uniquement à cause de Thalia reviendrait à présenter une vision simpliste – quoique charmante – des choses, une vision un peu trop ordonnée et équilibrée. Si j'ai appris quoi que ce soit à Kaboul, c'est que les comportements humains sont complexes, et imprévisibles, et indifférents aux parallèles trop commodes. Mais je puise du réconfort dans cette idée d'un schéma, d'un récit de ma vie qui prendrait forme comme une photo dans une chambre noire, d'une histoire qui émergerait lentement et affirmerait le bien que j'ai toujours voulu voir en moi. Cette histoire, elle me porte.

J'ai passé la moitié de ma carrière à Athènes, à effacer des rides, remonter des sourcils, tirer des joues, remodeler des nez mal fichus. Et j'ai passé l'autre moitié à faire ce que je voulais vraiment, c'est-à-dire parcourir le monde – l'Amérique centrale, l'Afrique subsaharienne, l'Asie du Sud et le Moyen-Orient – pour opérer des enfants, réparer des becs-de-lièvre et des palais fendus, ôter des tumeurs faciales, effacer des blessures au visage. Mon travail à Athènes n'était pas aussi gratifiant, loin de là, mais je gagnais bien ma vie et cela me donnait le luxe de prendre des semaines ou des mois d'affilée pour faire du bénévolat.

Puis, début 2002, j'ai reçu un coup de fil dans mon cabinet d'une femme que je connaissais. Amra Ademovic, une infirmière bosniaque. Nous nous étions rencontrés lors d'une conférence à Londres quelques années plus tôt et nous avions eu une aventure agréable le temps d'un week-end. Bien qu'elle ait été sans lendemain, nous étions restés en contact et nous nous étions revus à l'occasion en société. Elle m'a dit qu'elle était employée par une organisation humanitaire à Kaboul qui recherchait un chirurgien esthétique pour opérer des enfants affligés de becs-de-lièvre, défigurés par des éclats d'obus et des balles – ce genre de chose. J'ai tout de suite accepté. Je comptais séjourner trois mois là-bas. Je suis parti à la fin du printemps 2002. Je ne suis jamais revenu.

Thalia vient me chercher au débarcadère. Elle porte une écharpe en laine verte et un épais manteau rose terne sur un gilet et un jean. Ses cheveux, longs à présent, et séparés par une raie au milieu, tombent lâchement sur ses épaules. Ils sont tout blancs, et c'est ce détail – pas le bas mutilé de son visage – qui me choque et me prend au dépourvu quand je la vois. Non pas que ce soit une surprise. Thalia a commencé à grisonner vers trente-cinq ans et avait une tête blanche comme neige avant ses cinquante ans. Je sais que j'ai changé, moi aussi. Ma bedaine s'obstine à s'arrondir, mon front se dégarnit avec autant d'entêtement, mais le déclin que l'on observe chez soi est progressif, aussi quasiment imperceptible qu'insidieux. À l'inverse, les cheveux blancs de Thalia sont pour moi une preuve saisissante de sa marche régulière et inexorable vers la vieillesse – et, par conséquent, de la mienne.

— Tu vas avoir froid, dit-elle en resserrant son écharpe autour de son cou.

Nous sommes en janvier, en fin de matinée, et le ciel est couvert. Un vent froid entrechoque les feuilles ratatinées dans les arbres.

— Si tu veux du froid, viens à Kaboul, dis-je en soulevant ma valise.

— Qu'est-ce que tu préfères, docteur ? Le bus ou la marche ? C'est toi qui décides.

— Marchons.

Nous prenons la direction du nord et traversons la ville de Tinos. Sous nos yeux se succèdent les voiliers et les yachts amarrés dans le port intérieur, les kiosques vendant des cartes postales et des T-shirts, les gens qui sirotent leur café, lisent le journal ou jouent aux échecs autour de petites tables rondes devant les tavernes, les serveurs disposant des couverts en argent pour le dîner. Encore une heure ou deux et l'odeur du poisson en train de cuire s'échappera des cuisines.

Thalia évoque avec énergie le nouvel ensemble de pavillons blanchis à la chaux que des promoteurs immobiliers font construire au sud de la ville de Tinos, avec vue sur Mykonos et la mer Égée. Ils seront occupés essentiellement par des touristes ou de riches résidents estivaux qui viennent là depuis les années 1990. D'après Thalia, ces maisons seront dotées d'une piscine extérieure et d'une salle de fitness.

Elle m'écrit par mail depuis des années et tient pour moi la chronique de ces changements qui refaçonnent notre île. Les hôtels du bord de mer, avec leurs antennes paraboliques et leur accès à internet, les boîtes de nuit, les bars et les tavernes, les restaurants et les boutiques pour les touristes, les taxis, les bus, la foule, les étrangères qui bronzent topless sur la plage. Les fermiers se déplacent dans des pick-up maintenant, et non plus à dos d'âne – du moins ceux qui sont restés. La plupart des autres sont partis il y a longtemps, même si quelques-uns reviennent maintenant passer leur retraite sur l'île.

— Odie n'est pas du tout ravie, m'informe Thalia en faisant allusion à toutes ces transformations.

Elle a déjà évoqué le sujet dans ses messages – la suspicion des anciens vis-à-vis des nouveaux venus et des bouleversements qu'ils induisent.

— Ça n'a pas l'air de te gêner, toi.

— Râler devant l'inévitable ne sert à rien. Odie me dit : « C'est normal que *toi*, tu aies cette réaction, Thalia. Tu n'es pas née ici. »

Elle éclate d'un rire sonore et chaleureux, avant de poursuivre :

— On pourrait penser qu'après quarante-quatre ans passés sur Tinos, j'aurais gagné le droit d'avoir voix au chapitre. Mais voilà le résultat.

Thalia aussi a changé. Même avec son manteau d'hiver, je note qu'elle s'est épaissie au niveau des hanches, qu'elle a pris des rondeurs – pas de douces, mais de solides rondeurs. Il émane d'elle une défiance cordiale maintenant, une façon moqueuse et narquoise de commenter mes faits et gestes, que je la soupçonne de trouver légèrement ridicules. L'éclat dans ses yeux, ce nouveau rire joyeux, la rougeur continue de ses joues – l'image globale qu'elle me renvoie est celle d'une femme de paysan. Une femme bien, dont la robuste gentillesse laisse deviner une autorité vivifiante et une dureté qu'il serait malvenu de mettre à l'épreuve.

— Comment vont les affaires ? Tu travailles toujours ?

— De temps en temps, répond-elle. Tu connais la situation économique du pays.

Nous secouons tous les deux la tête avec consternation. À Kaboul, j'ai suivi les informations sur les séries de mesures d'austérité. J'ai regardé les reportages de CNN montrant de jeunes Grecs masqués qui jetaient des pierres sur la police devant le Parlement, les forces anti-émeutes qui utilisaient des gaz lacrymogènes et jouaient de la matraque.

Thalia ne dirige pas une entreprise à proprement parler. Avant l'ère du numérique, elle était essentiellement une femme à tout faire. Elle se rendait chez les particuliers afin de souder des transistors dans leur télévision, de remplacer des condensateurs sur de vieilles radios à lampes. On l'appelait pour réparer les thermostats de réfrigérateurs défaillants, des tuyaux qui fuyaient. Les gens lui donnaient ce qu'ils pouvaient. Et s'ils n'avaient pas les moyens de la payer, elle effectuait quand même le boulot. *Je ne cours pas après cet argent*, me disait-elle. *Je fais ça par jeu. J'ai toujours ce petit frisson quand j'ouvre des objets et que je vois le mécanisme à l'intérieur.* Ces jours-ci, elle est en quelque sorte free-lance dans l'informatique. Tout ce qu'elle sait, elle l'a appris seule. Elle fait payer à ses clients des sommes symboliques pour diagnostiquer les pannes sur leurs PC, changer leurs paramètres IP, débloquer leurs applis, faire en sorte que leurs ordinateurs ne rament plus, lancer les mises à jour de ces derniers et les faire redémarrer lorsqu'ils s'y refusent. Il m'est arrivé plus d'une fois de lui téléphoner de Kaboul parce que j'avais désespérément besoin d'aide avec le mien.

En arrivant, nous nous attardons un instant dans la cour près du vieil olivier. Je découvre les traces de la récente frénésie de travaux de Mamá – les murs repeints, le pigeonnier à moitié achevé, un marteau et une boîte de clous ouverte sur une planche.

— Comment va-t-elle ?

— Oh, elle est toujours à prendre avec des pincettes. C'est pour ça que j'ai fait installer ce truc, dit Thalia en me montrant une parabole perchée sur le toit. On regarde des séries étrangères. Les arabes sont les meilleures, ou les pires, ce qui revient souvent au même. On essaie de comprendre l'intrigue. Ça l'occupe, et pendant ce temps-là, elle me laisse tranquille.

Elle franchit ensuite la porte d'un pas résolu.

— Bienvenue à la maison. Je vais te préparer quelque chose à manger.

C'est étrange d'être de retour ici. Je relève quelques nouveautés, comme le fauteuil en cuir gris dans le salon et la petite table basse en osier blanc près du téléviseur. Mais le reste est plus ou moins à sa place habituelle. La table de la cuisine, aujourd'hui recouverte d'une toile cirée représentant des aubergines et des poires en alternance. Les chaises en bambou au dos droit. La vieille lampe à huile dans son socle en osier. La cheminée festonnée et noire de fumée dans le salon avec la photo de Mamá et moi toujours accrochée dessus – elle dans sa belle robe, moi en chemise blanche. La vaisselle en porcelaine sur l'étagère supérieure.

Et pourtant, en posant ma valise, je perçois un trou béant au milieu de tout ça. Les dizaines d'années que ma mère a passées ici avec Thalia sont de vastes étendues noires pour moi. J'ai été absent. J'ai manqué tous les repas qu'elles ont partagés à cette table, les rires, les querelles, les plages d'ennui, les maladies et la longue série de rituels simples qui constituent une vie. Entrer dans la maison de mon enfance a quelque chose d'un peu désorientant – cela me donne l'impression de lire la fin d'un roman commencé, puis abandonné il y a long-temps.

— Tu veux des œufs ? demande Thalia en versant de l'huile dans une poêle, un tablier déjà noué autour de la taille.

Elle se déplace dans la cuisine avec assurance, comme si elle était propriétaire des lieux.

— Oui. Où est Mamá ?

— Elle dort. Elle a eu une nuit agitée.

— Je vais juste jeter un coup d'œil sur elle.

Thalia prend un fouet dans un tiroir.

— Si tu la réveilles, tu auras affaire à moi, docteur.

Je monte à l'étage sur la pointe des pieds. La chambre est plongée dans la pénombre. Un rai de lumière, long et étroit, filtre à travers les rideaux tirés, zébrant le lit de Mamá. La maladie sature l'air. On ne dirait pas vraiment une odeur, mais plutôt une sorte de pré-sence physique. Les médecins la connaissent bien. C'est comme une vapeur qui envahirait une pièce. Je reste un moment sur le seuil, le temps que ma vision s'adapte. L'obscurité est brisée par la lueur colorée et mouvante d'un rectangle sur la table de nuit située du côté du lit où doit dormir Thalia – le mien autrefois. Je recon-nais un cadre photo numérique. Une rizière et des mai-sons en bois aux toits couverts de tuiles grises cèdent la place à un bazar bondé où des chèvres écorchées pen-dent à des crochets, puis à un homme à la peau sombre qui se lave les dents avec son doigt, accroupi au bord d'une rivière boueuse.

Je prends une chaise et m'assois près de Mamá. Maintenant que mes yeux se sont habitués à la pénombre, je sens quelque chose changer en moi à sa vue. Je suis surpris de découvrir combien elle est devenue chétive. Déjà. Son pyjama fleuri semble flotter sur ses petites épaules et sa poitrine aplatie. Je n'aime pas la manière dont elle dort, la bouche ouverte et les commissures affaissées, comme si elle faisait un mauvais rêve. Je n'aime pas m'apercevoir que son dentier a bougé dans son sommeil. Ses paupières tressautent légèrement. *Mais à quoi t'attendais-tu ?* me dis-je, assis là sans bouger. Et tout en écoutant le tic-tac de l'horloge murale et le bruit de la spatule de Thalia contre la poêle au rez-de-chaussée, je dresse l'inventaire des détails banals qui composent la vie de Mamá dans cette pièce. L'écran plat accroché au mur. L'ordinateur dans un coin. Le jeu inachevé de sudoku sur la table de nuit, des lunettes de lecture posées dessus pour marquer la page. La télécommande. Les dosettes de larmes artificielles. Un tube de crème à la cortisone. Un tube de crème adhésive pour prothèses dentaires. Un petit flacon de médicaments. Et, par terre, une paire de chaussons fourrés gris perle. Jamais elle ne les aurait portés avant. Ils côtoient un sac ouvert de couches pour adultes. Je n'arrive pas à associer ces affaires à ma mère. Je m'y refuse. Ce sont pour moi celles d'une étrangère. De quelqu'un d'indolent, d'inoffensif. Quelqu'un contre qui on ne pourrait jamais être en colère.

De l'autre côté du lit, l'image du cadre numérique change encore. J'en regarde quelques-unes. Puis cela me revient. Je connais ces photos. C'est moi qui les ai prises. À l'époque où je... Où je faisais quoi ? Je parcourais le monde, je suppose. J'avais toujours veillé à les faire développer en double et à en envoyer un jeu à Thalia. Elle les a gardées durant toutes ces années. Thalia. L'affection s'immisce en moi, aussi douce que du miel. Thalia est ma véritable sœur, ma vraie Manaar, depuis le début.

Elle m'appelle depuis le rez-de-chaussée.

Je me lève sans bruit, mais alors que je m'apprête à quitter la chambre, quelque chose attire mon attention. Un objet encadré et accroché au mur sous l'horloge. Parce que j'ai du mal à y voir dans le noir, j'allume mon téléphone portable et profite de sa lueur argentée pour examiner ça de plus près. C'est une dépêche AFP sur l'organisation humanitaire pour laquelle je travaille à Kaboul. Je me souviens de cette interview. Le journaliste était un type sympa, un Américano-Coréen qui bégayait légèrement. Nous avions partagé une assiette de riz pilaf avec des raisins secs et des morceaux d'agneau. Un cliché illustre l'article. Moi et quelques enfants. Debout derrière nous, raide, les mains dans le dos, Nabi a cet air à la fois inquiétant, timide et digne qu'ont souvent les Afghans pris en photo. Amra est là, elle aussi, avec sa fille adoptive, Roshi. Tous les enfants sourient.

— Markos.

Je referme mon portable et descend au rez-de-chaussée.

Thalia pose devant moi un verre de lait et une assiette fumante d'œufs sur un lit de tomates.

— Ne t'inquiète pas, j'ai déjà sucré le lait.

— Tu n'as pas oublié...

Elle s'assoit sans prendre la peine d'ôter son tablier, appuie les coudes sur la table et m'observe manger en se tapotant la joue gauche de temps à autre avec un mouchoir.

Je me souviens de toutes les fois où j'ai essayé de la convaincre de me laisser l'opérer. Où je lui ai dit que les techniques chirurgicales avaient beaucoup évolué depuis les années 1960 et que j'étais certain de pouvoir améliorer, sinon complètement, du moins significativement, l'aspect de son visage. À ma grande stupéfaction, elle avait toujours refusé. *Je suis telle que je suis*, me disait-elle. Une réponse insipide et insatisfaisante, avais-je pensé à l'époque. Qu'est-ce que cela signifiait, d'ailleurs ? Je ne comprenais pas. J'avais en tête des images peu charitables de prisonniers, de condamnés à perpétuité terrifiés à l'idée de sortir, d'être libérés sur parole, de devoir affronter ce changement et une nouvelle vie loin des barbelés et des tours de garde.

La proposition que je lui ai faite tient toujours, même si je sais qu'elle ne me prendra jamais au mot. Aujourd'hui seulement, je comprends pourquoi. Elle avait raison, elle *est* telle qu'elle est. Je ne peux pas prétendre mesurer combien cela a dû être dur pour elle de se regarder chaque jour dans la glace, de recenser les macabres vestiges de son visage et de trouver en elle la volonté de s'y faire. Pas plus que je ne peux imaginer la torture, l'effort, la patience que cela supposait. L'acceptation qui a pris forme lentement au fil des ans, comme les rochers d'une falaise sculptés par les assauts répétés des marées. Quelques minutes ont suffi à un chien pour donner ce visage à Thalia, et il lui a fallu à elle une vie entière pour se forger une identité à partir de ça. Elle ne me laissera pas tout défaire avec mon scalpel. Cela reviendrait à lui infliger une nouvelle blessure par-dessus la précédente.

Bien que je n'aie pas très faim, je commence à manger mes œufs pour lui faire plaisir.

— C'est très bon, Thalia.

— Alors, tu es impatient ?

— Comment ça, impatient ?

Elle tend le bras derrière elle pour ouvrir un tiroir et en sort une paire de lunettes de soleil aux verres rectangulaires. Je reste d'abord perplexe. Puis je me rappelle. L'éclipse.

— Ah, oui.

— Je pensais regarder simplement sa projection à travers un tout petit trou. Mais quand Odie m'a annoncé que tu venais, j'ai décidé de faire ça bien.

Nous évoquons un peu cette éclipse prévue pour le lendemain. Thalia m'apprend qu'elle débutera le matin et qu'elle sera totale vers midi. Elle a vérifié les mises à jour de la météo. Par chance, la journée ne devrait pas être nuageuse. Elle me demande ensuite si je veux encore des œufs. Je réponds oui, et elle enchaîne en me parlant du nouveau cybercafé qui a ouvert à l'emplacement de l'ancienne boutique de M. Roussos.

— J'ai vu les photos, dis-je. À l'étage. Et l'article aussi.

Elle essuie les miettes de pain sur la table avec sa paume et les jette dans l'évier en les balançant par-dessus son épaule sans se retourner.

— Ah, c'était facile. Enfin, les scanner et les télécharger. Le plus dur, en revanche, c'était de les trier par pays. J'ai dû prendre le temps de les étudier parce que tu n'envoyais jamais de notes, juste les photos. Et elle, elle y tenait beaucoup. Elle voulait que tout soit classé par pays, elle n'en démordait pas.

— Qui ça, « elle » ?

Thalia soupire.

— Qui ça ? Odie, voyons. Qui d'autre ?

— C'était son idée ?

— L'article aussi. C'est elle qui l'a trouvé sur internet.

— Mamá a fait une recherche sur moi ?

— Je n'aurais jamais dû lui montrer comment faire. Maintenant, elle n'arrête pas, dit Thalia en riant. Elle regarde tous les jours. Je te jure. Tu es traqué par une fan dans le cyberspace, Markos Varvaris.

Mamá descend au rez-de-chaussée en début d'après-midi dans un peignoir bleu foncé, avec aux pieds les chaussons fourrés que j'ai déjà commencé à détester. Elle semble s'être brossé les cheveux et je suis soulagé de la voir se déplacer normalement dans l'escalier et me tendre les bras avec un sourire encore endormi.

Nous nous installons à table devant un café.

— Où est Thalia ? demande-t-elle en soufflant sur sa tasse.

— Partie chercher de quoi nous régaler demain. C'est à toi, ça ? dis-je en montrant une canne appuyée contre le mur derrière le nouveau fauteuil, que je n'avais pas remarquée à mon arrivée.

— Oh, je ne m'en sers presque pas. Juste les mauvais jours. Ou pendant les longues promenades. Et même là, c'est surtout pour avoir l'esprit tranquille, répond-elle d'un ton trop désinvolte qui me fait comprendre qu'elle dépend en réalité bien plus de cette canne qu'elle ne veut l'avouer. Je m'inquiète plutôt à ton sujet, à cause des nouvelles qui nous parviennent de cet horrible pays. Thalia refuse que je les écoute. Elle dit que ça me mettrait dans tous mes états.

— On a notre lot d'incidents, mais la plupart du temps, les gens vivent leur vie tranquillement et c'est tout. Et je suis toujours très prudent, Mamá.

Bien sûr, j'omets de mentionner la fusillade dans la pension juste en face de la mienne, la récente flambée d'attaques visant les humanitaires étrangers, ou encore le fait que par « prudent », je veux dire que je porte en permanence un 9 mm quand je circule en ville – ce que je ne devrais probablement pas faire de toute façon.

Mamá avale une gorgée de café et grimace légèrement. Elle ne cherche pas à me tirer les vers du nez, mais je ne suis pas certain que ce soit très positif. Je me demande si elle a déjà la tête ailleurs, si elle est rentrée en elle-même, comme le font les personnes âgées, ou s'il s'agit d'une tactique pour ne pas m'acculer à mentir ou à dévoiler des choses qui ne feraient que la contrarier.

— Tu nous as manqué, à Noël, dit-elle.

— Je ne pouvais pas partir, Mamá.

Elle hoche la tête.

— Mais tu es ici aujourd'hui. C'est tout ce qui compte.

J'avale à mon tour une gorgée de café. Quand j'étais petit, Mamá et moi prenions le petit déjeuner à cette table tous les matins, en silence, presque solennellement, avant de nous rendre ensemble à l'école. On se parlait si peu.

— Tu sais, Mamá, je me fais du souci pour toi.

— Ce n'est pas la peine. Je prends très bien soin de moi toute seule.

Un éclair de sa farouche fierté d'autrefois, comme une infime lueur dans le brouillard.

— Mais pour combien de temps encore ?

— Aussi longtemps que je le pourrai.

— Et quand tu ne pourras plus ?

Je ne la défie pas. Je l'interroge parce que j'ignore la réponse à cette question. Je ne sais pas quel sera mon propre rôle, ni même si j'en aurai un à jouer.

Elle me fixe posément, puis ajoute une cuillerée de sucre dans sa tasse et remue lentement son café.

— C'est drôle, Markos, mais les gens se trompent souvent complètement. Ils pensent vivre en fonction de ce qu'ils veulent. Mais ce qui les guide, en fait, c'est ce dont ils ont peur. Ce qu'ils ne veulent *pas*.

— Je ne te suis pas, Mamá.

— Prends ton cas, par exemple. Ta décision de partir d'ici. La vie que tu as menée. Tu avais peur d'être confiné sur cette île. Avec moi. Tu avais peur que je te retienne. Ou prends Thalia. Elle est restée parce qu'elle ne voulait plus qu'on la dévisage.

Je l'observe goûter son café, ajouter une nouvelle cuillerée de sucre. Je me souviens à quel point j'avais toujours l'impression de perdre pied quand, enfant, je tentais de m'opposer à elle. Sa manière de s'exprimer ne laissait place à aucune objection et elle m'écrasait sous le rouleau compresseur d'une vérité assenée d'entrée de jeu, carrément, directement. J'étais vaincu avant d'avoir pu prononcer un seul mot. Cela me paraissait toujours si injuste.

— Et toi, Mamá ? De quoi as-tu peur ? Qu'est-ce que tu ne veux pas ?

— Être un fardeau.

— Tu n'en seras pas un.

— Oh, pour ça, tu as bien raison, Markos.

L'inquiétude s'immisce en moi devant cette remarque cryptique. Je revois brusquement la lettre que Nabi m'a donnée à Kaboul, son aveu posthume. Le pacte que Suleiman Wahdati avait conclu avec lui. Je ne peux m'empêcher de me demander si Mamá a fait de même avec Thalia, si elle l'a choisie, elle, pour lui venir en aide lorsque son heure viendra. Je sais que

Thalia en est capable. Elle est forte. Elle ne la laisserait pas tomber.

Mamá m'étudie avec attention.

— Tu as ta vie, ton travail, Markos, dit-elle, d'un ton plus doux cette fois, en changeant de sujet comme si elle avait lu brièvement dans mes pensées et perçu ma crainte.

Le dentier, les couches, les chaussons fourrés – ils m'ont poussé à la sous-estimer. Elle a toujours la haute main sur moi. Elle l'aura toujours.

— Je ne veux pas être un fardeau pour toi, continue-t-elle.

Enfin, un mensonge. Mais il est gentil. Ce n'est pas moi qu'elle veut épargner. Nous le savons tous les deux. Je suis toujours absent et je vis à des milliers de kilomètres. Les désagréments, le travail, les corvées, tout cela incombe à Thalia. Mais Mamá m'inclut aussi et m'accorde quelque chose que je n'ai pas mérité, ni même *essayé* de mériter.

— Tu n'en serais pas un, dis-je faiblement.

Elle sourit.

— Parlant de ton travail, tu dois te douter que je n'ai pas vraiment approuvé ton choix d'aller dans ce pays.

— Un peu, oui.

— Je ne comprenais pas ta décision, ni pourquoi tu étais prêt à renoncer à ton cabinet, à tes revenus, à ta maison à Athènes, au fruit de ton travail, tout ça pour aller t'enterrer dans une ville aussi violente.

— J'avais mes raisons.

— Je sais.

Elle porte sa tasse à ses lèvres, mais l'abaisse sans avoir touché à son café.

— Je ne suis pas très douée pour ces choses-là, déclare-t-elle lentement, presque timidement. Ce que j'essaie de te dire, c'est que tu es devenu quelqu'un de bien. Je suis fière de toi, Markos.

Je contemple mes mains en sentant ses paroles atterrir tout au fond de moi. Elle m'a estomaqué. Pris au dépourvu. Par ce qu'elle a dit. Ou par la douce lueur dans ses yeux lorsqu'elle a prononcé ces mots. J'ignore totalement ce que je suis censé répondre.

— Merci, Mamá, réussis-je à marmonner.

Je suis incapable d'ajouter quoi que ce soit et nous restons assis un moment, en silence, dans une atmosphère alourdie par notre maladresse et notre conscience de tout ce temps perdu, de toutes ces occasions ratées.

— Je voulais te poser une question, Markos.

— Oui ?

— James Parkinson. George Huntington. Robert Graves. John Down. Et maintenant ce type, là, Lou Gehrig. Comment ont fait les hommes pour monopoliser aussi le nom des maladies ?

Je cligne des yeux. Elle m'imite. Puis nous éclatons de rire. Mais moi, je m'effondre intérieurement.

Le lendemain matin, nous nous étendons dehors sur des chaises longues. Mamá a mis un épais foulard, une parka grise, et une couverture en polaire sur ses jambes pour se protéger du froid mordant. Nous sirotons un café et grignotons des coings à la cannelle cuits au four que Thalia a achetés tout en fixant le ciel avec nos lunettes spéciales sur le nez. Un petit morceau de la bordure nord du Soleil a déjà été mangé, si bien que ce dernier ressemble maintenant au logo Apple de l'ordinateur portable que Thalia ouvre de temps à autre pour poster des commentaires sur un forum en ligne. Tout le long de la rue, des gens se sont massés sur les trottoirs et les toits afin d'observer le spectacle. Certains ont emmené leur famille à l'autre bout de l'île, où la Société hellénique d'astronomie a installé des télescopes.

— À quelle heure l'éclipse sera-t-elle à son maximum ?

— Vers 10 h 30, répond Thalia, qui ôte ses lunettes et consulte sa montre. Dans une heure environ.

Elle se frotte les mains d'excitation et tape encore quelques mots.

Je les regarde toutes les deux, Mamá avec ses lunettes noires, ses mains aux veines bleues apparentes, nouées sur la poitrine, et Thalia qui martèle les touches de son clavier comme une démente, ses cheveux blancs débordant de son bonnet.

Tu es devenu quelqu'un de bien.

Hier soir, alors que je méditais ces paroles, étendu sur le canapé, mes pensées ont dévié vers Madaline. Je me suis rappelé comment, lorsque j'étais petit, je rageais devant tout ce que Mamá me refusait, contrairement aux autres mères. Tenir ma main en marchant. Me laisser m'asseoir sur ses genoux, me lire des histoires au coucher, m'embrasser pour me souhaiter bonne nuit. Ces choses-là, je ne les avais pas inventées. Mais durant toutes ces années, j'avais été aveugle à une autre vérité, plus grande encore. Une vérité restée ignorée, méprisée, enfouie sous tous mes griefs. À savoir que ma mère ne m'aurait jamais abandonné, elle. Cette certitude absolue qu'elle ne m'aurait pas traité comme Madaline avait traité Thalia, c'était le cadeau qu'elle m'avait fait. Elle était ma mère et elle ne m'abandonnerait pas. J'avais accepté ça simplement – je n'en attendais pas moins de sa part. Et je ne l'avais pas plus remerciée que je ne remerciais le soleil de briller.

— Regardez ! s'exclame Thalia.

Les rayons tombant à travers les feuilles de notre olivier ont brusquement fait apparaître des petits croissants de lumière tout autour de nous – par terre, sur les murs, sur nos habits. J'en note un qui tremblote à la surface du café dans ma tasse, un autre qui danse sur mes chaussures.

— Montrez-moi vos mains, Odie, dit Thalia. Vite !

Après que Mamá a obtempéré, elle sort de sa poche un carré de verre et le place au-dessus de ses paumes. De petits arcs-en-ciel vacillants en forme de croissants parsèment aussitôt la peau ridée de ma mère, qui retient un cri.

— Regarde, Markos ! dit-elle en affichant le ravissement décomplexé d'une écolière.

Jamais je ne lui ai vu un sourire aussi franc, aussi ingénu.

Nous restons assis tous les trois à admirer les arcs-en-ciel papillotant sur ses mains. De la tristesse et une vieille douleur m'enserrent la gorge dans un étau.

Tu es devenu quelqu'un de bien.

Je suis fière de toi, Markos.

J'ai cinquante-cinq ans. J'ai attendu toute ma vie d'entendre ces mots. Est-il trop tard pour ça ? Pour nous ? Avons-nous gâché trop d'occasions durant trop longtemps ? Une partie de moi estime qu'il vaut mieux continuer comme nous l'avons toujours fait, en prétendant ne pas savoir combien nous avons été mal assortis, elle et moi. Ce sera moins douloureux. Et préférable peut-être à cette offrande tardive, à ce petit aperçu fragile et vacillant de la manière dont les choses auraient pu se passer entre nous. Je me dis qu'il n'y a rien de bon à en tirer, sinon des regrets, et à quoi cela m'avancerait-il ? Les regrets ne peuvent pas nous faire revenir en arrière. Ce que nous avons perdu est irrécupérable.

Et pourtant...

— N'est-ce pas magnifique, Markos ? dit Mamá.

— Oui, en effet. C'est magnifique.

Et tandis que quelque chose s'ouvre tout grand en moi, je me penche pour prendre la main de ma mère dans la mienne.

9

Hiver 2010

QUAND J'ÉTAIS PETITE, mon père et moi observions le
même rituel tous les soirs. Je disais mes vingt et un
bismillah[1], il me bordait dans mon lit, puis il s'asseyait
à mon chevet et arrachait les mauvais rêves de ma tête
avec son pouce et son index. Ses doigts sautillaient
de mon front à mes tempes en fouinant patiemment
derrière mes oreilles, sur ma nuque, jusqu'à ce qu'il
émette un petit *pop* semblable au bruit d'une bouteille qu'on débouche chaque fois qu'il délogeait un
cauchemar de mon cerveau. Il fourrait celui-ci avec les
autres dans un sac invisible sur ses genoux qu'il refermait en tirant fort sur le cordon. Après quoi, il ratis-
sait l'air en quête de beaux rêves pour remplacer ceux
qu'il avait attrapés. Je le regardais incliner légèrement
la tête et froncer les sourcils, ses yeux allant d'un côté
et de l'autre, comme s'il s'efforçait d'entendre une
musique lointaine. Je retenais mon souffle en attendant le moment où un sourire éclairerait son visage,
où il chantonnerait, *Ah, en voilà un*, et où il mettrait

---

1. *Bismillah* : expression par laquelle débutent les sourates du Coran, sauf
une, et qui signifie : « Au nom d'Allah le Clément, le Miséricordieux ». La
croyance populaire veut qu'elle protège contre les mauvais esprits.

415

ses mains en coupe pour laisser le rêve atterrir à l'intérieur, tel un pétale qui serait tombé lentement d'un arbre en tourbillonnant. Et doucement, très doucement – mon père disait que toutes les bonnes choses dans la vie étaient fragiles et vite perdues –, il frottait ses paumes contre mon front pour faire entrer le bonheur dans ma tête.

De quoi vais-je rêver ce soir, Baba ? demandais-je.

Ah-ah... Eh bien, il se trouve que ce soir est un soir particulier, disait-il toujours, avant de continuer en inventant au pied levé une histoire. Dans l'un des rêves qu'il m'a offerts, je suis devenue l'artiste peintre la plus célèbre du monde. Dans un autre, la reine d'une île enchantée sur laquelle je possédais un trône volant. Il m'en a même donné un sur mon dessert préféré. D'un mouvement de baguette magique, j'avais le pouvoir de tout transformer en gelée aromatisée – un bus scolaire, l'Empire State Building, l'océan Pacifique tout entier si je le souhaitais. Plus d'une fois, j'ai sauvé la planète de la destruction en agitant ma baguette devant un météore sur le point de s'écraser. Mon père, qui ne parlait jamais beaucoup de son propre père, disait que c'était de lui qu'il tenait ce talent. Lorsqu'il était petit, son Baba le faisait parfois asseoir – s'il était d'humeur à ça, c'est-à-dire pas très souvent – pour lui raconter des histoires peuplées de djinns, de fées et de *divs.*

Certains jours, j'inversais les rôles. Baba fermait les yeux et je faisais glisser mes paumes sur son visage, d'abord son front, puis ses joues râpeuses, puis les poils rêches de sa moustache.

Alors, quel sera mon rêve, ce soir ? murmurait-il en prenant mes mains. Et il souriait. Parce qu'il savait déjà quel rêve j'allais lui donner. C'était toujours le même.

Celui où sa petite sœur et lui s'allongeaient sous un pommier en fleur et s'assoupissaient le temps d'une sieste, les joues réchauffées par le soleil dont les rayons jouaient avec l'herbe, les feuilles et les grappes de fleurs au-dessus d'eux.

J'étais fille unique, et souvent seule. Après m'avoir eue, mes parents, qui s'étaient rencontrés au Pakistan alors qu'ils avaient près de quarante ans, avaient décidé de ne pas tenter le diable une seconde fois. Je me souviens de ma jalousie devant tous les gamins de notre quartier et de mon école qui avaient un petit frère ou une petite sœur. J'étais déroutée par la manière dont certains d'entre eux se traitaient, sans se rendre compte de leur chance. Ils se comportaient comme des chiens sauvages. Ils se pinçaient, se frappaient, se poussaient, se trahissaient de toutes les façons possibles. Et ils en riaient aussi. Ils refusaient de se parler. Je ne comprenais pas. Moi, j'ai passé la plus grande partie de mon enfance à souhaiter que mes parents aient un deuxième enfant. Ce que j'aurais le plus aimé, ç'aurait été avoir un jumeau ou une jumelle, quelqu'un qui aurait pleuré à côté de moi dans mon berceau, qui aurait dormi avec moi, qui se serait nourri au même sein. Quelqu'un que j'aurais aimé éperdument, totalement, et en qui j'aurais toujours pu me retrouver.

C'est ainsi que la petite sœur de Baba, Pari, est devenue ma compagne secrète, invisible de tous à part moi. Elle était *ma* sœur, celle que j'avais toujours désirée. Je la voyais dans le miroir de la salle de bains quand on se brossait les dents côte à côte le matin. On s'habillait ensemble. Elle me suivait à l'école et s'asseyait près de moi en classe – même en fixant le tableau, je distinguais toujours le noir de ses cheveux et le blanc de son profil du coin de l'œil. Dans la cour de récréation, où je l'emmenais avec moi, je sentais sa présence dans mon dos en descendant un toboggan ou en me balançant d'une barre à une autre sur un portique d'escalade. Après l'école, pendant que je dessinais à la table de la cuisine, elle gribouillait patiemment à proximité ou regardait par la fenêtre jusqu'à ce que j'aie fini et qu'on sorte en courant jouer à la corde à sauter, nos ombres jumelles sautillant sur le béton.

Personne n'était au courant de mes jeux avec Pari. Pas même mon père. Elle était mon secret.

Parfois, quand personne n'était là, on mangeait des raisins et on parlait à n'en plus finir – des garçons, des céréales qui avaient pour nous le meilleur goût, des dessins animés qu'on aimait, des camarades d'école qu'on n'aimait pas, des professeurs qu'on trouvait méchants. On avait la même prédilection pour la couleur jaune, la glace parfumée à la cerise, la série télé *Alf*, et on voulait toutes les deux devenir artistes quand on serait grandes. Naturellement, j'imaginais qu'on se ressemblait comme deux gouttes d'eau. Nous étions jumelles, après tout. De temps à autre, je la distinguais presque – je veux dire que je la distinguais *vraiment* –, juste à la périphérie de mon champ de vision. Je tentais de la dessiner et, à chaque fois, je lui attribuais mes yeux d'un vert d'eau quelque peu inégal, mes cheveux bruns frisés, mes longs sourcils qui se touchaient presque. Si quelqu'un m'interrogeait, j'expliquais que je m'étais représentée moi-même.

Les récits de mon père sur les circonstances dans lesquelles il avait perdu sa sœur m'étaient aussi familiers que ceux de ma mère sur le Prophète – ceux-là, je les réapprendrais plus tard, quand mes parents m'inscriraient aux cours dominicaux d'une mosquée de Hayward. Pourtant, même si je la connaissais bien, je demandais chaque soir à réentendre l'histoire de Pari, aspirée que j'étais par sa force d'attraction. Peut-être était-ce tout simplement parce que nous portions le même prénom. Peut-être était-ce pour cette raison que je percevais entre nous une connexion floue, empreinte de mystère, et néanmoins réelle. Mais c'était plus que ça. Son destin me *touchait*, au point que l'on aurait pu me croire marquée moi aussi par ce qui lui était arrivé. Une trame invisible et des ressorts que je n'arrivais pas tout à fait à appréhender nous liaient inextricablement, je le sentais, par-delà notre nom, par-delà notre famille commune, comme si, ensemble, nous avions complété un puzzle.

J'étais certaine qu'en écoutant attentivement son histoire, je découvrirais quelque chose sur moi-même.

Tu penses que ton père était triste de l'avoir vendue ?

Certaines personnes cachent très bien leur tristesse, Pari. Il en faisait partie. On ne pouvait pas savoir ce qu'il éprouvait. C'était un homme dur. Mais oui, je pense qu'il était triste.

Et toi ?

Mon père souriait. *Pourquoi veux-tu que je sois triste alors que je t'ai, toi ?* répondait-il. Pourtant, même à cet âge, je n'étais pas dupe. C'était comme une marque de naissance sur son visage.

Durant toutes ces conversations, un scénario se jouait toujours dans ma tête. J'économisais mon argent, je ne dépensais plus un seul dollar pour m'acheter des bonbons ou des autocollants, et une fois mon petit cochon plein – enfin, ce n'était pas un petit cochon, mais une sirène assise sur un rocher –, je le cassais, prenais tous mes sous et partais à la recherche de la petite sœur de mon père, où qu'elle soit. Et quand je la retrouvais, je la rachetais et la ramenais à la maison auprès de Baba. Je rendais mon père heureux. Je ne désirais rien tant qu'être celle qui gommerait sa tristesse.

Alors, quel sera mon rêve ce soir ? demandait-il.

Tu le sais déjà.

Un nouveau sourire. *Oui, en effet.*

Baba ?

Mmm ?

C'était une gentille sœur ?

Elle était parfaite.

Il embrassait ma joue et coinçait la couverture de chaque côté de mon cou. Sur le seuil de ma chambre, juste après s'être retourné pour éteindre la lumière, il marquait une pause.

Elle était parfaite, répétait-il. *Tout comme toi.*

J'attendais qu'il ait refermé la porte, puis je me glissais hors de mon lit afin d'aller chercher un oreiller supplémentaire que je posais à côté du mien. Tous les soirs, je m'endormais en sentant des cœurs jumeaux battre dans ma poitrine.

Je regarde ma montre en m'engageant sur l'auto-route au niveau d'Old Oakland Road. Déjà 12 h 30. Il me faudra quarante minutes au moins pour rejoindre l'aéroport de San Francisco, à supposer qu'il n'y ait pas d'accident ni de travaux sur la 101. Le bon côté des choses, c'est qu'elle arrive par un vol international et qu'elle devra donc franchir tous les contrôles. Cela me laisse un peu plus de temps. Je passe sur la voie de gauche et fais monter la Lexus à près de 130 km/h.

Je me souviens d'une conversation quasi miraculeuse que j'ai eue avec Baba il y a près d'un mois. Un échange semblable à une bulle éphémère de normalité, une toute petite poche d'air dans les fonds sombres et froids de l'océan. Je lui avais apporté son déjeuner en retard et il avait tourné la tête vers moi depuis son fauteuil inclinable pour me faire remarquer d'un ton très doux, à peine critique, que j'étais génétiquement programmée pour ne jamais être à l'heure. *À l'image de ta mère – paix à son âme.*

Mais bon, avait-il ajouté en souriant, comme pour me rassurer, *il faut bien que chacun ait un défaut.*

J'avais posé l'assiette de riz et de haricots sur ses genoux.

C'est donc la tare symbolique que Dieu m'a donnée ? Une incapacité chronique à être ponctuelle ?

Et j'ajouterai qu'Il l'a vraiment fait à contrecœur, a dit Baba en prenant mes mains. *Il était près, si près de te créer parfaite.*

Oui, eh bien je serais ravie de te dévoiler quelques-uns de mes autres défauts.

Tu les caches bien, hein ?

J'en ai des tonnes, prêts à apparaître au grand jour. J'attends pour ça que tu sois vieux et impotent.

Je suis *vieux et impotent.*

Et voilà, maintenant tu veux que j'aie pitié de toi.

Je joue avec les boutons de la radio, passe d'un talk-show à de la musique country, puis à du jazz, puis de nouveau à un talk-show. Pour finir, j'éteins le poste. Je me sens agitée, nerveuse. Je ramasse mon portable sur le siège passager, appelle mon père et laisse le téléphone ouvert sur mes genoux.

— Allô ?

— *Salaam, Baba.* C'est moi.

— Pari ?

— Oui, Baba. Tout va bien à la maison avec Hector ?

— Oui. C'est un jeune homme merveilleux. Il nous a fait des œufs qu'on a mangés avec du pain grillé. Où es-tu ?

— Je conduis.

— Tu vas au restaurant ? Tu n'es pas de service aujourd'hui, si ?

— Non, je suis en route pour l'aéroport, Baba. Je vais chercher quelqu'un.

— Ah, d'accord. Je vais demander à ta mère de nous préparer à déjeuner. Elle pourrait nous rapporter quelque chose du restaurant.

— Très bien, Baba.

À mon grand soulagement, il ne la mentionne plus après ça. Mais certains jours, il n'arrête pas. *Pourquoi tu ne me dis pas où elle est, Pari ? Elle se fait opérer ? Ne me mens pas. Pourquoi est-ce que tout le monde me ment ? Elle est partie, hein ? Elle est en Afghanistan ? Puisque c'est comme ça, moi aussi, je vais y aller. Je vais partir à Kaboul et tu ne m'en empêcheras pas.* Notre échange se poursuit ainsi, Baba faisant les cent pas, affolé, pendant que je lui raconte des bobards et que j'essaie de le distraire avec sa collection de catalogues de bricolage ou une émission à la télévision. Parfois, cela marche, mais il y a aussi des moments où il ne se laisse prendre à aucune de mes ruses. Il s'inquiète tant qu'il finit en larmes, hystérique. Il se frappe la tête, se balance d'avant en arrière sur sa chaise, les jambes tremblantes, si bien que je suis obligée de lui faire avaler un Ativan et d'attendre ensuite que son regard se voile. Alors seulement, je m'affaisse sur le canapé, épuisée, essoufflée, à deux doigts de pleurer moi aussi, et je lorgne la porte d'entrée, l'espace au-delà, en souhaitant franchir le seuil de la maison et m'éloigner d'ici sans

422

plus jamais m'arrêter. Mais dès que Baba gémit dans son sommeil, je me ressaisis, rongée par la culpabilité.

— Tu peux me passer Hector, Baba ?

J'entends le combiné changer de mains. En arrière-plan retentissent les lamentations, puis les acclamations du public d'un jeu télévisé.

— Salut, ma belle.

Hector Juarez vit en face de chez nous. Nous sommes voisins depuis très longtemps et amis depuis ces dernières années. Il vient deux ou trois fois par semaine manger des cochonneries et regarder avec moi des émissions trash – le plus souvent de la téléréalité – jusqu'à tard dans la nuit. Ensemble, on mâchonne des pizzas froides en secouant la tête avec une fascination morbide devant les bouffonneries et les pétages de plombs des candidats. Ancien marine, Hector a été stationné au sud de l'Afghanistan, jusqu'à ce qu'il soit gravement blessé il y a quelques années lors d'une attaque menée avec des engins explosifs de circonstance. Le quartier tout entier s'est déplacé pour le voir à son retour de l'hôpital militaire. Ses parents avaient accroché un panneau « Bienvenue, Hector » devant leur maison, ainsi que des ballons et des tas de fleurs, et tout le monde a applaudi lorsqu'ils sont arrivés en voiture avec lui. Plusieurs voisins avaient préparé des tartes. Les gens l'ont remercié pour ce qu'il avait fait. *Sois fort maintenant*, lui ont-ils dit. *Dieu te bénisse.* Quelques jours plus tard, le père d'Hector, Cesar, est venu chez nous installer la même rampe d'accès pour fauteuil roulant qu'il avait aménagée devant la porte d'entrée de sa propre maison, avec un drapeau américain tendu au-dessus. Pendant qu'on travaillait tous les deux, je me souviens, j'ai senti le besoin de m'excuser auprès de lui pour ce qui était arrivé à Hector dans le pays natal de mon père.

— Salut, dis-je à Hector. Je voulais juste savoir comment ça allait.

— Tout va nickel. On a mangé. On a regardé *Le Juste Prix*. On se repose maintenant avec *La Roue de la fortune* en attendant *Une famille en or*.

— Aïe. Désolée.

— De quoi, *mija* ? On s'amuse bien. Pas vrai, Abe ?

— Merci de lui avoir fait des œufs.

— En fait, c'était des pancakes, dit-il en baissant un peu la voix. Et devine ? Il a adoré. Il en a avalé quatre.

— J'ai une grosse dette envers toi.

— Hé, j'aime vraiment beaucoup ton dernier tableau, ma belle. Celui avec le gamin et son drôle de chapeau. Abe me l'a montré. Il était tout fier de toi, lui aussi. Moi, je lui ai dit : Waouh, un peu que vous pouvez être fier !

Je souris en changeant de voie pour laisser passer un conducteur qui me suit de trop près.

— Je sais peut-être ce que je vais t'offrir à Noël, maintenant.

— Rappelle-moi pourquoi on ne peut pas se marier ? plaisante-t-il.

J'entends Baba protester derrière lui. Hector éclate de rire en éloignant le combiné.

— Je plaisante, Abe ! lance-t-il à mon père. Allez-y doucement avec moi. Je suis un pauvre invalide.

Puis il reprend notre conversation.

— Je crois que ton père vient de me laisser entrevoir le Pachtoun caché en lui.

Après lui avoir redit de donner ses cachets à Baba en fin de matinée, je raccroche.

C'est comme voir la photo d'une personnalité de la radio. Le résultat ne correspond jamais à ce qu'on imaginait en écoutant sa voix dans la voiture. Pour commencer, elle est âgée. Ou du moins assez âgée. Bien sûr, je le savais. J'avais effectué le calcul et estimé qu'elle devait avoir une petite soixantaine d'années. Sauf qu'il m'est difficile de faire coïncider cette femme menue aux cheveux gris avec la petite fille que je m'étais toujours représentée, l'enfant de trois ans aux cheveux bruns bouclés et aux longs sourcils qui se touchaient presque, comme les miens. Et elle est plus grande que prévu, aussi. Je m'en rends compte bien qu'elle soit assise sur un banc près d'une sandwicherie, d'où elle scrute les alentours d'un air perdu. Je note pêle-mêle ses épaules frêles, son ossature délicate, son visage avenant, ses cheveux ramenés en arrière et maintenus en place par un bandeau réalisé au crochet, ainsi que sa tenue – des boucles d'oreilles en jade, un jean délavé, une tunique longue couleur saumon et un foulard jaune enroulé autour de son cou avec cette élégance désinvolte des Européens. Elle m'avait prévenue dans son dernier mail qu'elle le mettrait afin que je puisse la repérer rapidement.

Elle ne m'a pas encore vue, et je m'attarde un moment parmi les voyageurs qui poussent des chariots chargés de bagages à travers le terminal et les chauffeurs brandissant des panneaux avec le nom de leurs clients. Mon cœur tambourine bruyamment. *C'est elle, c'est elle*, me dis-je. *C'est vraiment elle.* Puis nos regards se croisent et son visage s'éclaire lorsqu'elle me reconnaît. Elle me fait signe.

Je la rejoins près du banc. Devant son sourire, mes genoux tremblent. Elle a exactement le même que Baba – à l'exception du léger écartement de ses dents de devant. Un sourire un peu tordu à gauche, qui plisse son visage de la même manière en lui faisant presque fermer les yeux, et accompagné lui aussi d'une légère inclinaison de la tête. Au moment où elle se lève, je remarque ses mains aux articulations noueuses, ses doigts recourbés qui s'écartent du pouce au niveau de la première jointure, les petites boules sur ses poignets. Mon ventre se tord tant cela semble douloureux.

Nous nous étreignons, et je sens la douceur de sa peau quand elle m'embrasse sur les joues. Après que nous nous sommes détachées l'une de l'autre, elle me tient par les épaules en me fixant comme elle aurait jaugé un tableau. Un voile humide recouvre ses yeux brillants de joie.

— Désolée pour le retard.

— Ce n'est rien. Dire que je te vois enfin ! Je suis si contente, s'exclame-t-elle avec un accent français encore plus prononcé qu'au téléphone.

— Moi aussi. Ton vol s'est bien passé ?

— J'ai pris un cachet parce que je savais que je n'aurais pas pu dormir sinon. Je suis trop heureuse et trop excitée.

Rayonnante, elle ne me quitte pas du regard, comme si elle craignait de briser le charme de cet instant en portant ailleurs son attention – jusqu'à ce que le haut-parleur au-dessus de nous diffuse une annonce pour conseiller aux passagers de signaler tout bagage abandonné. Ses traits s'affaissent alors un peu.

— Abdullah est au courant que je suis là ?

— Je lui ai juste dit que j'arrivais avec une invitée.

Plus tard, en montant en voiture, je lui jette des petits coups d'œil discrets. C'est si étrange. Il y a quelque chose de curieusement proche de l'illusion à voir Pari Wahdati assise dans ma Lexus, à tout juste quelques centimètres de moi. Un instant, je la distingue avec précision – le foulard jaune autour de son cou, le fin duvet à la naissance de ses cheveux, le grain de beauté couleur café sous son oreille gauche –, et le suivant ses traits m'apparaissent enveloppés dans une sorte de brouillard, me donnant presque l'impression de l'observer à travers des verres embués. J'en éprouve une sorte de vertige.

— Ça va ? me demande-t-elle en attachant sa ceinture.

— Je n'arrête pas de penser que tu vas disparaître.

— Pardon ?

— C'est juste… assez incroyable, dis-je en riant nerveusement. De constater que tu existes bel et bien. Que tu es vraiment là.

Elle sourit et hoche la tête.

— Ah, pour moi aussi. Pour moi aussi, c'est bizarre. Tu sais, je n'ai jamais rencontré de toute ma vie une autre Pari que moi.

— Pareil, dis-je en démarrant. Parle-moi de tes enfants.

Tandis que nous sortons du parking, elle commence à évoquer chacun d'eux en les appelant par leur prénom comme si je les connaissais tous depuis toujours, comme si ses enfants et moi avions grandi ensemble, pique-niqué en famille, fréquenté les mêmes colonies de vacances et passé nos étés dans des stations balnéaires où nous aurions réalisé des colliers de coquillages et où nous nous serions enterrés les uns les autres dans le sable.

J'aurais tellement aimé ça.

Elle me dit que son fils Alain – « ton cousin », ajoute-t-elle – et sa femme Aná ont eu un cinquième enfant, une petite fille, et qu'ils ont déménagé à Valence, où ils ont acheté une maison. « Enfin, ils ont quitté leur horrible appartement madrilène ! » Son aînée, Isabelle, qui compose des bandes originales pour la télévision, a été chargée de travailler sur celle d'une grosse production cinématographique. Et son mari Albert est maintenant le cuisinier en chef d'un restaurant bien coté à Paris.

— Tu as été propriétaire d'un restaurant, non ? Il me semble que tu m'en avais parlé dans un de tes mails.

— Mes parents en ont tenu un. Ç'a toujours été le rêve de mon père. Je les ai aidés à le faire tourner. Mais j'ai dû le vendre il y a quelques années, quand ma mère est morte et que Baba est devenu... incapable de l'assumer.

— Ah, je suis désolée.

— Oh, il ne faut pas. Je n'étais pas taillée pour ce genre de travail.

— Cela ne m'étonne pas. Tu es une artiste.

La première fois que nous avions discuté au téléphone et qu'elle m'avait demandé ce que je faisais, je lui avais confié mon vœu de m'inscrire un jour dans une école des beaux-arts.

— En fait, je suis ce qu'on appelle une *transcriptrice-rédactrice*.

Elle m'écoute avec attention lui expliquer que je suis employée par une société qui traite des données pour le compte des cinq cents plus grosses entreprises du pays.

— Je rédige des formulaires pour elles. Des brochures, des reçus, des listes de clients ou d'e-mails, ce genre de chose. Le principal, c'est de savoir taper sur un clavier. Et le salaire est correct.

— Je vois, dit-elle d'un air pensif. Et tu trouves ça intéressant ?

Nous sommes parvenues au niveau de Redwood City en faisant route vers le sud. Je lui montre un point derrière sa vitre.

— Tu vois ce bâtiment, là-bas ? Le grand avec un panneau bleu ?

— Oui.

— Je suis née là.

— *Ah bon** ?

Elle tourne la tête pour ne pas le perdre de vue.

— Tu as de la chance, commente-t-elle.

— Comment ça ?

— De savoir d'où tu viens.

— Je crois que je n'y ai jamais vraiment pensé.

— Bien sûr que non. Mais c'est important de connaître tes racines et l'endroit où tu as commencé à exister en tant qu'être humain. Sinon, ta vie te paraît irréelle. Pareille à un puzzle. *Tu comprends** ? Comme si, après avoir raté le début d'une histoire, tu te retrouvais soudain au milieu, à essayer de tout démêler.

J'imagine que c'est ce que ressent Baba ces jours-ci. Une vie parsemée de trous. Tous les jours une histoire déroutante, un puzzle à reconstituer à grand-peine.

Nous parcourons quelques kilomètres en silence.

— Bon, tu veux savoir si je trouve mon boulot intéressant ? dis-je. Et bien je suis rentrée chez moi un jour et j'ai découvert l'eau qui coulait dans l'évier de la cuisine. Il y avait des éclats de verre par terre et la gazinière avait été laissée allumée. Ce jour-là, il est devenu évident que je ne pouvais plus laisser mon père tout seul. Et, parce que je n'avais pas les moyens de payer une aide permanente à domicile, j'ai cherché un travail qu'il m'était possible de faire chez moi. Qu'il soit

« intéressant » ou pas ne rentrait pas vraiment en ligne de compte.

— Et ton école peut bien attendre, c'est ça ?

— Il le faut.

Je redoute qu'elle me dise combien Baba est verni de m'avoir pour fille, mais heureusement, elle se contente de hocher la tête en contemplant les panneaux de l'autoroute – ce dont je lui suis reconnaissante. D'autres gens cependant, surtout les Afghans, ne cessent de faire remarquer quelle chance a Baba, quelle bénédiction je suis. Ils parlent de moi avec admiration. Ils me dépeignent comme une sainte, une fille qui a héroïquement renoncé à une vie fastueuse, confortable et privilégiée pour rester chez elle et prendre soin de son père. *Et de sa mère avant ça,* ajoutent-ils d'une voix qui me semble toujours empreinte d'une compassion larmoyante. *Toutes ces années passées à s'occuper d'elle. Quel cauchemar ç'a été. Et maintenant son père. Elle n'a jamais été une beauté, c'est vrai, mais elle avait un amoureux. Un Américain, un type qui bossait dans les panneaux solaires. Elle aurait pu l'épouser. Mais elle ne l'a pas fait. À cause d'eux. Elle a sacrifié tant de choses… Ah, tous les parents devraient avoir une fille comme elle.* Ils me complimentent sur ma bonne humeur. Ils s'émerveillent autant devant mon courage et ma noblesse d'âme que devant quelqu'un qui aurait surmonté une difformité physique, voire un problème d'élocution handicapant.

Mais je ne me reconnais pas dans cette version des faits. Certains matins, par exemple, je découvre Baba assis au bord de son lit, où il attend avec impatience que je lui enfile des chaussettes par-dessus ses pieds secs et marbrés. Et lorsqu'il pose sur moi ses yeux chassieux et qu'il grogne mon prénom avec une grimace puérile, en plissant le nez d'une manière qui lui donne l'air d'un rongeur mouillé et apeuré, je lui en veux de faire cette tête. Je lui en veux d'être tel qu'il est. Je lui en veux de m'obliger à mener une vie étriquée, d'être la raison pour laquelle mes plus belles années s'enfuient loin de moi. Il y a des jours où tout ce que je souhaite, c'est être libérée de lui, de son caractère acariâtre, de ses besoins. Je n'ai rien d'une sainte.

Je prends la sortie au niveau de la 13ᵉ Rue. Quelques kilomètres plus loin, je m'engage dans notre allée, sur Beaver Creek Court, et je coupe le moteur.

Pari contemple notre pavillon, la porte du garage à la peinture écaillée, l'encadrement vert olive des fenêtres, les deux lions de pierre de mauvais goût postés de chaque côté de la porte d'entrée – Baba les adore, et même si je doute qu'il le remarquerait, je n'ai pas eu le courage de m'en débarrasser. Nous vivons dans cette maison depuis 1989, l'année de mes sept ans. Nous l'avons d'abord louée, jusqu'à ce que Baba la rachète à son propriétaire en 1993. Ma mère est morte ici par un matin ensoleillé, une veille de Noël, après trois mois passés dans le lit d'hôpital que j'avais installé à sa demande dans la chambre d'amis. Elle voulait profiter de la vue, m'avait-elle expliqué. Selon elle, cela lui remontait le moral. Étendue là, les jambes enflées et grises, elle regardait le cul-de-sac par la fenêtre à longueur de journée, la cour bordée par les érables du Japon qu'elle avait plantés des années auparavant, le parterre de fleurs en forme d'étoile, la bande de gazon traversée par un étroit chemin recouvert de galets et les contreforts montagneux au loin qui se paraient d'une teinte chaude et dorée en milieu de journée, lorsque la lumière du soleil tombait droit dessus.

— Je suis très nerveuse, m'avoue doucement Pari.

— Normal. Ça fait cinquante-huit ans.

Elle baisse les yeux sur ses mains jointes.

— Je n'ai presque aucun souvenir de lui. Ce que j'ai en mémoire, ce n'est pas son visage ni sa voix, mais seulement l'impression qu'il a toujours manqué quelque chose dans ma vie. Quelque chose de bon. Quelque chose… Ah, je ne sais pas quoi dire. C'est tout.

J'opine en silence. Il ne vaut mieux pas que je lui avoue à quel point je la comprends, mais je suis à deux doigts de lui demander si elle a jamais pressenti mon existence.

Elle joue avec les bords effrangés de son foulard.

— À ton avis, il y a une chance pour qu'il se souvienne de moi ?

— Tu veux la vérité ?

— Bien sûr, oui, répond-elle.

— Il est probablement préférable qu'il ne le fasse pas.

Je repense à ce qu'a dit le Dr Bashiri, le médecin qui suit mes parents depuis très longtemps. Selon lui, Baba a besoin d'une routine, d'un ordre établi. Du moins de surprises possible. *D'un sentiment de prévisibilité.*

J'ouvre ma portière.

— Ça t'ennuie de rester une minute dans la voiture ? Je vais renvoyer mon ami chez lui. Ensuite tu pourras rencontrer Baba.

Elle appuie une main sur ses yeux, et je n'attends pas de voir si elle est sur le point de pleurer.

Quand j'avais onze ans, tous les élèves de sixième année de mon école sont partis passer une soirée et une nuit à l'aquarium de Monterey Bay. Durant la semaine précédant le vendredi du départ, mes camarades n'ont parlé que de ça, à la bibliothèque ou en

432

jouant à la balle à la récré. Comme ils allaient bien s'amuser une fois que l'aquarium serait fermé et qu'ils seraient libres d'aller d'un bassin à un autre en pyjama, au milieu des requins marteaux, des raies chauves-souris, des dragons de mer et des pieuvres. Notre professeur, Mme Gillespie, nous avait expliqué qu'il y aurait des stands pour les repas et que chacun aurait le choix entre des sandwiches beurre de cacahuètes-confiture et des pâtes au fromage. *Et en dessert, vous aurez des brownies ou de la glace à la vanille*, avait-elle ajouté. Le soir, les élèves se glisseraient dans leur sac de couchage et écouteraient les enseignants leur lire des histoires, puis ils s'endormiraient entourés par les hippocampes, les sardines et les requins léopards qui se faufileraient entre les hautes frondes ondulantes du varech. Le jeudi, l'impatience rendait l'atmosphère en classe électrique. Même les gamins habituellement indisciplinés veillaient à bien se tenir, de peur d'être privés de cette sortie.

Pour moi, cela revenait à suivre un film passionnant, mais sans le son. Je me sentais éloignée de toute cette joie, coupée de cette liesse collective – comme chaque année au mois de décembre, quand mes camarades rentraient chez eux pour y trouver des sapins, des bas suspendus au-dessus de leur cheminée et des montagnes de cadeaux. J'ai dit à Mme Gillespie que je n'irais pas. Lorsqu'elle m'a demandé pourquoi, j'ai répondu que le voyage tombait au moment d'une fête musulmane. Je ne suis pas certaine qu'elle m'ait crue.

Le soir de ce fameux jour, je suis restée à la maison avec mes parents et nous avons regardé la série *Arabesque*. J'ai tenté de me concentrer sur l'épisode et d'oublier la sortie scolaire, mais mes pensées ne cessaient de vagabonder. J'imaginais mes camarades au même moment, en pyjama, une lampe de poche à la main, le front collé contre la paroi d'un bassin géant rempli d'anguilles. Sentant quelque chose se serrer dans ma poitrine, je me suis agitée. Avachi sur l'autre canapé, Baba a enfourné une cacahuète grillée en riant à une réplique d'Angela Lansbury. À côté de lui, j'ai surpris ma mère qui m'observait, songeuse, la mine assombrie, mais quand nos yeux se sont croisés, ses traits se sont vite détendus et elle m'a souri – un sourire furtif, secret. Je me suis forcée à faire de même. Cette nuit-là, j'ai rêvé que j'étais au bord de la mer, debout dans une eau qui oscillait doucement contre mes hanches en reflétant mille nuances de vert et de bleu – jade, saphir, émeraude, turquoise. À mes pieds nageaient des légions de poissons, comme si l'océan était mon aquarium privé. Ils effleuraient mes orteils et chatouillaient mes mollets, semblables à un millier d'éclairs colorés et miroitants qui se détachaient sur le sable blanc.

Ce dimanche-là, Baba m'a fait une surprise. Il a fermé le restaurant pour la journée – chose qu'il ne faisait presque jamais – et on est partis ensemble à l'aquarium de Monterey. Durant tout le trajet, il n'a pas cessé de parler avec animation. Combien on allait s'amuser. Comme il était impatient surtout de découvrir les requins. Et que mangerions-nous le midi ? Pendant ce temps, je me suis rappelé quand j'étais petite et qu'il m'emmenait au zoo de Kelley Park et dans les jardins japonais juste à côté pour voir les carpes koï. Il avait la manie de donner un nom à tous les poissons, et moi je m'accrochais à sa main en pensant que je n'aurais jamais besoin de personne d'autre aussi longtemps que je vivrais.

À l'aquarium, j'ai déambulé vaillamment d'une salle à l'autre en m'efforçant de répondre aux questions de Baba sur les espèces que je reconnaissais. Mais la lumière et le bruit étaient trop forts, et il y avait trop de monde devant les bassins les plus intéressants. Cela ne ressemblait en rien à la sortie scolaire nocturne que j'avais imaginée. Il fallait batailler pour avancer et cela m'a épuisée d'essayer de prétendre que je m'amusais bien. J'ai très vite eu mal au ventre, et nous sommes partis après une heure environ passée à nous traîner sur place. En rentrant, Baba n'a cessé de me jeter des regards blessés. Il paraissait vouloir me dire quelque chose et je sentais ses yeux peser sur moi. J'ai fait semblant de dormir.

L'année suivante, au collège, les filles de mon âge ont commencé à mettre de l'ombre à paupières et du gloss. Elles assistaient à des concerts de Boys II Men, participaient à des soirées dansantes organisées par l'école et se rendaient en groupe au parc d'attractions Great America, où elles hurlaient dans les descentes et les loopings des montagnes russes. D'autres testaient le basket ou devenaient pom-pom girls. La fille au teint pâle et aux taches de rousseur assise derrière moi en cours d'espagnol avait rejoint l'équipe de natation de notre établissement, et un jour que nous rangions nos bureaux juste après la sonnerie, elle m'a proposé de faire un essai moi aussi. Elle ne comprenait pas. Mes parents auraient été mortifiés si j'avais porté un maillot de bain en public. Non pas que j'en aie eu envie. J'étais terriblement complexée par mon physique. La finesse de mon buste contrastait avec l'épaisseur disproportionnée de mes membres inférieurs, comme si la gravité avait tiré tout mon poids vers le bas. Je semblais avoir été créée par un enfant au cours de l'un de ces jeux qui consistent à mélanger et réassembler des parties du corps, ou, mieux encore, à les intervertir afin de faire rire tout le monde. Mère disait que j'avais une « forte ossature » et que sa propre mère avait été pareille. Pour finir, elle a arrêté de m'opposer cet argument, ayant compris sans doute qu'aucune fille ne rêvait d'avoir une forte ossature.

J'ai bien fait pression sur Baba pour qu'il me laisse jouer au volley, mais il m'a prise dans ses bras et a posé doucement ses mains sur ma tête. *Qui t'emmènerait aux entraînements ?* m'a-t-il raisonnée. *Qui te conduirait aux matches ? Oh, j'aimerais tant qu'on puisse se le permettre, Pari, comme les parents de tes amis, mais il faut qu'on gagne notre vie, ta mère et moi. Je refuse de dépendre de nouveau des aides sociales. Tu comprends, ma chérie. Je sais que tu comprends.*

Malgré cette nécessité de gagner sa vie, il trouvait le temps de m'emmener à des cours de farsi à Campbell. Tous les mardis après-midi, après l'école, je m'asseyais dans une salle et, tel un poisson obligé de nager à contre-courant, je forçais tant bien que mal la nature de ma main en guidant mon stylo de droite à gauche. J'ai supplié Baba de me laisser arrêter, mais il n'a rien voulu savoir. Selon lui, j'apprécierais plus tard ce cadeau qu'il me faisait. Il disait que si la culture était une maison, alors la langue était la clé de la porte principale et de toutes les pièces à l'intérieur. Sans elle, on devenait quelqu'un d'instable, sans foyer et sans identité légitime.

Et puis il y avait les dimanches. Ce jour-là, je me couvrais la tête d'un foulard en coton blanc et Baba me déposait à la mosquée de Hayward afin que j'y suive un enseignement sur le Coran. La pièce où j'étudiais avec une dizaine d'autres filles afghanes était toute petite, non climatisée, et sentait le linge sale. Les fenêtres étroites situées en hauteur me rappelaient celles des cellules de prison que l'on voit toujours au cinéma. La femme chargée de nous faire cours était l'épouse d'un épicier de Fremont. J'aimais surtout quand elle nous racontait des histoires sur la vie du Prophète. Je trouvais intéressant d'apprendre comment il avait passé son enfance dans le désert, comment l'ange Gabriel lui était apparu dans une grotte pour lui ordonner de mémoriser des versets, et comment tous ceux qui le rencontraient étaient frappés par la bonté et la lumière émanant de son visage. Mais notre enseignante ne faisait le plus souvent que nous mettre en garde contre tout ce que de jeunes musulmanes vertueuses comme nous devaient fuir absolument pour ne pas être corrompues par la culture occidentale : d'abord et avant tout, les garçons, bien sûr, mais aussi le rap, Madonna, *Melrose Place*, les shorts, la danse, la natation en public, les pom-pom girls, l'alcool, le bacon, le salami, les hamburgers non halals – et ce n'était qu'un début. Assise par terre, en nage sous l'effet de la chaleur, j'avais des fourmis dans les pieds et je regrettais de ne pas pouvoir ôter mon foulard – forcément, cela ne se fait pas dans une mosquée. Je levais les yeux vers les fenêtres, qui ne permettaient de distinguer que de petits lambeaux de ciel, en attendant avec impatience le moment où je sortirais de la mosquée, où l'air frais tomberait sur mon visage et où, soulagée, je sentirais quelque chose se desserrer dans ma poitrine, comme un nœud inconfortable qui se serait défait.

Dans l'intervalle, ma seule échappatoire consistait à lâcher la bride à mes pensées. De temps à autre, elles se portaient sur Jeremy Warwick, un garçon de mon cours de math. Jeremy avait des yeux bleus au regard impénétrable et une coupe de cheveux afro. Du genre réservé et maussade, il jouait de la guitare dans un petit groupe amateur – lors du spectacle annuel des jeunes talents de l'école, ils avaient interprété une version bruyante de *House of the Rising Sun*. En classe, j'étais assise au quatrième rang derrière lui, sur la gauche, et j'imaginais parfois qu'on s'embrassait. Il posait sa main sur ma nuque, son visage si près du mien qu'il éclipsait le monde entier. Une drôle de sensation se répandait alors en moi, comme une plume chaude qui aurait doucement frissonné dans mon ventre et mes membres. Cela ne s'est jamais produit, évidemment. Lui et moi, c'était une histoire impossible. S'il avait la moindre petite idée de mon existence, il n'en avait jamais rien montré – ce qui n'était pas plus mal à vrai dire. Ainsi, je pouvais prétendre que la seule raison qui nous empêchait d'être ensemble était qu'il ne m'aimait pas.

Je passais mes étés à travailler dans le restaurant de mes parents. Plus jeune, j'adorais essuyer les tables, aider à disposer les assiettes et les couverts, plier les serviettes en papier, mettre un gerbera rouge dans le petit vase rond au centre de chaque table. Je faisais semblant d'être indispensable à l'entreprise familiale, comme si le restaurant avait risqué de faire faillite sans moi pour veiller à ce que les salières et les poivrières soient bien remplies.

Mais le temps que j'entre au lycée, mes journées à l'Abe's Kabob House étaient devenues interminables et étouffantes. Le charme que tous les éléments de ce décor avaient eu pour moi dans mon enfance s'était estompé. Le vieux distributeur de boissons qui bourdonnait dans un coin. Les nappes en vinyle, les tasses en plastique tachées, le nom kitsch des plats sur les menus plastifiés – *Brochettes Caravane*, *Pilaf de la passe de Khyber, Poulet de la route de la Soie.* Sans oublier le poster mal encadré de l'enfant afghane qui avait fait la une du *National Geographic,* celle avec son fameux regard, à croire qu'une loi avait été votée pour obliger tous les restaurants afghans à afficher cette fille sous le nez de leurs clients. À côté, Baba avait accroché une peinture à l'huile des imposants minarets de Herat que j'avais réalisée au collège. Je me souviens de ma fierté et de mon sentiment d'être soudain devenue glamour ce jour-là à la vue des clients qui mangeaient leurs brochettes d'agneau sous mon tableau.

Le midi, pendant que Mère et moi faisions des allers et retours entre les vapeurs épicées de la cuisine et les tables où nous servions des employés de bureau, des agents municipaux et des policiers, Baba tenait la caisse. Baba et sa chemise blanche maculée de taches de graisse, ses poils gris qui s'échappaient par-dessus le bouton du haut et ses gros avant-bras velus. Baba qui rayonnait et saluait joyeusement chaque nouveau client. *Bonjour, monsieur ! Bonjour, madame ! Bienvenue à l'Abe's Kabob House. Je suis Abe. Puis-je prendre votre commande, s'il vous plaît ?* Cela me crispait de le voir se donner inconsciemment l'air d'un brave idiot du Moyen-Orient dans une mauvaise série télé. À cela, il fallait ajouter son petit numéro avec la vieille cloche en cuivre qu'il s'amusait à faire sonner chaque fois que je servais une table. Cela avait été plus ou moins un jeu au début, je suppose, cette cloche accrochée au mur derrière la caisse. Mais avec le temps, son carillon avait fini par accompagner l'arrivée de chaque plat. Les habitués s'y étaient faits et ne l'entendaient presque plus, les autres mettaient ça sur le compte du charme excentrique de l'endroit – même s'il y avait parfois des plaintes.

Tu n'as plus envie de faire sonner la cloche, a dit Baba un soir. C'était le trimestre de printemps de ma dernière année au lycée. Assis dans la voiture devant le restaurant, après la fermeture, nous attendions Mère, qui avait oublié ses cachets anti-acide et était partie les chercher en courant. Baba affichait une mine abattue. Toute la journée, déjà, il avait été de mauvaise humeur. Une fine bruine tombait sur la rue commerçante. Il était tard et le parking était désert, à l'exception de quelques voitures drainées par le drive-in du KFC et, devant le teinturier, un pick-up avec à l'intérieur deux types dont la fumée de cigarette s'échappait en volutes par les vitres ouvertes.

C'était plus drôle quand je n'étais pas obligée de le faire, ai-je répondu.

Cela vaut pour tout, je suppose. Il a poussé un profond soupir.

Je me souviens de mon ravissement quand j'étais petite et que Baba me soulevait pour que je sonne la cloche. Au moment où je retouchais le sol, mon visage irradiait de joie et de fierté.

Il a allumé le chauffage dans la voiture et croisé les bras.

C'est loin, Baltimore.

Tu pourras venir en avion quand tu voudras, ai-je dit gaiement.

Venir en avion quand je voudrai, a-t-il répété avec une pointe de dérision. *Je gagne ma vie en faisant cuire des brochettes, Pari.*

Alors, c'est moi qui viendrai te voir.

Baba a roulé de gros yeux vers moi et m'a jeté un regard fatigué. Sa mélancolie était semblable à l'obscurité qui enveloppait pesamment la voiture.

Tous les jours pendant un mois, j'avais relevé le courrier, le cœur battant d'espoir chaque fois que le facteur s'arrêtait devant chez nous. Je rapportais tous les plis à la maison et après avoir fermé les yeux un instant en pensant *C'est peut-être pour aujourd'hui*, je faisais défiler les factures, les coupons de réduction et bons de participation à des loteries. Jusqu'à ce mardi, une semaine plus tôt, où j'avais déchiré une enveloppe et trouvé les mots que j'attendais : *Nous avons le plaisir de vous informer que...*

J'avais fait un bond en criant – un véritable hurlement à m'écorcher la gorge, et qui m'avait fait monter les larmes aux yeux. Presque aussitôt, une image m'avait traversé l'esprit. Une soirée d'inauguration dans une galerie. Moi en tenue simple, noire et élégante. Entourée de mécènes et de critiques au front ridé, je souriais et répondais aux questions tandis que des groupes d'admirateurs s'attardaient devant mes toiles et que des serveurs aux gants blancs circulaient en remplissant les verres des invités et en proposant de petits carrés de saumon à l'aneth ou des feuilletés aux pointes d'asperges. J'ai été saisie d'un brusque accès d'euphorie, de ceux qui vous donnent envie de serrer des inconnus dans vos bras et de danser et tournoyer avec eux.

C'est pour ta mère que je m'inquiète, a dit Baba.

J'appellerai tous les soirs. Je te le promets. Tu sais que je le ferai.

Il a hoché la tête. Une rafale de vent a agité les feuilles de l'érable à l'entrée du parking.

Tu as réfléchi un peu plus à ce dont on avait discuté ?

Opter pour un institut universitaire, tu veux dire ?

Juste un an ou deux. Le temps qu'elle s'habitue à cette idée. Après, tu pourrais poser à nouveau ta candidature.

Une vague de colère m'a envahie. *Baba, ces gens ont étudié les résultats de mes tests et mon dossier scolaire, ils ont examiné mon book d'artiste et ils se sont fait une suffisamment bonne opinion de mon travail pour m'accepter, et même pour m'offrir une bourse. C'est l'un des meilleurs centres d'enseignement artistique du pays. On ne dit pas non à ce genre d'école. Une chance pareille ne se représente pas.*

Certes, a-t-il dit en se redressant sur son siège et en soufflant dans ses mains en coupe pour les réchauffer. *Je comprends, oui. Et je suis content pour toi, évidemment.* Mais la bataille qui se livrait en lui se lisait sur son visage. Et sa peur aussi. Pas seulement celle qu'il éprouvait pour moi et ce qui risquait de m'arriver à 4 500 kilomètres de chez nous. Mais aussi la peur qu'il avait de moi. Sa peur de me perdre. Sa peur devant mon pouvoir de le rendre malheureux par mon absence, de réduire en pièces son cœur mis à nu et vulnérable si je le décidais, comme un doberman déchiquetant un chaton.

Je me suis souvenue de sa sœur. À ce moment-là, mon lien avec Pari – dont je sentais la présence autrefois, tel un battement au fond de moi – s'était depuis longtemps délité. Elle occupait rarement mes pensées désormais. À mesure que filaient les années, je m'étais détournée d'elle, de même que je l'avais fait de mon pyjama préféré et des peluches auxquelles j'avais été un jour si attachée. Mais à cet instant, j'ai de nouveau songé à elle et à la relation qui nous unissait. Si ce qu'on lui avait infligé pouvait se comparer à une vague écrasée loin du rivage, alors c'était le retour de courant de cette vague qui cernait mes chevilles et qui s'en éloignait.

Baba s'est éclairci la gorge en contemplant l'obscurité et la lune voilée par les nuages. L'émotion faisait larmoyer ses yeux.

Tout te rappellera à moi.

Devant la tendresse et la légère panique perceptibles dans ses paroles, j'ai compris que mon père était quelqu'un de blessé, que son amour était aussi vrai, aussi vaste et immuable que le ciel, et aussi que cela pèserait toujours sur moi. C'était le genre d'amour qui tôt ou tard vous obligeait à faire un choix : soit on s'arrachait à lui pour être libre, soit on restait et on supportait sa dureté alors même qu'il cherchait à vous faire entrer de force dans une case trop petite pour vous.

J'ai tendu le bras depuis la banquette arrière afin d'effleurer le visage de Baba. Il a appuyé sa joue contre ma paume.

Qu'est-ce qui lui prend tellement de temps ? a-t-il murmuré.

Elle ferme tout à clé, ai-je répondu, épuisée. J'ai regardé Mère se dépêcher de regagner la voiture. La fine bruine s'était transformée en déluge.

Un mois plus tard, deux semaines avant que je prenne l'avion pour aller visiter le campus, Mère est allée voir le Dr Bashiri et l'a informé que les anti-acide ne soulageaient pas du tout ses douleurs au ventre. Il l'a envoyée passer une échographie. Son ovaire gauche présentait une tumeur de la taille d'une noix.

— Baba ?

Immobile sur son fauteuil, le buste avachi vers l'avant et le bas de ses jambes recouvert par un plaid en laine à carreaux, il porte un pantalon de jogging, le gilet marron que je lui ai acheté l'année dernière et une chemise en flanelle qu'il a boutonnée de haut en bas. Il insiste pour garder ses cols fermés maintenant, ce qui lui donne une allure à la fois infantile et frêle. L'air de quelqu'un qui s'est résigné à la vieillesse. Son visage me semble un peu bouffi, et quelques mèches de ses cheveux blancs décoiffés retombent sur son front. Il suit *Qui veut gagner des millions ?* avec une mine grave et perplexe. Quand je l'appelle par son prénom, il reste concentré sur le jeu, sans paraître m'avoir entendue. Puis il se tourne vers moi avec mécontentement. Un petit orgelet pousse sous son œil gauche et il a besoin d'un rasage.

— Baba, je peux couper le son un instant ?

— Je regarde la télé.

— Je sais, mais tu as de la visite.

Je lui ai déjà parlé de la venue de Pari Wahdati hier, et de nouveau ce matin, mais je ne lui demande pas s'il s'en souvient. C'est quelque chose que j'ai appris très tôt, ça. Ne pas le prendre au dépourvu. Cela le gêne et le met sur la défensive, au point parfois qu'il en devient grossier.

Je saisis la télécommande sur le bras du fauteuil et coupe le son en me préparant à une crise de colère. La première fois, j'étais persuadée qu'il s'agissait d'une feinte, d'un petit numéro à mon intention. Heureusement, il se contente aujourd'hui d'émettre un long soupir par le nez en guise de protestation.

Je fais signe à Pari, qui attendait dans le couloir à l'entrée du salon. Lentement, elle s'approche de nous. Je lui avance une chaise près de Baba. Elle n'est plus qu'une boule de nerfs surexcitée, j'en ai bien conscience. Elle s'assoit le dos droit et se penche au bord du siège, livide, les genoux serrés, les mains collées l'une à l'autre, avec un sourire si crispé que ses lèvres pâlissent. Elle scrute Baba intensément, comme

444

si elle ne disposait que de quelques minutes avec lui et qu'elle voulait mémoriser ses traits.

— Baba, c'est l'amie dont je t'ai parlé.

Il pivote vers la femme aux cheveux gris en face de lui. Il a une façon déstabilisante de regarder les gens ces jours-ci qui ne trahit rien de ses pensées, même quand il les fixe bien en face. L'air désengagé, renfermé sur lui-même, il pourrait faire croire qu'il cherchait autre chose et que son attention s'était portée sur eux par hasard.

Pari s'éclaircit la gorge. Même ainsi, sa voix tremble lorsqu'elle s'adresse à lui.

— Bonjour, Abdullah. Je m'appelle Pari. C'est une telle joie de vous rencontrer.

Il opine lentement. Je vois presque l'incertitude et la confusion se répandre sur son visage, telles des vagues spasmodiques. Ses yeux se posent sur moi, puis sur elle, et sa bouche s'ouvre sur un demi-sourire contraint, comme lorsqu'il s'imagine victime d'une farce.

— Vous avez un accent, fait-il enfin remarquer en farsi.

— Elle vit en France, dis-je. Il faut que tu lui parles en anglais, Baba. Elle ne comprend pas le farsi.

Il acquiesce.

— Alors comme ça, vous habitez à Londres ? lance-t-il à Pari, mais toujours dans sa langue natale.

— Baba !

— Quoi ?

Il se tourne brusquement vers moi. Puis il saisit son erreur et laisse échapper un petit rire embarrassé avant de poursuivre en anglais à l'intention de Pari :

— Vous habitez à Londres ?

— Non, à Paris, répond-elle, sans le quitter du regard. Je vis dans un petit appartement à Paris.

— J'ai toujours voulu y aller avec ma femme, Sultana
– paix à son âme. Elle me disait sans cesse, *Abdullah,
emmène-moi à Paris. Quand m'emmèneras-tu à Paris ?*

En fait, Mère n'aimait pas beaucoup voyager. Elle ne
voyait pas pourquoi elle aurait dû abandonner le confort
et le cadre familier de sa propre maison pour s'infliger
le calvaire de prendre l'avion et de traîner des bagages.
Elle n'avait même pas le sens de l'aventure culinaire
– son idée d'un plat exotique se résumait au poulet à
l'orange du traiteur chinois de Taylor Street. Je trouve
assez étonnant que Baba arrive parfois à se souvenir
d'elle avec une précision troublante – par exemple, sa
manie de saler la nourriture en faisant tomber les grains
de sel de sa paume, ou celle d'interrompre les gens au
téléphone, elle qui ne le faisait jamais quand elle était
en face d'eux – et qu'il soit capable à d'autres moments
de se tromper autant. Je suppose que l'image de Mère
s'estompe en lui, que son visage disparaît peu à peu
dans l'ombre, que son souvenir s'atténue chaque jour, à
la manière du sable s'écoulant d'un poing. Elle devient
une silhouette fantomatique, une coquille creuse qu'il
se sent obligé de remplir de détails bidon et de traits
de caractère forgés de toutes pièces, comme si de faux
souvenirs valaient mieux que rien.

— C'est vrai que c'est une belle ville, dit Pari.

— Peut-être que je l'y emmènerai quand même. Mais
là, elle a un cancer. Celui qui est propre aux femmes…
lequel, déjà… Le…

Je lui coupe la parole :

— Le cancer des ovaires.

Pari hoche la tête et nous observe tour à tour.

— Ce qu'elle veut par-dessus tout, c'est monter en
haut de la tour Eiffel. Vous l'avez déjà vue ? s'enquiert
Baba.

— La tour Eiffel ? répond Pari en riant. Oh, oui. Je la vois tous les jours. Je ne peux pas l'éviter, en fait.

— Vous êtes montée en haut ? Tout en haut ?

— Oui, et c'est magnifique. Moi, j'ai le vertige, alors je ne me sens pas très l'aise, mais par beau temps, on distingue le paysage à plus de soixante kilomètres à la ronde. Bon, évidemment, il ne fait pas souvent soleil à Paris.

Baba réagit en grognant. Encouragée, Pari continue à parler de la tour, du nombre d'années qu'il a fallu pour la construire, du fait qu'elle n'était pas du tout censée rester en place après l'Exposition universelle de 1889. Mais elle ne sait pas lire aussi bien que moi dans les yeux de Baba. Son visage est devenu inexpressif. Elle ne se rend pas compte qu'elle l'a perdu, que ses pensées ont déjà dévié, comme des feuilles emportées par le vent.

— Vous saviez, Abdullah, qu'il fallait repeindre la tour tous les sept ans ? dit-elle en s'avançant un peu plus sur son siège.

— Comment avez-vous dit que vous vous appeliez ?

— Pari.

— C'est le prénom de ma fille.

— Oui, je sais.

— Vous avez le même prénom. Vous avez le même prénom, toutes les deux. Et voilà.

Il tousse et triture distraitement une petite déchirure dans le cuir du fauteuil, au niveau de l'accoudoir.

— Abdullah, puis-je vous poser une question ?

Il hausse les épaules.

Pari lève les yeux vers moi en semblant solliciter ma permission. Je l'encourage à poursuivre d'un petit geste.

— Pourquoi avez-vous décidé de donner ce prénom à votre fille ?

Il se tourne vers la fenêtre sans cesser de gratter de son ongle la déchirure dans le fauteuil.

— Vous vous souvenez, Abdullah ? Pourquoi ce prénom ?

Il secoue la tête, saisit les pans de son gilet dans son poing et les referme contre sa gorge. Ses lèvres bougeant à peine, il commence à chantonner tout bas – un petit air rythmé qu'il marmonne toujours quand l'anxiété le guette, quand il ne trouve pas la réponse à une question, quand tout se fond dans le brouillard et que, submergé par un torrent de pensées décousues, il attend désespérément que l'obscurité se dissipe.

— Abdullah ? Qu'est-ce que c'est ?

— Rien, grogne-t-il.

— Non, cette chanson que vous fredonnez. Qu'est-ce que c'est ?

Il m'implore en silence, perdu. Il ne sait pas.

— Ça ressemble à une comptine, dis-je. Tu te souviens, Baba ? Tu m'as raconté que tu l'avais apprise étant petit auprès de ta mère.

— D'accord.

— Vous pouvez la chanter pour moi ? le presse Pari, émue. S'il vous plaît, Abdullah. Vous voulez bien la chanter ?

Il baisse la tête et fait signe que non.

— Vas-y, Baba, dis-je doucement en posant une main sur son épaule saillante. Tout va bien.

Il finit par céder et, sans nous regarder, il répète plusieurs fois ce couplet avec hésitation, d'une voix tremblante et suraiguë :

J'ai trouvé une triste petite fée
À l'ombre d'un arbre à papier.

— D'après lui, il y a un deuxième couplet, dis-je à Pari, mais il l'a oublié.

Pari Wahdati éclate d'un rire qui sonne comme un cri profond, guttural. Elle se ressaisit aussitôt.

— *Ah, mon Dieu**, murmure-t-elle, avant de se mettre à chanter en farsi :

Je connais une triste petite fée
Que le vent un soir a soufflée.

Le front de Baba se plisse. Un bref instant, je crois discerner une infime lueur dans ses yeux. Mais elle s'éteint ensuite, et il recouvre une fois de plus sa mine placide.

— Non, non, déclare-t-il. Je ne crois pas que ce soit ça.

— Oh, Abdullah…, soupire Pari.

Au bord des larmes, elle lui sourit et se penche pour prendre ses mains dans les siennes, les embrasser, puis les presser contre ses joues. Baba sourit à son tour, l'air tout près de pleurer lui aussi. Devant le regard éperdu de joie que me jette Pari, je devine qu'elle s'imagine avoir ouvert une brèche et réussi à rappeler à elle son frère perdu par ce chant magique, comme l'aurait fait un génie dans un conte de fées. Elle s'imagine qu'il la voit clairement maintenant. Mais elle comprendra bientôt qu'il réagit juste à la chaleur de sa caresse et à cette affection qu'elle lui témoigne. Ce n'est qu'un instinct animal, rien de plus. Ça, je le sais avec une douloureuse certitude.

Quelques mois avant que le Dr Bashiri me donne le numéro de téléphone d'un établissement de soins palliatifs, Mère et moi étions parties en week-end dans les montagnes de Santa Cruz. Mère n'aimait pas les longs voyages, mais nous nous accordions de temps en temps de petites escapades, elle et moi, à l'époque où elle n'était pas encore gravement malade. Pendant que Baba s'occupait du restaurant, je la conduisais à Bodega Bay, à Sausalito ou à San Francisco. Là, nous logions toujours dans un hôtel près d'Union Square. Nous nous installions dans notre chambre, passions commande d'un repas et regardions des vidéos à la demande. Plus tard, nous allions nous promener sur Fisherman's Wharf – Mère se laissait avoir par tous les pièges à touristes. Nous achetions des glaces, admirions les lions de mer qui apparaissaient et disparaissaient à la surface de l'eau près de la jetée. Nous laissions tomber des pièces de monnaie dans les étuis des guitaristes des rues et les sacs à dos des mimes ou des hommes-robots entièrement peints en gris. Et nous allions toujours visiter le musée d'Art moderne. Mon bras enroulé autour du sien, je lui montrais les œuvres de Rivera, Khalo, Matisse, Pollock. Ou bien nous allions au cinéma dans l'après-midi – Mère adorait ça –, et nous enchaînions deux ou trois séances, avant d'émerger de la salle obscure les yeux troubles, les oreilles bourdonnantes et les doigts fleurant le pop-corn.

Les choses étaient plus faciles avec Mère – depuis toujours. Nos rapports étaient moins compliqués, moins traîtres. Je n'avais pas besoin d'être autant sur mes gardes ni de surveiller en permanence ce que je disais de peur de la blesser. Être seule avec elle durant ces week-ends, c'était comme se blottir dans un doux nuage et, l'espace de deux jours, sentir toutes mes préoccupations s'évanouir mille kilomètres plus bas sans que cela prête à conséquence.

Nous fêtions cette fois-là la fin d'une nouvelle série de séances de chimio – celle qui devait s'avérer la dernière. Notre hôtel, un bel établissement isolé de tout, comprenait un spa, un centre de fitness et une salle de jeux dotée d'un écran de télévision géant et d'une table de billard. Depuis le porche en bois de notre lodge, nous avions vue sur la piscine, le restaurant et une forêt entière de séquoias qui s'étiraient haut vers le ciel. Quelques-uns des arbres étaient si proches qu'on distinguait les subtiles nuances de la fourrure d'un écureuil filant le long de leur tronc. Le premier matin, Mère m'a réveillée en disant, *Vite, Pari, il faut que tu voies ça.* Un daim mangeait les feuilles des buissons derrière notre fenêtre.

Je l'ai promenée dans son fauteuil roulant tout autour des jardins. *Je fais vraiment pitié*, disait-elle. Puis je me suis arrêtée près de la fontaine et assise à côté d'elle sur un banc, sous le soleil qui réchauffait nos visages. Ensemble, nous avons regardé les colibris aller de fleur en fleur jusqu'à ce qu'elle s'endorme et que je la ramène dans notre lodge.

Le dimanche après-midi, nous avons mangé des croissants sur le balcon du restaurant – une grande salle au plafond cathédrale avec des étagères, un attrape-rêves amérindien accroché à un mur et une cheminée en pierre – une vraie de vraie. Sur une terrasse en contrebas, un homme aux allures de derviche et une fille aux cheveux blonds et mous disputaient une partie léthargique de ping-pong.

Il faut qu'on fasse quelque chose pour ces sourcils, a décrété Mère. Elle portait un manteau d'hiver par-dessus son pull et le bonnet en laine marron qu'elle s'était tricoté un an et demi plus tôt – au moment où toutes les festivités avaient commencé, comme elle disait.

Je te les redessinerai, ai-je répondu.

Rends-les spectaculaires, alors.

Comme ceux d'Elizabeth Taylor dans Cléopâtre *?*

Elle a souri faiblement. *Pourquoi pas ?* Puis elle a avalé une petite gorgée de thé. Sourire accentuait toutes les nouvelles rides de son visage. *Quand j'ai rencontré Abdullah, je vendais des habits dans la rue à Peshawar. Il m'a affirmé que j'avais de très beaux sourcils.*

Les joueurs de ping-pong avaient abandonné leurs raquettes. À présent appuyés contre la balustrade en bois de la terrasse, ils se partageaient une cigarette en levant les yeux vers le ciel, lumineux et dégagé ce jour-là en dehors de quelques nuages qui s'y effilochaient. Je me souviens que la fille avait de longs bras osseux.

J'ai lu dans le journal qu'il y avait un Salon des arts et de l'artisanat à Capitola aujourd'hui, ai-je déclaré. *Peut-être qu'on pourrait y faire un tour, et même dîner là-bas, si tu en as envie. Et si tu t'en sens capable, bien sûr.*

Pari ?

Ouais.

J'ai quelque chose à te dire.

Vas-y.

Abdullah a un frère au Pakistan. Un demi-frère.

Je lui ai vivement fait face.

Il s'appelle Iqbal et il a plusieurs fils. Il vit dans un camp de réfugiés près de Peshawar.

J'ai reposé ma tasse et commencé à la questionner, mais elle m'a tout de suite interrompue.

Je te l'apprends maintenant, non ? C'est tout ce qui compte. Ton père a ses raisons. Réfléchis-y et je suis certaine que tu arriveras à les deviner. L'important, c'est qu'il a un demi-frère et qu'il l'aide financièrement.

Elle m'a expliqué comment, depuis des années déjà, Baba envoyait à cet Iqbal – mon demi-oncle, ai-je pensé avec un coup au cœur – mille dollars tous les trois mois par le biais de Western Union, qui virait cette somme sur un compte bancaire à Peshawar.

Pourquoi tu m'annonces ça maintenant ?

Parce que je considère que tu dois être mise au courant, même s'il n'est pas d'accord. Et puis, tu géreras bientôt nos finances. Tu l'aurais découvert à ce moment-là, de toute façon.

J'ai détourné la tête et observé un chat qui s'approchait furtivement des joueurs de ping-pong, la queue dressée. La fille a tendu le bras pour le caresser. L'animal s'est raidi, mais s'est ensuite roulé en boule et l'a laissée passer les mains sur ses oreilles et le long de son dos. Moi, j'étais sonnée. J'avais de la famille en dehors des États-Unis.

Tu tiendras nos comptes encore longtemps, Mère, ai-je dit en faisant de mon mieux pour masquer le tremblement de ma voix.

Un silence prégnant a accueilli ma remarque. Lorsqu'elle m'a répondu, elle l'a fait d'une voix plus basse, plus lente, comme lorsque j'étais petite et qu'avant de partir assister à des funérailles, elle se baissait près de moi pour me rappeler patiemment que je devais ôter mes chaussures dans la mosquée, rester sage pendant les prières, ne pas m'agiter ni me plaindre, et passer aux toilettes tout de suite afin de ne pas avoir envie d'y aller plus tard.

Non, a-t-elle répondu. *Et ne va pas t'imaginer que je le ferai. Mon heure est venue, il faut que tu t'y prépares.*

J'ai laissé échapper un souffle d'air. Une boule dure logée dans ma gorge. Quelque part, une tronçonneuse est entrée en action, le crescendo de son vrombissement plaintif contrastant violemment avec le silence de la forêt.

Ton père est comme un enfant. Il est terrifié à l'idée d'être abandonné. Il perdrait tous ses repères sans toi, Pari, et il ne les retrouverait jamais.

Je me suis obligée à fixer les arbres, la lumière du soleil qui inondait les feuilles duveteuses, l'écorce rêche des troncs. Dans le même temps, j'ai glissé ma langue entre mes incisives et mordu fort. Mes yeux se sont embués tandis que le goût métallique du sang se répandait dans ma bouche.

Un frère, ai-je dit.

Oui.

J'ai beaucoup de questions à te poser.

Tu me les poseras ce soir. Quand je ne serai plus aussi fatiguée. Je te raconterai tout ce que je sais.

J'ai acquiescé et avalé le restant de mon thé, qui s'était refroidi entre-temps. À une table voisine, un couple d'une cinquantaine d'années s'est échangé des parties de son journal. La femme, une rousse à la mine franche et honnête, nous observait tranquillement par-dessus ses pages, son attention rivée tantôt sur moi, tantôt sur ma mère, son teint gris, son bonnet en laine, ses mains couvertes de bleus, ses yeux caves et son sourire squelettique. Quand j'ai croisé son regard, elle m'a adressé un léger sourire, comme si nous avions partagé un savoir secret. J'ai senti qu'elle était passée par là, elle aussi.

Alors, qu'est-ce que tu en dis, Mère ? Tu te sens capable d'aller à ce salon ?

Elle m'a dévisagée un moment. Ses yeux paraissaient trop grands pour sa tête, elle-même trop grosse pour ses épaules.

Ma foi, un nouveau chapeau ne me ferait pas de mal.

J'ai jeté ma serviette sur la table et repoussé ma chaise pour aller ôter le frein de son fauteuil roulant.

Pari ? a-t-elle lancé juste comme je la faisais reculer.

Oui ?

Elle s'est tournée vers moi autant qu'elle le pouvait. Le soleil qui se frayait un chemin entre les feuilles des arbres parsemait son visage de petits points lumineux. *Sais-tu seulement quelle force Dieu t'a donnée ? Sais-tu quelle force et quelle bonté il a mises en toi ?*

Les rouages de l'esprit défient l'entendement. Ce moment-là, par exemple. Parmi tous ceux que nous avons passés ensemble au fil des ans, elle et moi, c'est celui qui rayonne avec le plus d'éclat, celui qui vibre le plus fort au fond de mon être : les yeux levés vers moi par-dessus son épaule, la peau criblée de toutes ces taches de lumière, ma mère me demande si je sais quelle force et quelle bonté Dieu a mises en moi.

Après que Baba s'est assoupi sur son fauteuil, Pari remonte doucement la fermeture Éclair de son gilet, tire le plaid sur sa poitrine et coince une mèche pendante de ses cheveux derrière son oreille. Elle s'attarde ensuite près de lui en l'observant. Moi aussi, j'aime le voir dormir, parce qu'on ne perçoit rien d'anormal chez lui quand il est ainsi. Ses paupières closes effacent son inexpressivité, ainsi que son regard absent et éteint. Il paraît plus familier, plus alerte et plus présent, comme s'il avait retrouvé une partie de son ancienne personnalité. Je me demande si Pari peut se représenter rien qu'à la vue de son visage appuyé sur l'oreiller comment il était autrefois, combien il riait.

Nous quittons le salon pour aller dans la cuisine, où je prends une casserole dans un placard avant de la remplir d'eau au robinet.

— Je voulais te montrer ça, déclare Pari avec une pointe d'excitation dans la voix.

Assise à table, elle tourne les pages d'un album de photos qu'elle a sorti de sa valise un peu plus tôt.

— J'ai peur que le café ne soit pas à la hauteur de ceux qu'on boit à Paris, dis-je en versant l'eau de la casserole dans la cafetière.

— Oh, tu sais, je ne suis pas une puriste en la matière.

Elle a ôté son foulard jaune et mis ses lunettes de lecture. Quand la cafetière commence à faire entendre son gargouillis, je m'installe à côté d'elle.

— *Ah, oui. Voilà*.

Elle pousse l'album vers moi en tapotant une photo.

— C'est là. L'endroit où ton père et moi nous sommes nés. Et Iqbal aussi.

La première fois qu'elle m'a téléphoné de Paris, elle a mentionné son demi-frère – peut-être pour me prouver qu'elle ne mentait pas sur son identité. Mais je savais déjà qu'elle disait la vérité. Je l'ai su dès l'instant où j'ai décroché le combiné et où elle a prononcé le nom de mon père en demandant si ce numéro était bien le sien. *Oui, qui est à l'appareil ?* ai-je dit. Elle a répondu, *Je suis sa sœur.* Mon cœur a cogné violemment et j'ai cherché à tâtons une chaise sur laquelle me laisser tomber. Je n'entendais soudain plus rien autour de moi. C'était un choc, oui, une sorte de coup de théâtre comme il s'en produit rarement dans la vraie vie. Mais si je me plaçais à un autre niveau – un niveau dépourvu de toute logique, un niveau plus fragile, dont l'essence aurait volé en éclats si j'avais osé ne serait-ce que le formuler à voix haute –, je n'étais pas surprise qu'elle m'appelle. J'avais pour ainsi dire toujours attendu qu'un caprice étourdissant du destin, de

456

la vie, de la chance ou du hasard, quel que soit le nom que l'on veuille mettre dessus, nous réunisse toutes les deux.

Je suis sortie dans le jardin avec le téléphone et me suis assise sur une chaise près du petit potager où je continuais à faire pousser les poivrons et les énormes courges que ma mère avait plantés. Le soleil a réchauffé mon cou pendant que j'allumais une cigarette de mes mains tremblantes.

Je sais qui vous êtes, ai-je dit. *Je l'ai toujours su.*

Il y a eu un silence à l'autre bout du fil, mais j'avais l'impression qu'elle s'était juste écartée du combiné pour pleurer doucement.

Nous avons discuté durant presque une heure. Je lui ai confié que j'étais au courant de ce qui lui était arrivé et que je demandais souvent à mon père de me raconter son histoire autrefois. De son côté, elle m'a expliqué qu'elle avait tout ignoré de son propre passé et qu'elle serait probablement morte sans en avoir jamais eu connaissance sans la lettre que son oncle par alliance, Nabi, lui avait laissée avant de mourir à Kaboul, une lettre dans laquelle il retraçait en détail les événements survenus dans son enfance, entre autres choses. Il avait remis ce message à un certain Markos Varvaris, un chirurgien qui travaillait là-bas et qui avait entrepris ensuite de la retrouver. Cet été-là, elle s'était rendue à Kaboul afin de le rencontrer, et il s'était arrangé pour lui faire visiter Shadbagh.

Vers la fin de notre conversation, je l'ai sentie qui prenait son courage à deux mains. *Eh bien, je crois que je suis prête. Puis-je lui parler, maintenant ?*

C'est à ce moment-là que j'ai dû lui avouer.

Je tire l'album vers moi afin d'examiner la photo qu'elle me désigne. Je vois un grand manoir niché

derrière de hauts murs blancs surmontés de barbelés. Ou plutôt, je vois l'idée tragiquement erronée que
quelqu'un s'est faite d'un manoir. Un bâtiment construit
sur deux étages, rose, vert, jaune et blanc, avec des para-
pets, des tours, des avant-toits pointus, des mosaïques
et des parois vitrées réfléchissantes, comme celles des
gratte-ciels. Un monument érigé à la gloire du kitsch,
mais lamentablement raté.

— Mon Dieu !

— *C'est affreux, non* ?* dit Pari. Je trouve ça horrible. Les Afghans utilisent l'expression « narcopalais »
pour désigner ces demeures. Celle-là abrite un criminel
de guerre notoirement connu.

— C'est tout ce qu'il reste de Shadbagh ?

— De la partie ancienne du village, oui. Ça, et beaucoup d'hectares d'arbres fruitiers. Je ne me souviens
plus du mot anglais…

Je lui rappelle le mot qui signifie *verger* et elle continue :

— J'aurais aimé savoir où était notre ancienne maison. Je veux dire, par rapport à ce bâtiment. Ça m'aurait fait plaisir de voir son emplacement exact.

Elle évoque le nouveau Shadbagh – une véritable
ville construite à trois kilomètres environ du village,
avec des écoles, un dispensaire, un quartier commer-
çant, et même un petit hôtel. C'est là qu'elle a cherché
Iqbal avec l'aide d'un traducteur. J'avais déjà appris
tout ça durant notre première et longue conversation
téléphonique – le fait que personne en ville ne semblait
connaître son demi-frère, puis sa rencontre avec un
vieillard, un ami d'école d'Iqbal, qui l'avait repéré, lui
et sa famille, sur un terrain vague près du vieux moulin.
Iqbal lui avait raconté que lorsqu'il était au Pakistan, il
recevait de l'argent de son frère aîné, qui vivait dans le

nord de la Californie. *Est-ce qu'il vous a dit le nom de ce frère ? ai-je demandé au vieillard. Il m'a répondu, Oui, Abdullah. Après ça, le reste n'était pas si difficile. Je veux dire, vous retrouver, ton père et toi.*

J'ai aussi voulu savoir où était Iqbal à présent, ce qu'il était devenu. J'ai interrogé le vieil homme. Il l'ignorait, m'a-t-il affirmé. Mais il semblait très nerveux, et il a évité de me regarder en disant ça. Alors je m'inquiète, Pari. Je crains qu'il ne soit arrivé quelque chose à Iqbal.

Elle tourne d'autres pages et me montre ses enfants, Alain, Isabelle et Thierry, et ses petits-enfants, pris lors de fêtes d'anniversaire ou en maillot de bain au bord d'une piscine. Son appartement à Paris, les murs bleu pastel, les stores blancs descendus complètement, les étagères remplies de livres. Son bureau encombré à l'université, où elle a enseigné les mathématiques avant que sa polyarthrite ne l'oblige à prendre sa retraite.

Je continue à parcourir l'album pendant qu'elle me livre les légendes des photos. Sa vieille amie Colette. Le mari d'Isabelle, Albert. Son propre mari, Éric, un dramaturge mort d'une crise cardiaque en 1997. Je m'arrête devant un cliché d'eux, assis côte à côte sur des coussins orange dans un restaurant, l'air incroyablement jeunes, elle en chemisier blanc et lui en T-shirt, ses cheveux longs attachés en queue de cheval.

— Le soir de notre rencontre, dit Pari. C'était un coup monté.

— Il paraît gentil.

— Il l'était. Quand on s'est mariés, je me disais : Oh, on vivra longtemps ensemble. Trente ans au moins, peut-être quarante, cinquante si on a de la chance. Pourquoi pas ?

Elle contemple la photo, perdue dans ses pensées, puis esquisse un petit sourire.

— Mais le temps, c'est comme le charme. On n'en a jamais autant qu'on le croit, poursuit-elle en repoussant l'album pour boire son café. Et toi, tu ne t'es jamais mariée ?

Je hausse les épaules et tourne une nouvelle page.

— Ça s'est joué à un cheveu, un jour.

— Excuse-moi… « à un cheveu » ?

— Ça veut dire que j'ai failli me marier. Mais on n'a jamais atteint le stade des alliances.

Ce n'est pas vrai. Cette histoire a été douloureuse et embrouillée. Aujourd'hui encore, son souvenir me fait l'effet d'une douce brûlure.

Pari baisse la tête.

— Excuse-moi. Je suis très impolie.

— Non, ce n'est rien. Il a rencontré une fille plus jolie et moins… encombrée, je suppose. Et parlant d'être jolie, qui est-ce ?

Je lui montre la photo d'une femme à la beauté frappante avec ses longs cheveux bruns et ses grands yeux. Une cigarette à la main, le coude ramené contre elle et la tête relevée avec insouciance, elle semble s'ennuyer un peu, mais son regard est pénétrant et provocant.

— Ma mère, Nila Wahdati. Enfin, celle que je pensais être ma mère. Tu me comprends.

— Elle est superbe.

— En effet. Elle s'est suicidée en 1974.

— Je suis désolée.

— Non, non, ne t'inquiète pas.

Pari passe distraitement son pouce sur la photo.

— C'était une femme élégante et talentueuse. Elle écrivait des livres et avait des opinions très marquées qu'elle exposait toujours aux gens. Mais elle était aussi très triste intérieurement. Toute ma vie, elle m'a tendu une pelle en me répétant, *Comble ces trous que j'ai en moi, Pari*.

Je hoche la tête. Je crois que je vois très bien ce qu'elle entend par là.

— Mais je ne le pouvais pas. Et plus tard, je ne voulais plus. J'ai agi n'importe comment. J'ai été imprudente.

Elle recule sur sa chaise, les épaules affaissées, et appuie ses maigres mains blanches sur ses genoux en réfléchissant.

— *J'aurais dû être plus gentille**. C'est quelque chose qu'on ne regrette jamais, ça. Quand on est vieux, on ne se dit pas, *Ah, si seulement je n'avais pas été gentille avec cette personne.* Jamais.

Durant un moment, elle garde un air accablé qui la fait ressembler à une petite fille perdue.

— Ça n'aurait pas été si difficile, ajoute-t-elle d'un ton las. J'aurais dû être plus gentille. J'aurais dû être davantage comme toi.

Elle pousse un profond soupir et referme l'album. Puis, après une pause, elle reprend avec entrain :

— Ah, tant pis. Maintenant, j'ai une faveur à te demander.

— Vas-y.

— Tu veux bien me montrer quelques-uns de tes tableaux ?

Nous échangeons un sourire.

Pari passe un mois avec nous. Le matin, nous déjeunons ensemble dans la cuisine. Du café noir et des toasts pour elle, du yaourt pour moi, et des œufs sur le plat avec du pain pour Baba – il y a pris goût au cours de l'année écoulée. Craignant que tous ces œufs ne fassent monter son taux de cholestérol, j'ai profité de l'un de ses rendez-vous chez le médecin pour en parler à ce dernier. Il m'a adressé son habituel sourire pincé. *Oh, je ne m'inquiéterais pas pour ça*, m'a-t-il répliqué. Et cela m'a rassurée – du moins jusqu'à ce que j'aide Baba à boucler sa ceinture un peu plus tard dans la voiture. À ce moment-là, il m'est venu à l'esprit que le Dr Bashiri n'avait peut-être rien voulu dire d'autre que, *À ce stade, ça ne changera rien.*

Une fois le petit déjeuner terminé, je me retire dans mon bureau – c'est-à-dire ma chambre –, et Pari tient compagnie à Baba le temps que je travaille. À sa demande, je lui ai noté les émissions de télé qu'il aime regarder, l'heure à laquelle lui donner ses cachets du matin, ses en-cas favoris et le moment où il peut les réclamer. C'était son idée à elle de tout me faire coucher par écrit.

Pourquoi tu ne viens pas simplement me poser la question ? ai-je fait remarquer.

Je préfère ne pas te déranger. Et je veux savoir aussi. Je veux le connaître.

Je ne lui avoue pas qu'elle ne le connaîtra jamais comme elle aspire à le faire. En revanche, je lui transmets quelques trucs. Par exemple, pour des raisons qui m'échappent toujours, j'arrive en général à calmer Baba quand il commence à s'agiter en lui donnant sans tarder un catalogue gratuit de bricolage ou un prospectus pour des meubles. J'en conserve un stock, même si cela ne marche pas systématiquement.

Si tu veux qu'il fasse la sieste, mets la chaîne météo ou n'importe quoi en rapport avec le golf. Mais surtout pas d'émission culinaire.

Pourquoi ?

Curieusement, ça le rend toujours nerveux.

Après le déjeuner, nous sortons nous promener – pas très longtemps, pour les ménager tous les deux. L'un se fatigue vite et l'autre souffre de sa polyarthrite. Une lueur méfiante dans les yeux, Baba marche sur le trottoir entre Pari et moi, anxieux, le pas incertain, avec sa vieille casquette de livreur de journaux, son gilet et ses mocassins fourrés. À l'angle de notre rue, il y a une école primaire accolée à un terrain de foot mal entretenu et, de l'autre côté, une petite aire de jeux où je l'emmène souvent. Nous y trouvons toujours une jeune mère ou deux, une poussette garée à proximité, un bambin qui se déplace tant bien que mal dans le bac à sable, et de temps à autre un couple d'adolescents venus paresser sur les balançoires et fumer au lieu d'aller en cours. Ils accordent à peine un regard à Baba, et lorsqu'ils le font, c'est avec une froide indifférence, voire un subtil dédain, comme s'ils estimaient qu'il aurait dû avoir assez de jugeote pour ne pas laisser la vieillesse et la décrépitude s'emparer de lui.

Un jour que je marque une pause dans mon travail pour aller me resservir du café dans la cuisine, je découvre Baba et Pari plantés devant un film. Assis sur son fauteuil, ses mocassins dépassant de sous le plaid, Baba a la tête penchée en avant, la bouche entrouverte et les sourcils froncés, sous le coup de la concentration ou bien de la confusion. Pari a pris place à côté de lui, les mains nouées et les chevilles croisées.

— C'est qui, elle ? demande-t-il.

— Latika.

— Qui ça ?

— Latika, la petite fille des bidonvilles. Celle qui n'a pas pu sauter dans le train.

— Elle n'a pas l'air d'une petite fille.

— Oui, mais beaucoup d'années se sont écoulées, explique Pari. Maintenant, elle est plus âgée.

La semaine dernière, pendant que nous étions assis tous les trois sur un banc de l'aire de jeux, elle s'est tournée vers lui. *Abdullah, vous vous souvenez quand vous étiez enfant et que vous aviez une petite sœur ?*

À peine a-t-elle eu fini sa phrase qu'il s'est mis à pleurer. Paniquée, elle a appuyé le front contre lui en répétant, *Je suis désolée, je suis désolée*, et en lui essuyant les joues, mais il ne cessait de sangloter, si fort même qu'il a commencé à s'étouffer.

— Et lui, vous savez qui c'est, Abdullah ?

Il grogne.

— C'est Jamal, le garçon qui participe au jeu télévisé.

— Non, pas du tout, réplique-t-il sèchement.

— Vous pensez que non ?

— Il sert le thé !

— Oui, mais c'était... comment dit-on en anglais, déjà ? Une scène du passé. Une scène qui remonte à avant. Un...

En silence, j'articule le mot *flashback* devant ma tasse.

— Le jeu télévisé a lieu aujourd'hui, Abdullah. Et la scène où il sert le thé, c'était avant.

Mais Baba ne réagit pas. À l'écran, Jamal et Salim sont assis en haut d'un grand immeuble de Bombay, leurs pieds pendant dans le vide.

Pari observe son frère comme si elle attendait que quelque chose lui décille les yeux.

— J'ai une question pour vous, Abdullah, dit-elle. Si vous gagniez un million de dollars, qu'est-ce que vous feriez ?

Il grimace, s'agite sur son fauteuil et se penche encore plus en avant.

— Je sais ce que je ferais, moi, continue-t-elle.

Baba la fixe d'un air absent.

— Si je gagnais un million de dollars, j'achèterais une maison dans cette rue. Comme ça, on pourrait être voisins, tous les deux, et je viendrais ici tous les jours regarder la télé avec vous.

Il sourit.

Mais quelques minutes plus tard seulement, alors que, de retour dans ma chambre, je tape sur mon clavier avec mon casque sur les oreilles, un fracas retentit et Baba se met à tonner en farsi. J'ôte vivement mes écouteurs et me précipite dans la cuisine, où je découvre Pari acculée contre le mur, près du micro-ondes, les mains ramenées sous son menton pour se protéger de mon père qui la frappe sur l'épaule avec sa canne, les yeux écarquillés. Les débris d'un verre jonchent le sol à leurs pieds.

— Fais-la sortir d'ici ! crie-t-il en me voyant. Je veux que cette femme sorte de chez moi !

— Baba !

Pari est devenue toute pâle. Des larmes jaillissent de ses yeux.

— Donne-moi ta canne, Baba, pour l'amour du ciel ! Et ne bouge pas. Tu vas t'entailler les pieds.

Je l'oblige à lâcher sa canne, non sans qu'il m'oppose d'abord une farouche résistance.

— Je veux que cette femme s'en aille ! C'est une voleuse !

— Que dit-il ? demande Pari.

— Elle m'a volé mes cachets !

— Ce sont les siens, Baba !

Une main sur son épaule, je le guide hors de la pièce. Il tremble sous ma paume, et au moment où nous

465

passons près de Pari, je dois l'empêcher de se jeter de nouveau sur elle.

— Bon, ça suffit comme ça, Baba. Ces cachets sont à elle, pas à toi. Elle les prend pour ses mains.

Tout en l'entraînant vers le fauteuil, j'attrape un catalogue publicitaire sur la table basse.

— Je ne lui fais pas confiance, grogne Baba en se laissant tomber sur son siège. Toi, tu ne vois rien, mais moi, si. Je sais reconnaître une voleuse quand j'en ai une en face de moi.

Essoufflé, il m'arrache le catalogue et commence à tourner les pages avec rage. Puis il l'abat sur ses genoux et me fait face en haussant les sourcils au maximum.

— Et une foutue menteuse, par-dessus le marché. Tu sais ce qu'elle m'a dit, cette femme ? Tu sais ce qu'elle m'a dit ? Qu'elle était ma sœur ! *Ma sœur !* Attends un peu que Sultana l'apprenne.

— Très bien, Baba. On lui racontera ça tous les deux.

— Cette femme est folle.

— On racontera ça à Mère, on fera sortir cette folle de chez nous et on en rira tous les trois. Maintenant, détends-toi, Baba. Tout va bien. Tiens.

Je mets la chaîne météo et m'assois à côté de lui en lui caressant l'épaule jusqu'à ce qu'il cesse de trembler et que sa respiration s'apaise. Moins de cinq minutes plus tard, il s'est assoupi.

Je retourne dans la cuisine, où Pari s'est affaissée par terre, le dos au lave-vaisselle. L'air ébranlée, elle se tapote les yeux avec une serviette en papier.

— Je suis vraiment désolée, s'excuse-t-elle. Ce n'était pas prudent de ma part.

— Ce n'est rien.

Je sors la pelle et la balayette de sous l'évier, récupère un à un les petits cachets roses et orange éparpillés parmi les débris, puis ramasse le verre répandu sur le linoléum.

— *Je suis une imbécile**. Je voulais tellement lui dire... Je pensais que, peut-être, si je lui avouais la vérité... Je ne sais pas ce qui m'est passé par la tête.

Après avoir vidé la pelle dans la poubelle, je m'agenouille près de Pari et repousse en arrière le col de sa chemise pour inspecter son épaule à l'endroit où Baba l'a frappée.

— Tu vas avoir des bleus. Et je parle en connaissance de cause.

Je m'assois par terre à côté d'elle et verse les cachets dans sa main.

— Il est souvent comme ça ? s'enquiert-elle.

— Il a ses mauvais jours.

— Tu devrais peut-être faire appel à une aide professionnelle, non ?

Je soupire en opinant. J'ai beaucoup songé dernièrement à ce jour inévitable où je m'éveillerai dans une maison vide pendant que, recroquevillé dans un lit auquel il ne sera pas habitué, Baba examinera le petit déjeuner qu'un inconnu lui apportera sur un plateau. Ou bien je me le représente avachi à une table dans une sorte de salle de jeux, en train de piquer du nez.

— Je sais, mais pas encore. Je veux m'occuper de lui le plus longtemps possible.

Pari sourit et se mouche.

— Je comprends.

Je n'en suis pas sûre cependant, et je ne lui avoue pas mon autre raison d'agir ainsi. C'est à peine d'ailleurs si je me l'avoue à moi-même. En fait, bien que j'aspire souvent à être libre, j'ai peur de le devenir. J'ai peur de

467

ce qu'il adviendra de moi, de ce que je ferai une fois que Baba sera parti. Toute ma vie, j'ai vécu comme un poisson d'aquarium, à l'abri dans une bulle de verre, derrière une barrière aussi impénétrable que transparente. Je pouvais observer à ma guise le monde chatoyant de l'autre côté, je pouvais m'imaginer dedans si je le voulais. Mais mon existence a toujours été endiguée, contenue à l'intérieur des limites dures et inflexibles que Baba a érigées pour moi, d'abord consciemment, lorsque j'étais jeune, puis innocemment, maintenant qu'il s'étiole de jour en jour. Je crois que je me suis accoutumée à cette chape de verre et que je suis terrifiée à l'idée que, lorsqu'elle se brisera, lorsque je me retrouverai seule, je m'échouerai dans un vaste monde inconnu et me tordrai là, impuissante, perdue, sans plus pouvoir respirer.

Cette vérité que j'admets rarement, c'est que j'ai toujours eu besoin de sentir le poids de mon père sur mon dos.

Pourquoi sinon aurais-je renoncé si facilement à mon rêve de faire les Beaux-Arts, en protestant à peine quand Baba m'a demandé de ne pas aller à Baltimore ? Pourquoi sinon aurais-je quitté Neal, l'homme à qui j'ai été fiancée il y a quelques années ? Il possédait une entreprise d'installation de panneaux solaires. Son visage carré et buriné m'a plu dès l'instant où je l'ai aperçu au restaurant, lorsque j'ai pris sa commande et qu'il a levé les yeux de son menu en souriant. Il était patient, amical et d'humeur toujours égale. Ce n'est pas vrai, ce que j'ai dit sur lui à Pari. Neal ne m'a pas quittée pour une fille plus jolie. J'ai tout saboté. Même lorsqu'il m'a promis de se convertir à l'islam et de suivre des cours de farsi, je trouvais d'autres failles, d'autres prétextes. J'ai paniqué, au bout du compte, et me suis réfugiée dans tous les recoins familiers, dans toutes les petites crevasses de ma vie à la maison.

À côté de moi, Pari se redresse. Je la regarde lisser les plis de sa robe, et je suis de nouveau frappée par le miracle que constitue sa présence ici, à quelques centimètres de moi.

— J'aimerais te montrer quelque chose, dis-je.

Je me lève à mon tour. L'un des avantages de ne jamais quitter le giron familial, c'est que personne ne fait le grand ménage dans votre chambre, ne vend vos jouets dans un vide-greniers ni ne donne vos habits devenus trop petits pour vous. Je sais que pour une femme proche de la trentaine, je possède trop de souvenirs de mon enfance autour de moi, la plupart fourrés dans un grand coffre au pied de mon lit. C'est justement celui-ci que je vais ouvrir à cet instant. À l'intérieur se trouvent de vieilles poupées, le poney rose dont je pouvais brosser la crinière, les livres d'images, et toutes les cartes de vœux que j'avais réalisées pour mes parents à l'école élémentaire avec des haricots rouges, des paillettes et des petites étoiles étincelantes. La dernière fois que nous nous sommes parlé, Neal et moi, lors de notre rupture, il m'a dit, *Je ne peux pas t'attendre, Pari. Je ne vais pas rester planté là jusqu'à ce que tu grandisses.*

Je referme le coffre et retourne dans le salon, où Pari s'est assise sur le canapé, en face de Baba. Je m'installe près d'elle.

— Tiens, dis-je en lui tendant une série de cartes postales.

Elle prend ses lunettes de lecture sur la petite table à côté du canapé et retire l'élastique qui entoure le paquet. En examinant la première, elle fronce les sourcils. C'est une photo de Las Vegas. Le Caesars Palace, de nuit, tout scintillant et illuminé. Elle retourne la carte et lit le message au dos à voix haute.

21 juillet 1992

Chère Pari,

Tu n'imagines pas la chaleur qu'il fait ici. Aujourd'hui, Baba s'est brûlé en posant la main sur le capot de notre voiture de location ! Mère a dû mettre du dentifrice dessus. Au Caesars Palace, il y a des soldats romains munis d'épées, de casques et de capes rouges. Baba n'arrêtait pas de dire à Mère d'aller prendre une photo avec eux, mais elle n'a pas voulu. Moi si, par contre ! Je te montrerai ça quand je rentrerai. C'est tout pour aujourd'hui. Tu me manques. J'aimerais que tu sois là.

Pari

P-S : Je mange le meilleur sundae du monde en même temps que je t'écris.

Pari passe à la carte suivante. Le château du magnat de la presse, William Randolph Hearst. Elle lit le mot à voix basse, cette fois. *Il avait son propre zoo ! C'est pas génial, ça ? Des kangourous, des zèbres, des antilopes, des chameaux de Bactriane – ceux qui ont deux bosses.* Une autre de Disneyland, sur laquelle Mickey apparaît avec un chapeau de magicien et une baguette magique. *Mère a hurlé quand le pendu est tombé du plafond ! Si tu l'avais entendue !* La crique de La Jolla. La région de Big Sur. La route panoramique 17-Mile Drive. Les bois de Muir. Le lac Tahoe. *Tu me manques. Tu aurais adoré voir ça, c'est sûr. Je regrette que tu ne sois pas là.*

Je regrette que tu ne sois pas là.

Je regrette que tu ne sois pas là.

Pari ôte ses lunettes.

— Tu t'es écrit des cartes à toi-même ?

— Non, à toi, dis-je en riant. C'est un peu embarrassant.

Pari repose le tas sur la table et se rapproche de moi.

— Raconte.

Je baisse les yeux et tourne ma montre autour de mon poignet.

— Autrefois, j'imaginais qu'on était des jumelles, toi et moi. J'étais la seule à te voir. Je ne te cachais rien. Aucun de mes secrets. Pour moi, tu étais bien réelle, et toujours à proximité. J'étais moins seule grâce à toi. Comme si on était des *Doppelgänger*. Tu connais ce mot ?

Un sourire brille dans ses yeux.

— Oui.

J'avais de nous l'image de deux feuilles emportées à des kilomètres l'une de l'autre par le vent, et pourtant liées par les profondes racines entremêlées de l'arbre dont nous étions toutes les deux tombées.

— Pour moi, c'était l'inverse, m'avoue Pari. Tu dis que tu sentais une présence, mais moi, je ne sentais qu'une absence. Une vague douleur sans cause. J'étais en quelque sorte une patiente qui sait juste qu'elle a mal et qui ne peut pas expliquer où à son médecin.

Elle pose sa main sur la mienne, et, l'espace d'une minute, nous restons silencieuses.

Sur son fauteuil, Baba grogne et s'agite.

— Je suis vraiment désolée, dis-je.

— Pourquoi ?

— Que vous ayez été réunis trop tard.

— Mais on l'est, maintenant, non ? réplique-t-elle avec une fêlure dans la voix. Et il est tel qu'il est aujourd'hui. Ce n'est pas grave. Je suis heureuse. J'ai retrouvé une partie de moi qui était perdue. Et je t'ai retrouvée, toi, ajoute-t-elle en pressant ma main.

Ses paroles font vibrer la corde de mes désirs d'enfant. Je me souviens quand je me sentais seule et que je murmurais son prénom – *notre* prénom – avant de retenir mon souffle en guettant un écho, certaine qu'il résonnerait un jour. L'entendre maintenant, dans ce salon, me donne l'impression que toutes les années qui nous ont séparées se replient rapidement l'une par-dessus l'autre, encore et encore. Comme si le temps se contractait, tel un accordéon, jusqu'à ce que, réduit à l'épaisseur d'une photo, d'une carte postale, il dépose à mes pieds le souvenir le plus éclatant de mon enfance afin qu'il s'assoie à côté de moi, qu'il me tienne la main et articule mon prénom. Notre prénom. Je perçois un petit clic, quelque chose qui se met en place. Quelque chose qui a été arraché il y a longtemps et qui se recolle. Et j'éprouve un doux élancement dans ma poitrine, le bruit étouffé d'un nouveau cœur qui redémarre à côté du mien.

Baba se redresse en s'appuyant sur ses coudes. Il se frotte les yeux et nous dévisage.

— Qu'est-ce que vous mijotez, les filles ? demande-t-il en souriant.

Une autre comptine, celle-là sur un pont à Avignon. Pari la fredonne pour moi, puis récite les paroles :

> *Sur le pont d'Avignon*
> *L'on y danse, l'on y danse*
> *Sur le pont d'Avignon*
> *L'on y danse tous en rond.*

472

— Maman me l'a apprise quand j'étais petite, dit-elle en resserrant le nœud de son foulard pour se protéger d'un grand coup de vent.

Il fait froid, mais le ciel est bleu et le soleil radieux frappe les bords gris métallique du Rhône et se brise en tout petits éclats lumineux à sa surface.

— Tous les enfants français connaissent cette chanson.

Nous sommes assises sur un banc en bois en face de l'eau. Pendant que Pari me traduit les paroles, je m'émerveille devant la ville située de l'autre côté du fleuve. Ayant récemment découvert mon propre passé familial, je suis impressionnée de me retrouver dans un endroit si chargé d'histoire – une histoire documentée, préservée. C'est un miracle. Du reste, tout dans cette ville tient du miracle. J'admire la clarté de l'air, le vent qui tourbillonne le long du fleuve, faisant clapoter l'eau contre les berges de pierre, la force et l'éclat de la lumière, et la manière dont elle semble émaner de toutes parts. Depuis le banc, je vois les vieux remparts cernant l'ancien centre-ville et son labyrinthe de ruelles sinueuses, la tour ouest de la cathédrale d'Avignon, la statue dorée de la Vierge Marie luisant au sommet.

Pari me raconte la légende du jeune berger qui, au XIIe siècle, a prétendu que des anges lui avaient demandé de construire un pont sur le fleuve, puis qui a prouvé ses dires en soulevant un énorme rocher et en le jetant dans l'eau. Elle évoque le moment où des bateliers du Rhône ont rendu hommage à leur patron, saint Nicolas, en escaladant l'édifice. Et les inondations qui, au fil des siècles, ont rongé les arches et entraîné leur effondrement. Elle me dit tout ça avec la même énergie nerveuse et trépidante que lors de notre visite du palais des Papes, plus tôt dans la journée, quand elle ôtait le casque de son audio-guide pour me montrer une fresque et qu'elle tapotait mon coude afin d'attirer mon attention sur une sculpture intéressante, des vitraux ou des croisées d'ogives au-dessus de nous.

Devant le Palais, elle a parlé presque sans s'arrêter, le nom des saints, des papes et des cardinaux se déversant de sa bouche en un flot continu tandis que nous nous promenions dans le square de la cathédrale parmi les nuées de pigeons, les touristes, les marchands africains aux tuniques chamarrées qui vendaient des bracelets et des montres contrefaites, et le jeune guitariste à lunettes plongé dans une interprétation de *Bohemian Rhapsody* en version acoustique, assis sur une cagette. Je ne me souviens pas que Pari ait été aussi loquace durant son séjour aux États-Unis, et je vois là une tactique dilatoire, comme si nous tournions autour de ce qu'elle voulait vraiment faire – ce que nous allons faire – et que tous ces mots étaient une sorte de passerelle.

— Mais tu pourras bientôt admirer un vrai pont, dit-elle. Quand tout le monde sera là. Nous irons ensemble au pont du Gard. Tu connais ? Non ? *Oh là là. C'est vraiment merveilleux**. Les Romains l'ont construit au Ier siècle pour acheminer l'eau depuis la fontaine d'Eure jusqu'à Nîmes. Cela fait cinquante kilomètres ! C'est un chef-d'œuvre d'ingénierie, Pari.

Je suis en France depuis quatre jours, et à Avignon depuis deux. Pari et moi avons pris le TGV à Paris par un temps gris et froid, et nous avons été accueillies à notre descente par des cieux limpides et un vent chaud, le tout au son des cigales qui chantaient en chœur dans les arbres. À la gare, j'ai dû me démener comme une folle pour sortir ma valise du train – il s'en est même fallu de peu que je n'y arrive pas puisque j'ai sauté sur le quai juste au moment où la porte du wagon se refermait derrière moi. À trois secondes près, je me serais retrouvée à Marseille. Il faudra que je raconte ça à Baba.

Comment va-t-il ? m'a demandé Pari durant notre trajet en taxi entre l'aéroport Charles-de-Gaulle et son appartement.

Il est de plus en plus atteint.

Baba vit dans un centre médicalisé maintenant. La première fois que je suis allée là-bas en repérage, j'ai eu droit à une visite des lieux avec la directrice, Penny, une grande femme toute frêle aux cheveux blond vénitien bouclés. *Ce n'est pas si mal,* ai-je pensé.

Puis je l'ai dit à voix haute, *Ce n'est pas si mal.*

L'endroit était propre, avec des fenêtres donnant sur un jardin, où, m'a-t-elle expliqué, ils organisaient un goûter tous les mercredis à 16 h 30. Il flottait une légère odeur de cannelle et de pin dans l'entrée. Les membres du personnel, que j'appelle presque tous par leur prénom maintenant, semblaient courtois, patients, compétents. Je m'étais imaginé de vieilles femmes au visage ravagé, avec des poils au menton, bavant et marmonnant toutes seules devant leur écran de télévision, mais la plupart des résidents que j'ai croisés n'étaient pas si âgés. Beaucoup n'étaient même pas en fauteuil roulant.

Je crois que je m'attendais à pire.

Ah oui ? a répondu Penny, avant de lâcher un rire agréable, très professionnel.

Désolée, ma remarque était impolie.

Pas du tout. Nous avons parfaitement conscience de l'image que la plupart des gens ont de ce type d'endroit. Bien sûr, a-t-elle ajouté par-dessus son épaule d'un ton sérieux de mise en garde, *nous sommes ici dans la partie résidence-services de notre établissement. À en juger par ce que vous m'avez dit sur votre père, je doute qu'il y soit à sa place. L'unité réservée aux personnes atteintes de troubles de la mémoire serait probablement plus adaptée dans son cas. Nous y voilà.*

Elle a utilisé une clé pour pénétrer dans l'unité en question. Celle-ci ne sentait ni la cannelle ni le pin, et mon estomac s'est révulsé. D'instinct, j'ai eu envie de faire demi-tour et de repartir, mais Penny m'a pressé doucement le bras en me regardant avec une grande tendresse. J'ai tenu bon jusqu'à la fin de la visite, submergée par un sentiment écrasant de culpabilité.

Le matin précédant mon départ pour l'Europe, je suis allée voir Baba. J'ai franchi le hall d'entrée de la résidence-services en faisant signe à Carmen, la femme d'origine guatémaltèque chargée de prendre les appels téléphoniques. Je suis ensuite passée devant la grande salle commune, où des seniors écoutaient un quartet à cordes de lycéens bien habillés, puis devant la salle polyvalente, avec ses ordinateurs, ses étagères remplies de livres et ses jeux de dominos, et enfin devant le tableau d'affichage et sa série de conseils et de petites annonces – *Saviez-vous que le soja peut réduire votre taux de mauvais cholestérol ? N'oubliez pas la séance Puzzle et Jeux de réflexion ce mardi à 11 heures !*

Après quoi, je suis arrivée dans l'unité de soins fermée à clé. Il n'y a pas de goûter organisé de ce côté-là de la porte. Pas de bingo. Personne ici ne débute sa journée en prenant un cours de tai-chi. Baba n'était pas dans la chambre. Son lit était fait, sa télé éteinte, et il y avait un verre d'eau à moitié plein sur sa table de nuit. Cela m'a un peu soulagée. Je déteste le voir étendu sur le flanc dans son lit d'hôpital, une main sous l'oreiller, ses yeux caves me fixant d'un air vide.

Je l'ai trouvé dans la salle de récréation, affaissé sur un fauteuil roulant près de la fenêtre donnant sur le jardin. Il portait un pyjama en flanelle, sa casquette de livreur de journaux, et ses jambes étaient recouvertes par ce que Penny appelle un *tablier d'activités* – avec des ficelles qu'il peut tresser et des boutons qu'il aime faire et défaire. Selon elle, cela contribue à préserver la motricité de ses doigts.

Je l'ai embrassé sur la joue et j'ai tiré une chaise près de lui. Quelqu'un l'avait rasé, ses cheveux avaient été mouillés et peignés, et sa peau sentait le savon.

C'est demain le grand jour, ai-je dit. *Je prends l'avion pour aller rendre visite à Pari en France. Tu te souviens ?*

Il a cligné des yeux. Déjà, avant son attaque, il commençait à se replier davantage sur lui-même, à observer de longs silences, à afficher une mine inconsolable. Désormais, son visage s'apparente à un masque dont la bouche dessine en permanence un petit sourire poli et bancal qui n'atteint jamais son regard. Il ne dit plus un mot. Parfois, ses lèvres s'écartent et il produit un son rauque, semblable à une expiration – *Aaaah !* – avec une intonation montante à la fin, comme s'il était surpris, ou comme si j'avais déclenché une infime épiphanie en lui.

On se retrouve à Paris, et ensuite on ira en train jusqu'à Avignon – une ville du sud de la France où les papes vivaient au XIVe siècle. On se baladera un peu dans le coin. Mais le plus beau, c'est que Pari a annoncé ma venue à tous ses enfants et qu'ils nous rejoindront là-bas.

Baba a continué à me sourire de la même façon qu'il l'avait fait la semaine précédente quand Hector était passé le voir, ou quand je lui avais parlé de ma demande d'inscription au collège des arts et des lettres de l'université d'État de San Francisco.

Ta nièce Isabelle et son mari Albert ont une maison de vacances en Provence, près d'un lieu qui s'appelle Les

477

Baux. Je me suis renseignée sur internet, Baba. C'est une ville incroyable, construite sur des promontoires calcaires dans les Alpilles. On peut visiter les ruines d'un château médiéval et contempler les plaines et les vergers en contrebas. Je prendrai plein de photos pour te les montrer quand je rentrerai.

Près de nous, une vieille femme en robe de chambre faisait glisser çà et là les pièces d'un puzzle avec suffisance, tandis qu'à la table voisine, une autre aux cheveux blancs cotonneux tentait de ranger des fourchettes, des cuillères et des couteaux à beurre dans un tiroir à couverts. Le grand écran installé dans un angle de la pièce diffusait une série télévisée dont les personnages principaux, Ricky et Lucy, attachés l'un à l'autre par une paire de menottes, apparaissaient en pleine dispute.

Aaaah ! a dit Baba.

Alain – ton neveu – et sa femme Ana feront le déplacement depuis l'Espagne avec leurs cinq enfants. Je ne les connais pas tous par leur nom, mais je suis sûre que ça viendra. Et puis ton autre neveu sera là lui aussi. Le plus jeune fils de Pari, Thierry. Et ça, ça lui fait vraiment plaisir, parce qu'ils ne se sont pas vus ni parlé depuis des années. Il a pris un congé spécial pour pouvoir quitter son boulot en Afrique. Ce sera donc un grand rassemblement familial.

Plus tard, au moment de partir, je l'ai de nouveau embrassé sur la joue et je me suis attardée là, mon visage contre le sien, en me rappelant l'époque où il venait me chercher au jardin d'enfants et où nous passions ensuite récupérer Mère à sa sortie de chez Denny's. On s'asseyait à une table en attendant qu'elle ait pointé et je mangeais la boule de glace que le gérant ne manquait jamais de m'offrir, tout en montrant à Baba les dessins que j'avais réalisés ce jour-là. Il faisait preuve de tant de patience alors, hochant la tête et examinant chacun d'eux avec une attention qui lui donnait un air sévère.

Il m'a décoché son sourire.

Ah, j'ai failli oublier.

Je me suis baissée afin d'accomplir notre rituel habituel au moment des au revoir : j'ai passé le bout de mes doigts sur ses joues, son front plissé, ses tempes, puis ses cheveux gris de plus en plus rares, les croûtes de son crâne rugueux et l'arrière de ses oreilles, arrachant en chemin tous les mauvais rêves de sa tête. À la fin, j'ai ouvert un sac invisible pour y faire tomber ces cauchemars et j'ai tiré fort sur le cordon.

Là.

Baba a émis un son guttural.

Fais de beaux rêves, Baba. Je reviendrai dans deux semaines. J'ai pris conscience à ce moment-là que nous n'avions encore jamais été séparés si longtemps.

En m'éloignant de lui, j'ai eu la très nette impression qu'il me regardait, mais quand je me suis retournée, il jouait avec un bouton de son tablier.

Pari me parle de la maison d'Isabelle et Albert. Elle m'en a montré des photos. C'est une belle ferme provençale restaurée sur les collines du Lubéron, tout en pierres, avec des arbres fruitiers, une tonnelle devant la porte principale et des tomettes et des poutres apparentes à l'intérieur.

— On ne le voyait pas sur les photos, mais il y a une vue fabuleuse sur les monts du Vaucluse.

— On tiendra tous dedans ? Ça fait beaucoup de monde pour une ferme.

— *Plus on est de fous, plus on rit**. Comment dit-on en anglais, déjà ? « The more, the happier » ?

479

— « The merrier. »

— *Ah, voilà. C'est ça**.

— Et les enfants ? Où vont-ils…

— Pari ?

Je me tourne vers elle.

— Oui ?

Elle pousse un long soupir.

— Tu peux me le donner maintenant.

J'acquiesce en silence et plonge la main dans le sac entre mes jambes.

Je suppose que j'aurais dû découvrir ça des mois plus tôt, quand j'ai placé Baba dans son centre médicalisé, mais après avoir sorti la première des trois valises que nous gardions dans le placard de l'entrée pour préparer son départ, j'ai constaté que tous ses habits tenaient dedans et que je n'avais pas besoin des deux autres. Ensuite, je me suis résolue à faire un grand ménage dans la chambre de mes parents. J'ai arraché le vieux papier, repeint les murs, ôté le grand lit et la coiffeuse au miroir ovale, débarrassé les placards des costumes de mon père et des chemisiers et des robes de ma mère protégés par des housses en plastique, et j'ai tout empilé dans le garage en attendant de porter ça à une association caritative. J'ai poursuivi en ramenant mon bureau dans leur chambre, qui me sert maintenant de lieu de travail et qui sera aussi ma salle d'étude quand les cours débuteront à l'automne. Pour finir, j'ai vidé le coffre près de mon lit et jeté dans un sac-poubelle tous mes vieux jouets, mes robes de petite fille, les sandales et les tennis que je ne pouvais plus mettre. Je ne supportais plus de voir les cartes que j'avais réalisées pour les anniversaires de mes parents, les fêtes des Pères et celles des Mères. Je ne pouvais plus dormir la nuit en sachant

qu'elles étaient là, à mes pieds. Cela m'était trop douloureux.

Au moment de nettoyer le placard de l'entrée, j'ai
sorti les deux valises restantes pour les entreposer dans
le garage. C'est là que j'ai senti une bosse dans l'une
d'elles. En l'ouvrant, j'ai trouvé un paquet emballé dans
du papier kraft et, scotchée dessus, une enveloppe qui
portait cette mention, rédigée à la main en anglais :
Pour ma sœur, Pari. J'ai tout de suite reconnu l'écriture
de Baba – la même que lorsque je travaillais au restaurant et que je ramassais les commandes qu'il notait à la
caisse.

Je tends le paquet à Pari.

Elle le pose sur ses genoux et le contemple en effleurant les mots griffonnés sur l'enveloppe. De l'autre côté
du fleuve, les cloches de la cathédrale se mettent à sonner. Un oiseau déchiquette les entrailles d'un poisson
mort sur un rocher au bord de l'eau.

Pari fourrage dans son sac.

— *J'ai oublié mes lunettes**, dit-elle.

— Tu veux que je te la lise ?

Elle essaie de détacher la lettre, mais ce n'est pas un
bon jour pour ses mains et, après avoir un peu bataillé
avec le paquet, elle finit par me le tendre. Je décolle
l'enveloppe. À l'intérieur se trouve un message.

— C'est écrit en farsi.

— Mais tu comprends cette langue, n'est-ce pas ? me
demande Pari avec inquiétude. Tu peux me traduire ?

— Oui, dis-je en souriant intérieurement, emplie
d'une gratitude tardive envers Baba pour tous les mardis après-midi où il m'a emmenée à Campbell prendre
des cours de farsi.

Je repense à lui, déguenillé, perdu dans un désert
qu'il traverse en trébuchant, le chemin derrière lui

parsemé de tous les petits morceaux scintillants que la vie lui a arrachés.

Tenant fermement la feuille face au vent qui souffle en rafales, je déchiffre à voix haute les trois phrases du message :

On me dit que je dois patauger dans des eaux où je ne tarderai pas à me noyer. Avant de m'avancer vers elles, je laisse ça pour toi sur le rivage. Je prie pour que tu le trouves, petite sœur, afin que tu saches ce que j'avais dans le cœur au moment de sombrer.

Il y a une date aussi. Août 2007.

— Août 2007. L'année où sa maladie a été diagnostiquée.

Trois ans avant que Pari entre en contact avec moi.

Celle-ci hoche la tête et s'essuie les yeux avec la paume de sa main. Deux jeunes passent devant nous sur un tandem – aux commandes, une blonde mince aux joues roses, et derrière elle un garçon à la peau couleur café arborant des dreadlocks. Sur l'herbe à quelques pas de nous, une adolescente vêtue d'une minijupe en cuir noir parle au téléphone en serrant la laisse d'un minuscule terrier gris charbon.

Pari me donne le paquet afin que je le lui ouvre. Il renferme une vieille boîte à thé en étain. Sur le couvercle, un Indien barbu habillé d'une longue tunique rouge tient une tasse fumante à la manière d'une offrande. La vapeur s'est presque effacée et le rouge de la tunique s'est décoloré au point de devenir rose. J'actionne le fermoir et soulève le couvercle. La boîte est remplie de plumes. Il y en a de toutes les teintes et de toutes les formes : des courtes d'un vert profond ; des longues, brun-roux et à tige noire ; une couleur pêche, avec un léger reflet violet, provenant peut-être d'un colvert ; des marron avec des taches noires le long des barbes intérieures ; et une plume verte de paon avec un gros œil à l'extrémité.

Je me tourne vers Pari.

— Tu sais ce que ça veut dire ?

Son menton tremblote et elle secoue lentement la tête en me reprenant la boîte pour en inspecter l'intérieur.

— Non. Je sais seulement que lorsqu'on a été séparés, Abdullah et moi, il en a beaucoup plus souffert. Moi, j'ai eu la chance d'être protégée par mon jeune âge. *Je pouvais oublier**. Lui, non.

Elle saisit une plume et effleure son poignet avec en l'examinant comme si elle espérait qu'elle allait s'animer et s'envoler.

— J'ignore ce que cette plume représente, quelle est son histoire, mais ce dont je suis sûre, c'est qu'elle signifie qu'il pensait à moi. Durant toutes ces années. Il s'est souvenu de moi.

Elle se met à pleurer en silence. J'enroule un bras autour de ses épaules en contemplant les arbres inondés de soleil, le fleuve qui coule devant nous et passe sous le pont Saint-Bénezet – celui-là même dont parle la comptine. C'est une moitié de pont, en réalité. Seules quatre de ses arches originelles ont traversé le temps, de sorte qu'il s'arrête net au milieu de l'eau, un peu comme s'il avait voulu rejoindre l'autre rive, mais en se révélant finalement trop court.

Ce soir-là, à l'hôtel, je reste éveillée dans mon lit. Des nuages se pressent contre la grosse lune toute gonflée visible depuis notre fenêtre. Dans la rue, des talons claquent sur les pavés. Je perçois des rires et des bavardages. Des mobylettes pétaradantes. Le tintement des verres dans le restaurant d'en face. Les notes d'un piano, quelque part, s'élèvent jusqu'à moi.

Je pivote vers Pari, qui dort sans bruit à mes côtés. Son visage m'apparaît pâle dans le clair de lune. En elle, je revois Baba – un Baba jeune, plein d'espoir et heureux, tel qu'il était autrefois – et je sais que je le retrouverai chaque fois que je la regarderai. Nous sommes de la même chair, du même sang. Bientôt, je ferai la connaissance de ses enfants, et des enfants de ses enfants, et mon sang court aussi dans leurs veines. Je ne suis pas seule. Une bouffée de joie me cueille à froid et monte en moi en me faisant venir aux yeux des larmes de gratitude et d'espoir.

Tout en continuant à observer Pari, je repense au jeu auquel nous nous adonnions à l'heure du coucher, Baba et moi. L'arrachage des cauchemars et l'offrande de jolis rêves. Je me souviens de celui que je lui donnais. Attentive à ne pas réveiller Pari, je tends la main vers elle et l'appuie doucement sur son front. Puis je ferme les yeux.

Un après-midi ensoleillé. Ils sont redevenus des enfants, frère et sœur, jeunes, clairvoyants et robustes. Allongés à l'ombre d'un pommier en pleine floraison, ils sentent la chaleur des herbes hautes dans leur dos et le soleil qui s'amuse à moucheter leur visage à travers la débauche de fleurs au-dessus d'eux. Ils se reposent côte à côte, à moitié endormis, comblés – lui, la tête appuyée sur le bord d'une grosse racine, elle sur le manteau qu'il a replié pour elle. À travers ses paupières mi-closes, elle regarde un merle perché sur une branche. Des souffles d'air frais fendent le feuillage en descendant vers eux.

Elle se tourne vers lui, son grand frère, son allié en toutes circonstances, mais il est trop près et elle ne distingue pas son visage dans sa totalité. Juste l'inclinaison de son front, l'arête de son nez, la courbe de ses cils.

Aucune importance. Elle est déjà heureuse d'être près de lui, avec lui – son frère –, et à mesure que le sommeil l'emporte, elle se sent envahie par un calme absolu. Elle ferme les yeux puis s'assoupit, sereine, tandis qu'autour d'elle les choses se fondent dans une lumière radieuse, toutes ensemble, et d'un seul coup.

Remerciements

Quelques précisions d'ordre logistique avant que je n'adresse mes remerciements. Le village de Shadbagh est fictif, mais il est possible qu'il en existe un portant le même nom quelque part en Afghanistan. Si tel est le cas, je n'y suis jamais allé. La comptine chantée par Abdullah et Pari et notamment la référence à une « triste petite fée » m'ont été inspirées par un poème de la grande et regrettée poétesse persane Forough Farrokhzad. Enfin, le titre de ce roman provient en partie du joli poème de William Blake, *Chanson de la nourrice*.

J'aimerais remercier Bob Barnett et Deneen Howell qui ont été de formidables conseillers et défenseurs de ce roman, ainsi qu'Helen Heller, David Grossman et Jody Hotchkiss ; Chandler Crawford pour son enthousiasme, sa patience et ses conseils ; et nombre d'amis de Riverhead Books : Jynne Martin, Kate Stark, Sarah Stein, Leslie Schwartz, Craig D. Burke, Helen Yentus, et beaucoup d'autres encore dont je ne cite pas le nom, mais à qui je suis infiniment reconnaissant d'avoir contribué à la publication de ce roman.

Merci également à mon merveilleux réviseur, Tony Davis, dont le travail va bien au-delà de ce que l'on est en droit d'attendre de lui.

J'éprouve une gratitude particulière envers ma correctrice, la très talentueuse Sarah McGrath, qui m'a fait profiter de son discernement, de sa clairvoyance et de ses subtils conseils, et qui m'a aidé à façonner ce livre à bien plus d'égards que je ne peux m'en rappeler. Jamais le processus éditorial ne m'a été si agréable, Sarah.

Enfin, je remercie Susan Petersen Kennedy et Geoffrey Kloske de leur confiance et de leur foi indéfectible en moi et en mon écriture.

Merci, et *tashakor* à tous mes amis et à tous les membres de ma famille pour avoir toujours été là pour moi, et pour m'avoir patiemment, vaillamment et gentiment supporté. Comme toujours, je remercie ma superbe femme, Roya, qui non seulement a lu et corrigé les nombreuses versions de ce roman, mais qui a aussi géré notre vie de tous les jours sans un murmure de protestation pour me permettre d'écrire. Sans toi, Roya, ce livre serait mort quelque part au cours du premier paragraphe de la page 1. Je t'aime.

Collection « Littérature étrangère »

Composé par Nord Compo Multimédia
7, rue de Fives, 59650 Villeneuve-d'Ascq

Cet ouvrage a été imprimé au Canada par

MARQUIS

à Louiseville (Québec)
en octobre 2013

Dépôt légal : novembre 2013